D1027217

COLLEEN HOOVER

UGLY LOVE

Première publication par Atria Paperback editon, août 2014
Atria paperback est un label de Simon & Schuster, Inc.
Titre original : *Ugly Love*

Ce livre est une fiction. Toute référence à des événements historiques, des personnages ou des lieux réels serait utilisée de façon fictive. Les autres noms, personnages, lieux et événements sont issus de l'imagination de l'auteur, et toute ressemblance avec des personnages vivants ou ayant existé serait totalement fortuite.

Pour la présente édition :

38, rue La Condamine
75017 Paris
www.hugoetcie.fr

Ouvrage dirigé par Dorothy Aubert
Graphisme : Ariane Galateau

ISBN : 9782755622416
Dépôt légal : novembre 2015
Imprimé en France par CPI Brodard et Taupin - N°3013742

COLLEEN HOOVER

NEW ROMANCE

UGLY LOVE

Traduit de l'anglais (États-Unis)
par Pauline Vidal

Hugo Roman

Pour mes deux meilleures amies
Qui se trouvent être également mes sœurs,
Lin et Murphy.

1

TATE

– On vous a poignardée dans la nuque, jeune fille.

Les yeux écarquillés, je me tourne lentement vers le monsieur âgé qui se tient à côté de moi. Il appuie sur le bouton d'appel de l'ascenseur et désigne mon cou en souriant.

– Votre tache de naissance.

Instinctivement, je pose la main sur la marque de la taille d'une pièce de dix cents, juste en dessous de mon oreille.

– Mon grand-père disait, continue-t-il, que l'emplacement d'une tache de naissance raconte l'histoire d'un combat perdu. On dirait que vous avez reçu un coup de couteau dans le cou. La mort a dû être instantanée.

Je souris, sans trop savoir s'il faut rire ou avoir peur. Malgré sa première remarque plutôt morbide, il ne paraît pas bien dangereux. Sa silhouette voûtée, ses mains tremblantes indiquent qu'il ne doit pas être loin des quatre-vingts ans. À petits pas, il retourne vers l'un des deux fauteuils de velours rouge placés contre le mur, à proximité de l'ascenseur. Il s'assied en grognant et relève la tête vers moi.

– Vous montez au dix-huitième ?

Je mets un certain temps à assimiler la question. Apparemment, il sait à quel étage je vais, alors que c'est la première fois que je mets les pieds dans cet immeuble.

– Oui, Monsieur, dis-je prudemment. Vous travaillez ici ?

– En effet.

Suivant le mouvement de sa tête, je lève les yeux vers les chiffres lumineux qui clignotent au-dessus de la porte. Encore onze étages. Je prie pour que la cabine arrive vite.

– C'est moi qui appelle l'ascenseur, me dit-il. Je ne suis pas sûr qu'il existe un titre officiel à cet emploi, mais je me considère un peu comme un commandant de bord, puisque j'envoie les gens jusqu'à vingt étages dans les airs.

Cette remarque me fait d'autant plus sourire que mon père et mon frère sont pilotes.

– Depuis combien de temps êtes-vous commandant de bord d'ascenseur ?

Cette fichue machine est d'une lenteur incroyable !

– Depuis que je suis devenu trop vieux pour faire le ménage dans cet immeuble. J'ai fait ça pendant trente-deux ans. Et là, j'envoie les gens dans les airs depuis à peu près quinze ans. C'est le propriétaire qui m'a accordé ce boulot de solidarité, que je pourrai garder jusqu'à ma mort.

Il part d'un petit rire amusé avant d'ajouter :

– Il ne savait pas que Dieu m'avait confié beaucoup de choses à réaliser dans ma vie et là, j'ai pris tellement de retard que je suis *pas près de partir*.

Les portes de l'ascenseur s'ouvrent enfin. Je me penche pour récupérer ma valise et jette un coup d'œil vers mon interlocuteur avant d'entrer dans la cabine.

– Comment vous appelez-vous ?

– Samuel, mais dites Capitaine, comme tout le monde.

– Vous avez une tache de naissance, Capitaine ?

– Eh bien oui, sourit-il. Il semblerait que, dans ma petite

enfance, j'aie reçu une balle dans la fesse. Ça a dû beaucoup saigner.

Je porte la main droite à mon front pour le saluer comme il se doit. Puis je pénètre dans la cabine, me retourne face aux portes, admirant au passage l'extravagance de ce hall d'entrée. Avec ces colonnes et ce sol de marbre, on se croirait davantage dans un hôtel historique que dans un immeuble plein d'appartements.

Quand Corbin a dit que je pourrais habiter chez lui le temps que je trouve un boulot, je ne me doutais pas qu'il vivait comme un adulte normal. Je croyais que ce serait comme la dernière fois que je lui avais rendu visite, alors qu'il venait tout juste de se lancer dans sa carrière de pilote. C'était il y a quatre ans, il occupait alors un logement miteux dans une petite résidence quelconque.

Je ne m'attendais pas à débarquer dans un gratte-ciel en plein centre de San Francisco.

J'appuie sur le bouton du dix-huitième étage puis regarde les panneaux miroirs de la cabine. J'ai passé toute la journée d'hier et presque toute la matinée d'aujourd'hui à emballer mes affaires dans mon studio de San Diego. Heureusement, je ne possède pas grand-chose. Mais, après avoir roulé huit cents kilomètres, je constate que mon épuisement se lit sur mon visage. Mes cheveux ne forment plus qu'un chignon fouillis au sommet de mon crâne, retenu par un crayon parce que je ne trouvais pas d'élastique tout en conduisant. Mes yeux sont généralement noisette, assortis à mes cheveux châtains, mais là, ils ont l'air dix fois plus foncés à cause des cernes qui les creusent.

Je sors un rouge à lèvres de mon sac, en espérant que ça me donnera l'air un peu plus en forme. À peine les portes commencent-elles à se fermer qu'elles se rouvrent à l'entrée d'un type.

– Merci, Cap'taine ! lance-t-il.

Âgé d'une petite trentaine d'années au maximum, le nouveau venu me salue d'un sourire, et je vois aussitôt ce qu'il a derrière la tête dans la mesure où il vient de glisser la main gauche dans sa poche.

Main qui porte une alliance.

– Dixième étage, indique-t-il sans me quitter des yeux.

En fait, ceux-ci sont descendus au bord de mon petit décolleté, puis vers la valise à mes pieds. J'appuie sur le bouton du dix. *J'aurais mieux fait d'enfiler un pull.*

– On emménage ? demande-t-il en reportant ostensiblement son attention sur mon chemisier.

Je fais oui de la tête, mais je ne suis même pas sûre qu'il y ait prêté attention étant donné que son regard n'a pas bougé.

– À quel étage ?

Ben voyons ! Je me colle devant le panneau pour qu'il n'aperçoive pas le dix-huitième allumé et appuie sur tous les boutons après le dixième. Si bien que, quand je m'en détache, il n'a plus l'air de comprendre.

– Ça ne vous regarde pas, dis-je.

Il éclate de rire.

Il croit que je plaisante.

Il hausse ses épais sourcils noirs. Par ailleurs très beaux. De même que ce charmant visage sur ce beau corps.

Mais *marié.*

Enfoiré.

Voyant que je le contemple des pieds à la tête, il me décoche un sourire séducteur – sauf que je ne détaillais pas ses avantages dans le but qu'il pourrait croire. Je me demandais plutôt combien de fois ce corps s'était pressé contre celui d'une fille qui n'était pas sa femme.

Désolée, Madame.

On arrive au dixième étage.

– Je peux vous aider, offre-t-il en désignant ma valise.

Belle voix. Je me demande combien de filles se sont laissé

séduire. Il se rapproche de moi pour appuyer sur le bouton de fermeture des portes.

Soutenant son regard, j'appuie sur celui de l'ouverture tout en grommelant.

– C'est bon.

Il hoche la tête, l'air de dire qu'il a compris. Il sort de l'ascenseur, se retourne vers moi.

– À plus tard, Tate, lance-t-il à l'instant où les portes se referment.

Qu'est-ce qu'il se passe ici ? Les deux personnes que j'ai croisées en arrivant dans cet immeuble savent déjà qui je suis.

Je reste seule dans l'ascenseur qui s'arrête consciencieusement à chaque étage jusqu'au dix-huitième. Quand je me retrouve sur le palier, je sors mon téléphone de ma poche. Je ne me rappelle plus le numéro de l'appartement de Corbin, 1816 ou 1814 ?

À moins que ce ne soit 1826 ?

Je m'arrête devant le 1814 parce qu'il y a un type affalé par terre, adossé contre la porte du 1816.

Mon Dieu, faites que ce ne soit pas le 1816.

Je trouve le message sur mon téléphone. 1816.

Évidemment !

Je m'approche lentement, très embêtée de devoir réveiller l'inconnu. Il a les jambes étalées devant lui, le dos collé contre la porte de Corbin, le menton coincé sur la poitrine. Il ronfle.

– Excusez-moi, dis-je à voix basse.

Il ne bouge pas.

Je soulève un peu son pied en lui tapotant l'épaule.

– Il faut que j'entre dans cet appartement.

Il s'agite, ouvre lentement les paupières, regarde mes jambes plantées devant lui.

Fronçant les sourcils, il se penche, l'air renfrogné, me tâte le genou d'une main, comme si c'était la première fois de sa vie qu'il en apercevait un. Il laisse vite retomber son bras, referme les yeux et se rendort contre la porte.

Génial.

Corbin ne doit rentrer que demain, alors je l'appelle au téléphone pour vérifier s'il ne connaîtrait pas ce type.

– Tate ? lance mon frère en guise de bonjour.

– Oui. Je suis arrivée devant chez toi, mais je ne peux pas entrer à cause d'un mec bourré devant ta porte. Ça te dit quelque chose ?

– Le 1816 ? Tu es sûre que tu es devant le bon numéro ?

– Oui.

– Tu es sûre qu'il est ivre ?

– Oui.

– Bizarre. Il est habillé comment ?

– J'en sais rien, moi, un pantalon...

– Il porte un uniforme de pilote ? Ça voudrait dire qu'il habite dans l'immeuble. La compagnie aérienne y possède plusieurs appartements.

Ce type ne porte rien qui ressemble à un uniforme, mais je ne peux m'empêcher de noter que son jean et son t-shirt noir lui vont très bien.

– Non, pas d'uniforme.

– Tu peux passer sans le réveiller ?

– Il faudrait que je le déplace. Si j'ouvre la porte, il va tomber à moitié à l'intérieur.

Corbin reste silencieux un instant, le temps de réfléchir.

– Bon, redescends et demande à Cap'taine. Je l'ai prévenu que tu arrivais ce soir. Il pourra t'accompagner jusqu'à ce que tu entres dans l'appartement.

Je pousse un soupir, parce que je viens de conduire pendant plus de six heures et que je n'ai pas vraiment envie de redescendre maintenant. Sans compter que Cap'taine doit être la dernière personne qui pourrait m'aider dans ce genre de situation.

– Reste en ligne jusqu'à ce que je sois entrée chez toi.

Je préfère nettement me débrouiller seule. Le téléphone coincé entre l'épaule et l'oreille, je fouille dans mon sac à la recherche de la clé que Corbin m'a donnée. Je l'enfile dans la serrure et commence à ouvrir, mais le pochtron tombe en arrière à mesure que je pousse la porte. Il grogne sans ouvrir les yeux.

– Dommage qu'il soit bourré, dis-je à Corbin. Il a l'air plutôt pas mal.

– Tate, tu bouges tes fesses, que je puisse raccrocher.

Je lève les yeux au ciel. Mon frère est toujours aussi autoritaire. Je savais qu'en m'installant chez lui, je n'arrangerais pas les choses entre nous. Seulement, je suis sans boulot et il faut que je loge quelque part avant que les cours ne reprennent, ce qui ne me laisse guère le choix.

J'espère quand même qu'il saura se montrer un peu plus accommodant. Il a vingt-cinq ans, moi vingt-trois, alors si on ne peut pas mieux s'entendre que deux gamins, c'est que ni lui ni moi n'avons fini de grandir.

À mon avis, ça dépend surtout de Corbin, s'il a changé depuis qu'on a vécu ensemble pour la dernière fois. Il ne s'entendait avec aucun de mes mecs, ni de mes amis d'ailleurs ; en fait, il n'était d'accord avec aucun de mes choix, même pas mon université. Ce qui ne changeait pas grand-chose, car je ne prêtais aucune attention à son opinion. On dirait que le temps et la distance lui ont permis de se détacher un peu de moi, ces dernières années. En me réinstallant quelque temps avec lui, je verrai jusqu'à quel point peut s'étendre notre patience.

Je passe mon sac en bandoulière, mais il se prend sur la poignée de la valise, alors je le laisse tomber à terre. Sans lâcher la poignée de la porte que je tiens fermée afin d'empêcher le type de s'écrouler dans l'appartement. En même temps, je le repousse du pied gauche pour tenter de l'écarter du seuil.

Il ne bouge pas.

– Corbin, il pèse trop lourd. Je vais devoir raccrocher pour me servir de mes deux mains.

– Non, ne raccroche pas. Mets le téléphone dans ta poche, mais ne raccroche pas.

Je jette un coup d'œil sur mon chemisier trop large.

– Pas de poche. Tu vas dans mon soutien-gorge.

Corbin laisse échapper un rire étouffé, tandis que je joins le geste à la parole. Après quoi, je récupère la clé dans la serrure, la glisse dans mon sac mais rate mon coup, et elle tombe par terre. Je n'ai plus qu'à me pencher pour saisir le mec et l'écarter de mon passage.

– Allez, mon pote, dis-je en luttant pour le faire bouger. Désolé d'interrompre ta sieste, mais il faut que j'entre dans cet appartement.

Sans trop savoir comment, je parviens à l'appuyer contre le châssis, du coup j'arrive à pousser la porte et je me retourne pour récupérer mes bagages.

Ma cheville se trouve bloquée par un anneau tiède.

Je me fige.

– Lâchez-moi !

Je crie, donne des coups de pied vers le poignet qui s'est refermé sur ma cheville avec une telle vigueur que je vais sûrement avoir un bleu. Le pochtron me regarde et je suis obligée de me dégager violemment, de quoi me faire tomber à la renverse dans l'entrée.

– Il faut que j'entre, marmonne-t-il à l'instant où j'atterris assise par terre.

Il essaie d'ouvrir grand la porte et là, je suis prise de panique. Je rentre les jambes à l'intérieur, mais sa main me suit. Du pied gauche, je repousse la porte pour la claquer sur son poignet.

– Merde ! crie-t-il.

Il ramène le bras dans le couloir et, cette fois, je mets assez de force dans mon geste pour lui claquer la porte au nez. Je me relève, ferme à clé, tourne le verrou et bloque la chaîne aussi vite que possible.

Dès que les battements de mon cœur s'apaisent, le voilà qui se met à hurler.

Mon cœur qui hurle.

D'une voix grave, bien masculine.

Et qui crie :

– Tate ! Tate !

Corbin.

Je récupère instantanément mon téléphone dans mon soutien-gorge, le reporte sur mon oreille.

– Tate ! Réponds-moi.

Je tressaille, éloigne un peu l'appareil.

– Je vais bien, dis-je à bout de souffle. Je suis à l'intérieur. J'ai fermé à clé.

– Bon sang ! Tu m'as fait une de ces peurs ! Qu'est-ce qui s'est passé ?

– Il voulait entrer. Je lui ai claqué la porte au nez.

J'allume la lumière du salon, fais trois pas et m'arrête.

Bravo, Tate !

Je me retourne lentement vers la porte en prenant conscience de ce que j'ai fait.

– Euh... Corbin ? Malheureusement, j'ai laissé dehors quelques petites choses dont je pourrais avoir besoin. Je sortirais bien les chercher, mais le mec bourré va encore vouloir entrer. Alors, pas question que j'ouvre cette porte. Qu'est-ce qu'on fait ?

Mon frère réfléchit un instant, puis :

– Tu as laissé quoi, au juste, dans le couloir ?

Bien obligée de lui répondre :

– Ma valise.

– C'est pas vrai...

– Et... mon sac.

– Qu'est-ce que ton *sac* fiche dehors ?

– J'ai peut-être aussi laissé la clé de ton appartement par terre.

Là, il ne me répond même plus, on dirait qu'il se parle à lui-même :

– J'appelle Miles pour vérifier s'il est rentré. J'en ai pour deux minutes.

– Attends, c'est qui, Miles ?

– Le voisin d'en face. De toute façon, tu ne rouvres pas tant que je ne t'ai pas rappelée.

Corbin raccroche et je m'adosse à la porte.

Voilà une petite demi-heure que j'habite San Francisco, et je joue déjà les emmerdeuses. C'est tout dire. J'aurai de la chance si mon frère me garde jusqu'à ce que je me trouve un boulot. J'espère ne pas en avoir pour trop longtemps, puisque j'ai posé ma candidature pour trois postes d'infirmière à l'hôpital le plus proche. Ce qui pourrait m'amener à travailler de nuit, les week-ends ou même les deux ; mais je m'accommoderai de ce qui viendra si ça peut m'empêcher d'attaquer mes économies en reprenant ma vie d'étudiante.

Mon téléphone sonne. Je glisse le pouce sur l'écran et réponds.

– Oui.

– Tate ?

– Oui.

Pourquoi Corbin doit-il toujours vérifier deux fois que c'est bien moi qui réponds ? C'est *moi* qu'il a appelée, à qui d'autre croit-il avoir affaire ? Surtout quelqu'un avec la même voix que moi.

– J'ai eu Miles.

– Bon. Il va m'aider à récupérer mes affaires ?

– Pas vraiment. En fait, il faudrait que tu me rendes un grand service.

Je laisse retomber ma tête contre la porte. J'ai l'impression qu'au cours des mois à venir, ces demandes de services vont se multiplier, étant donné qu'il m'en rend un de taille en m'acceptant chez lui. La vaisselle ? D'accord. La lessive ? D'accord. Les courses ? D'accord.

– Qu'est-ce que je peux faire pour toi ?

– C'est Miles qui a besoin de ton aide.

– Le voisin ? Je t'en prie, Corbin, ne me dis pas que le type qui doit me protéger de l'ivrogne est cet ivrogne !

– Je te demande de rouvrir la porte, soupire Corbin, et de le laisser entrer. Qu'il s'installe sur le canapé. Je serai là demain à la première heure. Quand il aura un peu décuvé, il rentrera chez lui.

– C'est quoi, cet immeuble ? Je vais me faire peloter par des mecs bourrés à chaque coin de couloir ?

Long silence.

– Il t'a pelotée ?

– Pas vraiment mais, en tout cas, il m'a attrapé la cheville.

Corbin pousse un autre soupir.

– Fais ça pour moi, Tate. Rappelle-moi dès que tu l'auras fait entrer et que tu auras récupéré tes affaires.

– D'accord.

J'ai vite répondu parce que je percevais une authentique inquiétude dans sa voix.

Je raccroche, ouvre la porte. Le type s'affale sur une épaule, son téléphone lui échappe des mains pour atterrir près de sa tête. Je le ramasse puis retourne le pochtron sur le dos, le dévisage un peu. Il entrouvre les yeux, essaie de me regarder, mais ses paupières retombent lourdement.

– T'es pas Corbin, murmure-t-il.

– Non. En effet. Seulement je suis votre nouvelle voisine et je n'ai pas fini de venir vous emprunter du sucre.

Je le soulève par les épaules pour essayer de le faire asseoir ; il retombe, incapable de se soutenir. Comment peut-on se torcher à ce point ?

Je l'attrape par les mains et le tire peu à peu à l'intérieur de l'appartement, jusqu'à ce que j'aie la place de refermer la porte. Je récupère toutes mes affaires, puis ferme à clé. J'attrape un coussin sur le canapé et le lui glisse sous la tête, après l'avoir roulé sur le côté au cas où il vomirait dans son sommeil.

C'est tout ce qu'il pourra tirer de moi.

Maintenant qu'il dort paisiblement par terre au milieu du salon, je l'abandonne et visite le reste de l'appartement.

Le salon, à lui seul, doit bien faire trois fois la surface de celui que Corbin possédait avant. Même plus, si on y ajoute le coin repas, séparé de la cuisine par un comptoir. Quelques éclatantes peintures modernes ornent les parois, compensées par la couleur brune des canapés profonds. La dernière fois que je suis allée chez lui, il avait un futon, un pouf et des posters de mannequins sur les murs.

Mon frère aurait finalement grandi.

– Très impressionnant, Corbin, dis-je à haute voix.

Je passe d'une pièce à l'autre en allumant toutes les lampes, pour mieux faire connaissance de ce qui sera ma maison pendant quelque temps. Quelque part, ça m'agace que ce soit si beau. Je serai moins motivée pour me chercher autre chose dès que j'aurai mis assez d'argent de côté.

J'entre dans la cuisine et ouvre le réfrigérateur. La porte est tapissée d'une rangée de condiments et, sur l'étagère du milieu, traîne une boîte de pizza entamée, surmontée, à l'étage du dessus, par une bouteille de lait complètement vide.

Bien entendu, pas de provisions. Il n'a quand même pas changé *à ce point.*

J'attrape une bouteille d'eau et pars visiter la chambre où je vais vivre les mois à venir. Comme il y en a deux, je prends celle qui n'a pas l'air occupée et dépose ma valise sur le lit. J'ai encore trois valises et au moins six sacs qui m'attendent dans la voiture, sans parler de mes vêtements sur cintres, mais je m'en passerai ce soir. Corbin a dit qu'il rentrait demain matin, ce sera donc lui qui me les montera.

J'enfile un jogging et un haut. En principe, je devrais m'inquiéter de la présence d'un inconnu dans l'appartement, mais je sens que c'est inutile. Jamais Corbin ne m'aurait demandé de l'aider si cela me faisait courir le moindre risque. Ce qui m'étonne, c'est que si Miles se conduit toujours comme ça, mon frère m'ait priée de le faire entrer.

Il n'a jamais aimé me voir avec des garçons, tout ça à cause de Blake, ma première vraie histoire quand j'avais quinze ans, et, accessoirement, le meilleur ami de Corbin. À l'époque, Blake avait dix-sept ans, et pendant des mois, j'en ai été éperdument amoureuse. Cela dit, avec toutes mes copines, on en pinçait pour la plupart des amis de mon frère, juste parce qu'ils étaient plus âgés que nous.

Blake venait presque tous les week-ends et partageait la chambre de Corbin, et on trouvait chaque fois le moyen de passer un peu de temps ensemble, dès que mon frère avait le dos tourné. Une chose en amenant une autre, au bout de quelques semaines, Blake m'a dit qu'il voulait officialiser notre relation. L'ennui étant qu'il ne s'attendait pas à la réaction de Corbin le jour où il m'a plaquée.

On peut dire qu'il m'a bien brisé le cœur. Aussi violemment que ça peut arriver à une ado de quinze ans qui vient de vivre deux semaines d'amours secrètes. Un beau jour, j'ai appris qu'il fréquentait plusieurs filles à la fois. Quand Corbin l'a su, ça a rompu net leur amitié et tous leurs potes ont reçu pour ordre de ne jamais plus m'approcher. Du coup, je n'ai pour ainsi dire plus pu sortir avec qui que ce soit au lycée, du moins jusqu'à ce que Corbin déménage. Et là encore, les garçons avaient entendu des histoires tellement horribles sur mon compte qu'ils préféraient m'éviter.

À l'époque, je trouvais ça ignoble, aujourd'hui j'adorerais. J'ai eu ma dose de relations qui se terminent mal. J'ai vécu plus d'un an avec mon dernier copain avant de me rendre compte qu'on avait une vision totalement différente de notre avenir.

Il me voulait à la maison. Moi, je voulais faire carrière.

Alors me voilà désormais à San Francisco pour y achever mes études d'infirmière, et je ferai de mon mieux pour éviter toute liaison. En fin de compte, c'est sans doute une bonne chose que je vive quelque temps avec Corbin.

Je retourne dans le salon pour éteindre les lumières, mais je m'y suis à peine engagée que je m'arrête net.

Non seulement Miles s'est levé mais il s'est effondré sur un tabouret, la tête entre ses bras posés sur le comptoir de la cuisine, et il donne l'impression qu'il peut tomber à tout moment. Je ne saurais dire s'il s'est rendormi ou s'il essaie juste de récupérer.

– Miles ?

Voyant qu'il ne réagit pas, je m'approche et lui pose doucement la main sur l'épaule pour le réveiller. À l'instant où mes doigts l'effleurent, il tressaille, se redresse, comme si je l'arrachais à un rêve.

Ou à un cauchemar.

Aussitôt, il se lève, titubant. Je me dépêche de lui passer le bras sur mon épaule et tente de l'entraîner hors de la cuisine.

– On va sur le canapé, mon pote.

Le front appuyé sur ma tempe, il se laisse mener d'un pas tellement hésitant que j'en ai du mal à le soutenir.

– Je m'appelle pas Pote, bredouille-t-il, mais Miles.

On arrive devant le canapé et j'entreprends de le déshabiller.

– D'accord, Miles. Ou qui que tu sois peu importe. Tu vas dormir, maintenant.

Il s'effondre sur le canapé, sans lâcher mon épaule, si bien que je tombe avec lui et tente aussitôt de me dégager.

– Rachel, arrête !

Il me retient par le bras en essayant de m'allonger auprès de lui.

– Je ne m'appelle pas Rachel, dis-je en me libérant, mais Tate.

Je ne sais pas pourquoi je me donne la peine de le préciser

alors qu'il aura tout oublié demain. Je ramasse le coussin que je lui avais donné.

Je marque une pause avant de le lui tendre, car il est maintenant allongé sur le côté, la tête enfoncée entre les autres coussins, et il s'agrippe si fort au canapé qu'il en a les jointures blanchies. Au début, je crois qu'il va vomir et puis je me rends compte de mon erreur.

Il n'est pas *malade*.

Il *pleure*.

Fort.

Tellement fort qu'il n'émet pas un son.

Bon, je ne connais pas ce type, mais sa criante détresse est difficile à supporter. Je jette un coup d'œil vers l'entrée ; je ferais peut-être mieux de m'éloigner pour le laisser tranquille. Je n'ai aucune envie de me trouver mêlée à ses ennuis. Jusque-là, j'ai réussi à éviter la plupart des drames dans mon entourage, ce n'est pas pour commencer maintenant. Si je cède à mon instinct, je fiche le camp mais, sans trop savoir pourquoi, il éveille de la compassion chez moi. Son chagrin paraît trop authentique pour n'être dû qu'à un abus d'alcool.

Je m'agenouille devant lui, lui touche l'épaule.

– Miles ?

Il respire un grand coup, lève lentement vers moi des yeux à peine ouverts, injectés de sang. Je ne sais pas trop s'il le doit à ses pleurs ou à l'alcool.

– Pardon Rachel, dit-il en me tendant une main.

Il me prend par le cou pour m'attirer vers lui, se cachant le visage aux creux de mon épaule.

– Pardon, pardon !

J'ignore totalement qui est cette Rachel ou ce qu'il a pu lui faire, mais s'il souffre tant, je frémis à l'idée de ce qu'elle peut éprouver. J'ai presque envie de lui prendre son téléphone pour chercher ce nom et appeler la personne en question afin qu'elle intervienne.

– Là, il faut dormir, Miles.

Il s'allonge, l'air encore désespéré.

– Tu me détestes tellement, dit-il en me reprenant la main.

Il referme les yeux, pousse un nouveau soupir.

Je le contemple silencieusement tandis qu'il se calme. Alors, je retire ma main mais reste encore quelques minutes auprès de lui.

Bien qu'il se soit endormi, il a encore l'air de souffrir, les sourcils froncés, le souffle court. Visiblement, ce sommeil n'a rien de paisible.

C'est là que je remarque une cicatrice en dents de scie, d'une dizaine de centimètres, qui court presque sur toute la partie droite de sa mâchoire pour s'arrêter à proximité de ses lèvres. Sans trop savoir pourquoi, j'ai envie de la parcourir du doigt, mais je me rabats sur ses cheveux d'un châtain ni trop blond ni trop brun, que j'effleure de la paume. Il les porte courts aux tempes, un peu plus longs sur le crâne ; et ma main les caresse, même s'il ne le mérite pas.

Ce type n'est sans doute pas rongé par le remords pour rien mais, quoi qu'il ait fait à Rachel, au moins il s'en veut. On doit lui reconnaître ça.

Quoi qu'il ait fait à Rachel, au moins il l'aime assez pour le regretter.

♡

2

MILES

SIX ANS PLUS TÔT

J'ouvre la porte du bureau de l'administration pour aller déposer le rouleau à la secrétaire. Alors que je retourne sur mes pas, elle m'interpelle :

– Vous suivez les cours de littérature en terminale de M. Clayton, je crois, Miles ?

– Oui, Madame. Vous voulez que je lui apporte quelque chose ?

Le téléphone sonne et Mme Borden décroche en hochant la tête, couvre le combiné de sa main.

– Attendez une minute, lance-t-elle en me désignant le bureau du proviseur. Nous avons une nouvelle élève qui vient d'arriver, et elle doit aussi voir M. Clayton. Je voudrais que vous la présentiez à votre classe.

Du coup, je n'ai plus qu'à m'asseoir sur un siège à proximité de la porte. En regardant autour de moi, je m'aperçois que c'est la première fois, en quatre ans de lycée, que je pose mes fesses ici. Autrement dit, j'ai toujours entretenu d'assez bonnes relations avec mes profs pour qu'ils ne m'envoient pas chez le proviseur.

Ma mère aurait été fière de le savoir, encore que ça me laisse un rien sceptique sur mes facultés de rébellion. Tout le monde a un jour ou l'autre été collé au lycée. Il ne me reste que cette fin de dernière année pour y parvenir. Je vais devoir y réfléchir.

Je sors mon téléphone de ma poche tout en souhaitant secrètement que Mme Borden me surprenne et me flanque une heure de colle pour cette entorse évidente au règlement. Mais elle se contente de me regarder, de me sourire et de reprendre ses tâches.

Un rien déçu, je tape un texto à Ian. Ici, il n'en faut pas beaucoup pour exciter les populations. Il ne se passe jamais rien.

Moi : Nouvelle meuf inscrite aujourd'hui. Terminale.

Ian : Présentable ?

Moi : Pas vue encore. Je vais la présenter à la classe.

Ian : Prends une photo si elle est bonne.

Moi : OK. Au fait, combien d'heures de colle, cette année ?

Ian : Deux. Pourquoi ? Qu'est-ce que tu as fait ?

Deux fois ? Il faudrait vraiment que je me rebelle un peu avant la fin de l'année. Prendre un peu de retard dans mes devoirs.

Lamentable.

Voyant la porte du proviseur s'ouvrir, j'éteins mon téléphone, le glisse dans ma poche et relève la tête.

Plus question que je détourne les yeux.

– Miles va vous conduire à la classe de M. Clayton, Rachel.

Mme Borden me désigne du bras, et la Rachel en question se dirige vers moi.

Mes jambes deviennent trop flageolantes pour pouvoir me porter.

Ma bouche ne peut plus articuler un mot.

Mon cœur oublie d'attendre de mieux connaître une fille avant de s'emballer.

Rachel.

Rachel.

Rachel. Rachel. Rachel.

Son nom sonne comme une poésie.
Comme la prose de lettres d'amour,
les paroles d'une chanson cascadent
au
centre
d'une
page.
Rachel. Rachel. Rachel.
Je répète son nom encore et encore dans ma tête car,
je puis l'affirmer, c'est le nom de la prochaine fille dont je
vais tomber amoureux. Je me lève brusquement. Je vais à sa
rencontre. Je pourrais sourire, faire comme si ces yeux verts
ne m'atteignaient pas, comme si je ne rêvais pas déjà qu'un
jour ils ne sourient qu'à moi. Ou que ces cheveux roux
comme mon cœur à l'automne n'aient pas été créés
pour elle seule.
Je lui parle.
Je lui dis que je m'appelle Miles.
Je lui dis qu'elle peut me suivre, que je vais
la conduire vers la classe de M. Clayton.
Je la regarde car elle ne m'a pas encore parlé,
mais son seul hochement de tête me convainc
que jamais fille n'a été plus aimable avec moi.
Je lui demande d'où elle vient, elle dit d'Arizona.
– Phoenix, précise-t-elle.
Je ne lui demande pas ce qui l'amène en Californie
mais lui dis que mon père fait beaucoup d'affaires
avec Phoenix car il y possède plusieurs immeubles.

Elle sourit.
J'ajoute que je n'y suis jamais allé
mais que cela me plairait beaucoup.
Elle sourit encore.
Je crois l'entendre préciser que c'est une belle ville,
mais j'ai du mal à saisir ses paroles alors que je n'entends
que son nom.
Rachel.
Je vais tomber amoureux de toi, Rachel.
Son sourire me donne envie de continuer à parler,
alors je lui pose une autre question tandis que
nous passons devant la classe de M. Clayton.
Nous continuons à marcher.
Elle ne cesse de parler, car je ne cesse
de poser des questions.
Parfois elle hoche la tête.
Parfois elle répond.
Parfois elle chante.
Du moins est-ce ainsi que je l'entends.
Nous arrivons au bout du couloir, au moment
où elle m'explique espérer aimer ce lycée,
car elle ne voulait pas quitter Phoenix.
Elle ne paraît pas heureuse ici.
Elle ignore combien elle me rend heureux.
– Où est la classe de M. Clayton ? demande-t-elle.
Je contemple la bouche qui vient de prononcer cette phrase.
Ses lèvres ne sont pas symétriques.
La lèvre supérieure paraît un peu plus fine que l'inférieure,
mais cela ne se voit que quand elle parle.
Ses yeux. Impossible que de tels yeux ne voient pas un
monde plus beau, plus pacifique que tous les autres yeux.
Je la dévisage encore quelques secondes puis tends
le doigt derrière moi, lui annonçant que
nous sommes déjà passés devant.

Ses joues s'empourprent, comme si mon aveu
l'affectait autant que moi.
Je souris encore.
Nous repartons vers la classe de M. Clayton.
Rachel.
Tu vas tomber amoureuse de moi, Rachel.
Je lui ouvre la porte, annonce au professeur que
Rachel est nouvelle. J'ai aussi envie d'ajouter,
à l'intention de tous les autres garçons présents
dans la classe, que Rachel ne leur appartient pas.
Elle est à moi.
Mais je n'en dis rien.
Je n'en ai pas besoin, car la seule personne à qui je
voudrais annoncer que je désire Rachel est Rachel.
Elle me regarde, me sourit encore, va s'asseoir à l'unique
place libre, à l'autre bout de la classe.
Ses yeux me disent qu'elle sait déjà qu'elle m'appartient.
Ce n'est plus qu'une question de temps.
J'ai envie de textoter à Ian qu'elle est plus que bonne,
volcanique, mais ça le ferait rire.
Finalement, je la prends discrètement
en photo de là où je me trouve.
J'envoie l'image à Ian, accompagnée de ce message :
« Elle portera tous mes enfants. »
M. Clayton commence son cours.
Miles Archer devient complètement obsédé.

J'ai rencontré Rachel lundi.
On est vendredi.
Je ne lui ai plus parlé depuis notre rencontre.
Je ne sais pas pourquoi. Nous avons trois cours ensemble.

Chaque fois que je la vois, elle me sourit,
comme si elle voulait que je lui adresse la parole.
Chaque fois que j'en trouve le courage,
je me réduis au silence.
Moi qui étais si sûr de moi.
Avant que Rachel n'arrive.
Je me suis donné jusqu'à aujourd'hui.
Si je ne trouve pas le courage d'ouvrir la bouche
aujourd'hui, je renoncerai à ma dernière chance avec elle.
Les filles comme Rachel ne sont pas disponibles longtemps.
Si jamais elle l'est.
J'ignore tout de sa vie, si elle n'a pas quelqu'un qui l'attend
à Phoenix, mais il n'existe qu'un moyen de le savoir.
Je suis devant son casier, je l'attends. Elle sort de la classe,
me sourit. Je lui dis bonjour tandis qu'elle s'approche.
Je remarque cette même légère roseur sur ses joues. J'aime ça.
Je lui demande comment s'est passée cette première semaine.
Elle me dit que c'était bien. Je lui demande si elle s'est fait
des amis, elle hausse les épaules et répond :
– Quelques-uns.
Je hume son parfum, discrètement.
Elle s'en aperçoit cependant.
Je lui dis qu'elle sent bon.
Elle me dit merci.
Je repousse les détonations de mon cœur dans mes oreilles.
J'ignore la moiteur qui envahit mes paumes. J'étouffe son
nom que j'aimerais pouvoir répéter sans fin. Je le chasse
et soutiens son regard en lui demandant si elle voudrait
qu'on fasse quelque chose ensemble un de ces jours.
Je bloque tout le reste dans mon esprit pour laisser
place à sa réponse, car je n'attends plus rien d'autre.
J'attends son hochement de tête. Celui qui se passe de mots ?
Rien qu'un sourire ?
Je ne reçois ni l'un ni l'autre.

Elle est prise ce soir.
L'annonce me revient de plein fouet, et ce revers me submerge. Les palpitations, les paumes moites, son nom, cette insécurité nouvelle que je n'aurais jamais crue possible, j'en ai le cœur inondé. Et c'est comme si un rempart se dressait maintenant entre elle et moi.
– Mais je suis libre demain, ajoute-t-elle.
Et le rempart de s'abattre à ces mots.
Je fraie un chemin à ces mots. Un grand chemin.
Je les laisse m'envahir. Je les absorbe telle une éponge.
Je les capte dans les airs et les avale.
– Demain, ça marche, dis-je.
Sans masquer mon sourire,
je sors mon téléphone de ma poche.
– Quel est ton numéro ? Je t'appelle.
Elle me donne son numéro.
Elle est contente.
Elle est contente.
J'enregistre son contact sur ma liste,
sûr qu'il va y rester très longtemps.
Et que je l'utiliserai.
Beaucoup.

3

TATE

Normalement, si je me réveillais pour découvrir un homme furax en train de me regarder du seuil de ma chambre, je devrais hurler. Je devrais lui jeter des trucs à la figure. Je devrais courir me réfugier dans la salle de bains.

Pourtant, je n'en fais rien.

En revanche, je ne comprends pas que ce puisse être le même type qui s'est écroulé complètement fracassé dans le couloir. Vraiment le même type qui s'est endormi hier soir épuisé d'avoir trop pleuré ?

Ce type est intimidant. Ce type est furieux. Ce type me regarde, l'air d'attendre que je m'explique ou que je lui présente des excuses.

C'est ce même type, parce qu'il porte le même jean et le même t-shirt noir qu'hier soir. À cette différence près qu'il tient maintenant sur ses jambes.

– Qu'est-ce qui est arrivé à ma main, Tate ?

Il connaît mon nom. Est-ce parce que Corbin lui a parlé de mon arrivée ou parce qu'il a enregistré ce que je lui ai dit hier soir ? J'espère que ça lui vient de Corbin, parce que je ne tiens pas trop à ce qu'il se souvienne de cette soirée. Tout d'un coup, je suis gênée à l'idée qu'il me revoie en train de le consoler alors qu'il pleurait à chaudes larmes avant de s'endormir.

En revanche, il n'a pas l'air de comprendre ce qui est arrivé à sa main, ce qui me permet d'espérer qu'au moins il ne se rappelle rien du tout.

Il s'appuie à ma porte, les bras croisés, sur la défensive, comme si j'étais responsable de la mauvaise nuit qu'il vient de passer. Je me retourne, pas encore vraiment réveillée, bien qu'il semble estimer que je lui dois des explications. Je tire le dessus de lit sur ma tête.

– Ferme la porte d'entrée en partant, lui dis-je.

Espérons qu'il va saisir l'allusion et rentrer chez lui.

– Où est mon téléphone ?

Je ferme les yeux en essayant d'étouffer le doux son de sa voix qui me pénètre tout le corps par les oreilles, me réchauffant là où une couverture trop légère a échoué toute la nuit.

Je me rappelle alors que la personne à qui appartient cette voix sensuelle se tient dans l'encadrement de ma porte et me pose des questions désagréables sans songer à me remercier de l'avoir aidée hier soir. J'aimerais savoir où sont les *merci*, les *bonjour, je m'appelle Miles. Enchanté.*

Rien à attendre de la part de ce type. Il s'inquiète trop pour sa main. Et pour son téléphone. Il ne pense qu'à lui, sans songer une minute aux personnes que sa négligence a pu indisposer. Si ce mec doit devenir mon voisin au cours des mois à venir, je ferais bien d'immédiatement le remettre à sa place.

Renvoyant draps et couverture, je me lève et m'approche de lui, les yeux dans les yeux.

– Recule, s'il te plaît.

Chose étonnante, il obtempère. Sans le quitter du regard, je lui claque la porte au nez et regagne mon lit en souriant.

Je m'allonge, remonte la couverture.

J'ai gagné.

Ai-je précisé que je n'étais pas du matin ?

La porte s'ouvre de nouveau.

En grand.

– Qu'est-ce qui te prend ? braille-t-il.

Je me rassieds en grognant. Il est revenu, il a l'air d'attendre, comme si je lui devais quelque chose.

– Dégage !

Ma réponse brutale semble le déconcerter, au point que je me sens un peu gênée. Pourtant, c'est lui l'enfoiré.

Réfléchissons.

C'est lui qui a commencé.

Réfléchissons.

Il me jette un regard mauvais, puis penche un peu la tête, hausse un sourcil.

– Est-ce qu'on a... ? demande-t-il en nous désignant tous les deux du doigt. On a couché ensemble ? C'est pour ça que tu fais la gueule ?

Mes soupçons se confirment et j'éclate de rire.

C'est bien *lui* l'enfoiré.

Tant mieux. Je suis la voisine d'un mec qui se bourre la gueule tous les soirs et ramène tant de filles chez lui qu'il ne se rappelle même plus avec lesquelles il a baisé ou pas.

J'ouvre la bouche pour répondre, mais suis interrompue par la porte d'entrée qui claque et la voix de Corbin qui appelle :

– Tate ?

Je me lève aussitôt, me précipite, mais Miles me bouche le passage, l'air d'attendre ma réponse. Je soutiens son regard, histoire de lui faire comprendre que c'est tout ce que j'ai à dire mais reste un instant décontenancée.

J'ai devant moi les yeux les plus clairs que j'aie jamais vus. Rien à voir avec les prunelles injectées de sang d'hier soir. Ses iris sont d'un bleu quasi transparent. Au point que je n'arrive plus à m'en détacher. Je dirais bien qu'ils ont la couleur des eaux des Caraïbes, mais comme je ne suis jamais allée aux Caraïbes, je n'en sais rien.

Il cligne des paupières, ce qui me ramène aussitôt à San Francisco. Dans cette chambre. Où il m'a posé une question précise avant l'arrivée de Corbin. À laquelle je réponds maintenant.

– Pas sûre qu'on puisse appeler ce qu'on a fait « coucher ensemble ».

Je le regarde encore fixement, en attendant qu'il me libère la voie.

Il me domine de toute sa taille. Apparemment, il ne tient pas à nous imaginer dans les bras l'un de l'autre. Il donnerait presque l'impression de me toiser avec un certain dégoût, ce qui ne me le rend que plus antipathique.

Je ne recule pas, et ni lui ni moi ne détournons les yeux quand il s'écarte pour me laisser passer. Corbin apparaît à l'instant où je sors de ma chambre. Il nous examine l'un après l'autre, Miles et moi, aussi je juge nécessaire de lui jeter un regard éloquent pour le convaincre qu'il ne s'est strictement rien passé.

– Salut, petite sœur, lance-t-il en me prenant dans ses bras.

Voilà près de six mois que je ne l'ai pas vu. Parfois, on a vite fait d'oublier combien les gens ont pu vous manquer, jusqu'à ce qu'on les revoie. Mais ce n'est pas le cas avec Corbin. Il me manque tout le temps. Autant son attitude protectrice peut parfois sembler envahissante, autant elle reste la preuve de notre attachement mutuel.

Corbin me lâche, tire sur une mèche de mes cheveux.

– Ils ont poussé, observe-t-il. Ça me plaît bien.

C'est sans doute la première fois qu'on était restés sans se voir si longtemps. À mon tour, je lui tire une mèche sur son front.

– Les tiens aussi, dis-je. Et *ça ne me plaît pas.*

Je souris, pour lui faire comprendre que je plaisante. J'adore son aspect un peu hirsute. Il paraît qu'on se ressemble beaucoup, mais je n'ai jamais vu en quoi. Il a le teint beaucoup plus mat que moi, chose que je lui ai toujours enviée. Nos cheveux sont du même brun cuivré, mais nos traits n'ont rien de semblable et nos yeux encore moins. Maman aimait à répéter qu'à eux deux, nos regards offraient les teintes d'un arbre. Le sien vert comme les feuilles, le mien brun comme l'écorce.

Je l'ai toujours envié d'être les feuilles, car le vert est ma couleur préférée.

Corbin adresse un signe de la tête à Miles.

– Salut, mon vieux. La nuit a été rude ?

Sa question se perd dans un rire, comme s'il savait exactement de quoi il parlait.

Miles passe devant nous.

– Je sais pas, je me rappelle pas.

Il se dirige vers la cuisine, ouvre un placard, en sort un verre, à l'aise comme s'il était chez lui.

Je n'aime pas ça.

Je n'aime pas voir un Miles à l'aise.

Miles à l'aise ouvre un autre placard, prend un flacon d'aspirine, remplit le verre d'eau et jette deux comprimés dans sa bouche.

– Tu as monté toutes tes affaires ? me demande Corbin.

– Non. J'ai passé presque toute la nuit à me faire du souci pour ton voisin.

Miles s'éclaircit nerveusement la gorge tout en passant le verre sous l'eau pour le rincer ; puis il l'essuie et le range. Son trou de mémoire m'amuse. Heureusement qu'il ne garde aucun souvenir de cette nuit. En fait, j'aime assez qu'il se sente désarçonné à l'idée de l'avoir passée en ma présence. Je pourrais bien en jouer un certain temps.

Corbin m'adresse un regard de reproche, comme s'il devinait très bien ma manœuvre. En sortant de la cuisine, Miles jette œil dans ma direction avant de se tourner vers Corbin.

– Je rentrerais bien chez moi, mais je ne trouve pas mes clés. Tu as le double que je t'ai laissé ?

Corbin ouvre un tiroir dans la cuisine, saisit un jeu de clés qu'il lance à son ami et que celui-ci attrape d'un geste parfaitement sûr.

– Tu pourrais revenir dans une heure m'aider à décharger la voiture de Tate ? lui demande-t-il. Je voudrais d'abord prendre une douche.

Miles fait oui de la tête, tout en m'adressant un rapide coup d'œil, tandis que Corbin se rend dans sa chambre.

– Il est un peu tôt pour bavarder, me lance-t-il au passage. On verra ça un peu plus tard.

Voilà au moins sept ans qu'on ne vit plus ensemble, mais il a l'air de se rappeler que je ne suis pas du matin. Dommage que Miles ne l'ait pas appris à temps.

Une fois mon frère disparu, je me tourne vers son ami. Il m'interroge du regard, l'air d'attendre toujours une réponse aux questions qu'il m'a posées tout à l'heure. Comme j'ai envie qu'il s'en aille au plus vite, j'y réponds sur-le-champ.

– Tu étais dans les vapes en plein milieu du couloir quand je suis arrivée. Je ne savais pas qui tu étais, alors quand tu as tenté de pénétrer dans l'appartement, j'ai claqué la porte sur ta main. Elle n'est pas cassée, rassure-toi, j'ai vérifié. Tu auras juste un bleu. Tu n'as qu'à l'envelopper dans de la glace pendant quelques heures. Et non, on n'a pas baisé. Je t'ai fait entrer dans l'appartement et je suis allée me coucher. Ton téléphone est par terre, près de la porte d'entrée, là où tu es tombé cette nuit parce que tu étais trop bourré pour pouvoir marcher.

Je repars vers ma chambre. Je n'ai qu'une envie, échapper à ce regard intense.

Devant ma porte, je me retourne quand même.

– Si je suis réveillée quand tu reviendras, dans une heure, on pourra réessayer.

– Réessayer *quoi* ?

– De repartir du bon pied.

Je ferme la porte, dressant une barrière entre moi et cette voix.

Ce regard.

– Tu as combien de paquets au juste ? me demande Corbin.

Il enfile ses chaussures devant la porte. Je prends mes clés sur le bar.

– Six, et trois valises, et tous mes vêtements qui sont sur des portemanteaux.

Il sort dans le couloir et s'en va directement frapper chez Miles avant d'aller appeler l'ascenseur.

– Tu as dit à maman que tu partais ?

– Oui, je lui ai envoyé un SMS hier.

J'entends la porte de Miles s'ouvrir à l'instant où l'ascenseur arrive, mais je ne me retourne pas pour le regarder sortir. J'entre dans la cabine et Corbin appuie sur le bouton d'arrêt pour attendre Miles.

À peine apparaît-il dans le décor que je suis perdue. Je ne savais même pas que je livrais une bataille. Cela ne m'arrive pas souvent, mais quand je trouve un garçon séduisant, mieux vaut que ce soit quelqu'un *qui me convienne.*

Miles n'a rien du genre qui m'attire. Je ne tiens pas à me laisser séduire par un type qui s'abrutit de cuites, pleurniche sur d'autres nanas et ne se rappelle même pas s'il a couché ou non avec vous la nuit précédente. Pourtant, difficile de ne pas remarquer sa présence, elle éclipse tout le reste.

– On devrait faire ça en deux voyages, estime Corbin en appuyant sur le bouton du rez-de-chaussée.

Miles me regarde et j'ai du mal à juger son attitude, car il a encore l'air furieux. Pourtant, je ne me détourne pas car, malgré son allure avantageuse, j'attends toujours ce *merci* qui ne vient pas.

– Salut, lance-t-il enfin en me tendant la main. Miles Archer. J'habite en face de chez vous.

Là, je n'y comprends plus rien.

– C'est ce que je crois avoir compris, dis-je en regardant sa paume ouverte.

– On repart, insiste-t-il. Du bon pied ?

Ah. Oui. C'est moi qui avais dit ça.

Je lui serre la main.

– Tate Collins. Je suis la sœur de Corbin.

Il recule sans me quitter des yeux, ce qui me met un peu mal à l'aise, à cause de Corbin, tout près de nous, et qui a d'ailleurs l'air de s'en ficher éperdument. Il a le nez plongé dans son téléphone.

Miles sort le sien de sa poche. J'en profite pour l'examiner en douce.

J'en arrive à la conclusion que son apparence est complètement contradictoire avec l'impression qu'il m'a d'abord donnée. À croire qu'il a été conçu par deux créateurs diamétralement opposés. La puissance de sa carrure contraste avec le doux appel de ses lèvres, et celles-ci semblent d'une totale innocence comparées à la dureté de ses traits, à commencer par la cicatrice qui lui marque le bas de la joue droite.

Quant à ses cheveux, on ne saurait dire s'ils sont vraiment blonds ou bruns, raides ou ondulés. Sa personnalité varie de l'amabilité chaleureuse à la froide indifférence, comme pour provoquer mon aptitude à seulement distinguer le chaud du froid. Son attitude décontractée semble en totale opposition avec l'ardeur que j'ai lue dans ses yeux. Son calme de ce matin contredit son état d'ébriété d'hier soir. Son regard semble hésiter entre son téléphone et moi, montant et descendant à plusieurs reprises avant que la cabine ne s'arrête.

Les portes s'ouvrent, et je sors la première. Cap'taine est toujours là, assis dans son fauteuil, aux aguets. Il nous dévisage un instant puis, s'appuyant sur ses bras, se lève pour venir à notre rencontre. Corbin et Miles lui adressent tous deux un signe de tête avant de se diriger vers la sortie.

– Cette première nuit s'est bien passée, Tate ? me demande-t-il avec un sourire.

Je m'arrête net. Mais non, rien de surprenant à ce qu'il connaisse déjà mon nom puisqu'il savait précisément à quel étage je me rendais.

Je regarde mes compagnons s'éloigner de moi.

– Plutôt agitée, en fait. J'ai l'impression que mon frère ne sait pas trop choisir ses amis.

À son tour, il suit mes compagnons des yeux. Ses lèvres ridées se serrent un peu et il secoue la tête.

– Ah, ce garçon n'y peut rien, assure-t-il.

Je ne sais pas trop s'il fait référence à Corbin ou à Miles.

Cap'taine se détourne et file en direction des toilettes.

– Faut que j'y aille, marmonne-t-il, je crois que je me suis pissé dessus.

Je le regarde disparaître en me demandant à quel âge on est assez vieux pour perdre toute notion d'autocensure. Encore qu'il semble du genre à n'en avoir *jamais eu* besoin. C'est d'ailleurs ce qui me plaît en lui.

– Tate, on y va ! me crie Corbin du bout du hall.

Je les rejoins pour leur montrer où j'ai garé ma voiture.

Il nous faudra finalement trois voyages pour monter toutes mes affaires.

Trois voyages au cours desquels Miles ne m'adresse pas une fois la parole.

♡

4

MILES

SIX ANS PLUS TÔT

Papa : Où es-tu ?

Moi : Chez Ian.

Papa : Je voudrais te parler.

Moi : Ça peut attendre demain ? Je vais rentrer tard.

Papa : Non. Rentre tout de suite.

Moi : Bon. J'arrive.

C'est la conversation qui nous a menés à ce moment. Moi, assis face à mon père sur le canapé. Mon père en train de me raconter des trucs que je n'ai pas envie d'écouter.

– Je te l'aurais bien dit avant, Miles. Seulement je...

– Tu te sentais coupable ? Comme si tu faisais quelque chose de mal ?

Nos regards se croisent et je commence à m'en vouloir d'avoir dit ça, pourtant je continue :

– Ça ne fait même pas un an qu'elle est morte.

À peine ai-je prononcé ces mots que j'ai envie de vomir.

Il n'aime pas qu'on le juge, surtout moi. Il a l'habitude que je soutienne ses décisions. Et j'en ai trop pris l'habitude. Jusqu'ici, j'avais toujours cru qu'il n'en prenait que de bonnes.

– Écoute, insiste-t-il, je sais que c'est dur à accepter, mais j'ai besoin de ton soutien. Tu ne te rends pas compte à quel point j'ai du mal depuis qu'elle est morte.

– Du mal ?

Je me lève, en même temps que je hausse la voix. Je me comporte comme si je n'en avais rien à foutre, ce qui n'est pas le cas. Je m'en tape qu'il voie quelqu'un d'autre. Il peut voir qui il veut. Il peut baiser qui il veut.

La seule raison pour laquelle je réagis ainsi, c'est qu'elle, elle ne peut pas. Difficile de défendre son couple quand on est morte. C'est pour ça que je le fais à sa place.

– Ça saute aux yeux que tu n'as pas trop de mal, papa.

Je me dirige vers l'autre bout du salon.

Cette maison est trop petite pour contenir toute mon irritation et ma déception.

Bon, je dois reconnaître que ce n'est pas parce qu'il voit déjà quelqu'un d'autre. Non, c'est son regard quand il parle d'elle que je déteste. Je ne l'ai jamais vu regarder ma mère comme ça, alors qui que soit cette femme, je sais qu'il ne s'agit pas d'une simple aventure. Elle va s'immiscer dans nos vies, s'interposer dans mes relations avec mon père comme une mauvaise herbe. Il y aura moi, mon père et *Lisa.* Ça me semble injuste étant donné que la présence de ma mère est encore partout dans la maison.

Il est assis, les mains croisées devant lui, et regarde le sol.

– Je ne sais pas où ça peut nous mener, mais j'ai envie d'essayer. Lisa me rend heureux. Il faut que ça bouge un peu... c'est le seul moyen d'avancer.

J'ouvre la bouche pour lui répondre mais suis interrompu par la sonnette. Il lève les yeux vers moi, comme s'il hésitait. Il me paraît plus petit. Moins héroïque.

– Je ne te demande pas de l'aimer. Je voudrais juste que tu sois gentil avec elle.

Il m'implore des yeux et, du coup, je m'en veux.

– D'accord, Papa. Bien sûr.

Il me prend dans ses bras ; ça fait du bien. En même temps, ça m'énerve. Je n'ai pas l'impression d'avoir jamais reçu une accolade de l'homme que je mets depuis dix-sept ans sur un piédestal.

Il me demande d'aller ouvrir tandis que lui retourne à la cuisine pour finir d'y préparer le dîner. J'obéis en annonçant intérieurement à ma mère que je vais me montrer gentil avec Lisa, qui ne sera jamais que Lisa pour moi, quoi qu'il puisse arriver entre elle et papa.

J'ouvre la porte.

– Miles ?

Je découvre alors son visage, totalement différent de celui de ma mère. Quelque part, ça me rassure. Elle est beaucoup plus petite que ma mère, pas aussi jolie. Elle n'est en rien comparable à ma mère, je vais donc seulement essayer de la prendre pour ce qu'elle est : notre invitée pour ce dîner.

Hochant la tête, j'ouvre grand la porte et la laisse entrer.

– Vous devez être Lisa. Ravi de vous rencontrer. Mon père est à la cuisine.

Lisa se penche pour me serrer dans ses bras – geste qui me paraît assez étrange pour que je mette plusieurs secondes à réagir.

Mes yeux tombent sur ceux de la fille qui se tient derrière elle.

Les yeux de la fille qui se tient derrière elle croisent les miens.

Tu

vas

tomber

amoureuse

de

moi,

Rachel.

– Miles ? murmure-t-elle d'une voix cassée.
Elle possède presque le même timbre que sa mère, en plus triste.
Lisa nous regarde l'un après l'autre.
– Vous vous connaissez ?
Rachel ne hoche pas la tête.
Moi non plus.
– Il... euh... il...
La sentant bégayer, je l'aide à finir sa phrase.
– On est dans le même lycée.
Je regrette aussitôt d'avoir dit ça alors que j'avais plutôt envie de clamer : *Rachel est la prochaine fille dont je vais tomber amoureux.*
Sauf que je ne peux pas annoncer ça, de peur des conséquences évidentes. Rachel n'est pas la prochaine fille dont je vais tomber amoureux, parce que Rachel est la fille qui va très vraisemblablement devenir ma prochaine demi-sœur.
Pour la deuxième fois, ce soir, j'ai mal au cœur.
Lisa sourit, joint les mains.
– C'est merveilleux ! Je suis tellement soulagée !
Mon père entre dans le salon. Il étreint Lisa, dit bonjour à Rachel, lui annonce qu'il est content de la revoir.
Mon père connaît déjà Rachel.
Rachel connaît déjà mon père.
Mon père est le nouveau compagnon de Lisa.
Mon père se rend souvent à Phoenix.
Mon père s'y est souvent rendu depuis la mort de ma mère.
Mon père est un enfoiré.
– Rachel et Miles se connaissaient déjà, annonce Lisa à mon père.
Il sourit.
– Bien, bien, dit-il en répétant ce mot comme pour mieux s'en convaincre.
Non.

Mauvais. Mauvais.

– Voilà qui nous facilitera les choses ce soir, ajoute-t-il en riant.

Je regarde Rachel.

Rachel me regarde.

Je ne peux pas tomber amoureux de toi, Rachel.

Elle me jette un regarde triste.

Je le suis encore plus qu'elle.

Et tu ne peux pas tomber amoureuse de moi.

Elle entre lentement, la tête baissée sur ses pas lourds.

Des pas tristes comme je n'en avais jamais vu.

Je ferme la porte.

Une porte triste comme je n'en avais jamais fermé.

5

TATE

– Tu es libre pour Thanksgiving ? me demande ma mère.

Je change mon téléphone d'oreille et sors de mon sac la clé de l'appartement.

– Oui, mais pas pour Noël. Je travaille le week-end, ces temps-ci.

– Bon. Dis à Corbin que nous ne sommes pas encore morts, si jamais il avait envie de nous appeler.

– Oui, dis-je en riant. Je vais le prévenir. Bisous.

Je raccroche, glisse l'appareil dans la poche de ma blouse. Ce n'est qu'un boulot à temps partiel, mais j'ai un pied dans la place. Je viens d'achever ma dernière séance d'entraînement avant de prendre, dès demain soir, le roulement du week-end.

Ça se présente bien et, franchement, j'étais plutôt surprise qu'on me confie ce poste dès mon premier entretien. D'autant qu'il colle parfaitement avec mes horaires de cours. Les jours de semaine, je vais à l'université, en classe théorique ou en travaux pratiques. Après quoi, je prends mon tour de garde à l'hôpital, en fin de semaine. Jusqu'ici, la transition se passe en douceur.

En plus, j'aime San Francisco. Voilà seulement deux semaines que j'y vis, mais je me vois assez bien y rester après l'obtention de mon diplôme au lieu de retourner à San Diego.

On s'entend bien, avec Corbin, bien qu'il ne soit pas là la plupart du temps. Et je suis sûre que ça joue beaucoup.

Apparemment, j'ai trouvé mon point de chute. Je souris en ouvrant la porte de l'appartement, mais mon sourire s'efface dès que j'aperçois ces trois types en face de moi. Je n'en reconnais que deux. Miles, debout dans la cuisine, et le crétin marié de l'ascenseur, assis sur le canapé.

Qu'est-ce que Miles fiche ici ?

Qu'est-ce qu'ils fichent *tous* ici ?

J'enlève mes chaussures et pose mon sac sans quitter Miles des yeux. Corbin ne devrait pas rentrer avant deux jours et je me réjouissais déjà de passer une soirée tranquille à réviser un peu.

– On est jeudi, lance Miles, l'air de comprendre qu'il n'est pas le bienvenu.

S'il croit que je vais me contenter de cette explication foireuse...

– Oui, et alors ? Demain, on est vendredi.

Je me tourne vers les deux autres types sur le canapé.

– Qu'est-ce que vous fabriquez chez moi ?

Le grand blond se lève aussitôt et vient vers moi, les mains tendues.

– Tate ? Je suis Ian. Je suis un ami de ton frère. Et voici Dillon.

Il désigne le mec de l'ascenseur qui m'adresse à son tour un signe de la tête mais ne prononce pas un mot. Son sourire de faux-cul en dit assez sur ses arrière-pensées.

Miles revient dans le salon, désigne la télévision.

– On aime bien se réunir le jeudi, qu'on soit tous là ou pas. Pour regarder un match.

Je me fiche de leurs *motivations*. Je veux réviser.

– Corbin n'est pas là, ce soir. Vous ne pouvez pas faire ça ailleurs ? J'ai du travail.

Miles tend une bière à Dillon puis se tourne vers moi.

– Je n'ai pas le câble...

Tu m'étonnes.

– ... et la femme de Dillon ne veut pas de nous.

Tu m'étonnes.

Je lève les yeux au ciel et me réfugie dans ma chambre, dont je claque la porte sans le faire exprès.

J'ôte ma tenue d'infirmière pour passer un jean ; je suis en train d'enfiler le t-shirt dans lequel j'ai dormi cette nuit quand on frappe à la porte. Je l'ouvre, presque aussi brutalement que je l'ai claquée tout à l'heure.

Il est si *grand* !

Je ne m'en étais pas encore rendu compte, mais maintenant qu'il se tient sur le seuil, il me paraît immense. S'il lui venait à l'idée de me prendre dans ses bras, j'aurais l'oreille collée tout contre son cœur, et sa joue pourrait se poser sur ma tête.

S'il devait m'embrasser, il faudrait que je lève le visage vers lui, mais ce serait sympa parce qu'il devrait sans doute fermer les bras sur mes reins et m'attirer vers lui afin que nos deux bouches se rejoignent comme deux pièces de puzzle. Sauf qu'elles ne se fondraient pas trop bien puisqu'elles ne font décidément pas partie du *même* puzzle.

Il se passe des choses bizarres dans ma poitrine. Comme une sorte de *flottement*. Je déteste ça, parce que je sais ce que ça signifie. Mon corps me signale qu'il commence à bien aimer Miles.

Je n'ai plus qu'à espérer que mon cerveau ne s'y mette pas, lui non plus.

– Si tu veux être tranquille, tu peux aller chez moi, me propose-t-il.

Offre qui me fait tellement tressaillir le cœur que j'en grince des dents. Je ne devrais pourtant pas me réjouir à l'idée d'aller chez lui, mais c'est comme ça.

– On risque de rester ici encore deux heures, insiste-t-il.

Je perçois dans sa voix une sorte de regret, qu'il faudrait sans doute chercher à la lampe torche pour le localiser, mais il existe bien, enterré quelque part sous sa balourdise.

Je pousse un bref soupir d'exaspération. Je me conduis comme une vraie pétasse, alors que ce n'est même pas mon appartement. Ils sont un peu chez eux, ce soir, puisqu'apparemment ils font ça tous les jeudis. Alors, de quel droit puis-je m'interposer et les mettre dehors ?

– Je suis fatiguée, lui dis-je. C'est bon. Désolée si j'ai été malpolie avec tes amis.

– *Mon ami*, rectifie-t-il. Dillon *n'en est pas* un.

Je ne lui demande pas ce qu'il entend par là. Il jette un coup d'œil vers le salon puis se retourne, s'adosse au chambranle, l'air de signifier qu'il ne venait pas que pour ça. Il regarde mon lit où traîne ma blouse blanche.

– Tu as trouvé un boulot ?

Qu'est-ce que c'est que cette question ?

– Oui. Infirmière aux urgences.

Il plisse le front, mais je ne saurais dire si c'est parce qu'il ne comprend pas ou parce qu'il est fasciné.

– Tu ne m'as pas dit que tu étais encore à l'école d'infirmières ? Comment peux-tu déjà travailler aux urgences ?

– Je passe une spécialisation pour devenir anesthésiste. Je suis infirmière diplômée depuis longtemps.

Il me contemple un long moment avant de se détacher de l'encadrement.

– Bravo, conclut-il.

Pas de sourire.

Ça lui arrive de sourire ?

Il regagne le salon. Je sors un instant, le vois s'asseoir sur le canapé avec les autres, face à la télé.

C'est Dillon qui me dévisage avec attention, mais je détourne les yeux et me rends dans la cuisine pour chercher un truc à manger. Il n'y a pas grand-chose, étant donné que je n'ai rien acheté de toute la semaine, alors je prends de quoi me faire un sandwich. Quand je me retourne, Dillon me fixe toujours. Sauf que, cette fois, il se tient à trente centimètres de moi.

Dans un sourire, il s'approche du réfrigérateur, ce qui place nos deux visages pratiquement l'un sur l'autre.

– Alors, comme ça, tu es la petite sœur de Corbin ?

Je suis d'accord avec Miles. Moi non plus, je n'aime pas beaucoup Dillon.

Celui-ci n'a vraiment pas le même regard que Miles. Loin d'être inexpressif, il ne cache rien du tout ; et là, clairement, il est en train de me déshabiller.

– Oui, dis-je tout court.

Je le contourne, ouvre la réserve à pain. Quand j'ai trouvé ce qu'il me faut, je le pose sur le bar et commence à préparer mon sandwich. Je sors également de quoi en faire un autre pour Cap'taine. Je me suis attachée à ce vieux monsieur depuis que je vis ici. J'ai découvert qu'il travaillait parfois jusqu'à quatorze heures par jour, parce qu'il habite l'immeuble seul et n'a rien d'autre à faire. Il semble apprécier ma compagnie et aussi les petits cadeaux, donc, en attendant de me faire des amis dans le coin, j'aime bien passer un peu de mon temps libre avec un copain de quatre-vingts ans.

Dillon se penche sur le comptoir.

– Tu es infirmière, si j'ai bien compris ?

Il ouvre sa bière, porte la bouteille à sa bouche mais s'arrête avant de boire. Il veut d'abord que je lui réponde.

– Ouais, dis-je d'un ton sec.

Il sourit, avale une gorgée de bière. Je continue à faire mes sandwichs, l'air totalement fermée, mais il ne paraît pas relever.

Je ne lui demande pas s'il en veut un, au cas où ce serait la raison de sa présence insistante.

– Je suis pilote, ajoute-t-il.

Cette fois, il n'a pas l'air de vouloir se vanter mais quand on ne vous demande pas ce que vous faites dans la vie, ce genre de précision passe automatiquement pour une vantardise.

– Je travaille pour la même compagnie que Corbin.

Il espère sans doute m'impressionner. Il ne se rend pas compte que tous les hommes dans ma vie sont des pilotes. Mon grand-père en était un, et aussi mon père qui a pris sa retraite il y a quelques mois. Et mon frère, bien sûr.

– Dillon, si tu crois m'impressionner, tu as tout faux. Je préfère les mecs plus modestes et *moins mariés*.

Je regarde ostensiblement son alliance.

– Le match commence, lance Miles en entrant dans la cuisine.

Dillon pousse un soupir, comme si Miles venait le déranger dans son plan drague.

– Content de t'avoir revue, Tate, lance-t-il, apparemment décidé à mettre lui-même un terme à notre conversation. Tu devrais venir avec nous dans le salon, le match vient de commencer.

Là-dessus, il fixe Miles des pieds à la tête, l'air excédé, puis passe devant lui sans un mot pour lui.

Préférant ignorer son insolence, Miles sort une clé de sa poche arrière et me la tend.

– Va réviser chez moi.

Ce n'est pas une demande.

C'est un ordre.

– Je peux travailler ici. D'ailleurs, vous n'avez pas mis le son de la télé trop fort.

Je dépose la clé sur le comptoir puis rebouche le pot de mayonnaise. Pas question de me laisser virer de chez moi par trois types. J'enveloppe les deux sandwichs dans des serviettes en papier.

Miles se rapproche, comme pour pouvoir me murmurer quelque chose à l'oreille. Je suis sûre qu'à cet instant, j'ai laissé la marque de mes ongles dans le pain.

– Je ne préfère pas que tu travailles ici, du moins pas tant qu'ils ne seront pas partis. Vas-y et emporte tes sandwichs.

Je ne sais pas pourquoi, j'ai l'impression qu'il a mis un sacré mépris dans cette dernière phrase.

– Ils ne sont pas tous les deux pour moi, dis-je sur la défensive. J'en ai fait un pour Cap'taine.

De nouveau, il me scrute de ce regard impénétrable. Avec des yeux pareils, ce devrait être interdit. Je hausse les sourcils parce que je me sens vraiment désarçonnée. Je ne suis pas une pièce de musée, pourtant c'est l'impression qu'il me donne.

– Tu as fait un sandwich pour Cap'taine ?

– Oui. Ça lui fait plaisir.

Récupérant la clé sur le comptoir, il la glisse dans ma poche.

Je ne suis même pas sûre qu'il ait effleuré mon jean, mais je pousse un soupir tandis que sa main s'éloigne, parce que, *bon sang*, je ne m'attendais pas à ça !

Figée sur place, je le regarde retourner tranquillement dans le salon. Et moi, je suis en feu.

Je finis par persuader mes pieds de bouger. Il me faut un peu de temps pour me reprendre. Finalement, je descends donner son sandwich à Cap'taine puis je remonte, non pas chez moi mais vers l'appartement de Miles. J'y vais de mon propre chef, pas parce qu'il me l'a demandé, pas non plus parce que j'ai beaucoup de travail mais parce que l'idée de me retrouver chez lui m'anime d'une sorte de joie sadique. Comme s'il venait de me donner la clé du coffre contenant tous ses secrets.

J'aurais dû me douter que son appartement n'allait strictement rien m'apprendre sur lui. Alors que même ses yeux n'y arrivent pas.

Bon, c'est quand même plus tranquille ici et, oui, finalement, j'arrive à travailler deux bonnes heures, mais c'est juste parce que rien n'est venu me distraire.

Rien du tout.

Pas une toile sur ces murs blancs et vides. Pas de décor. Pas de couleurs. Jusqu'à la table de chêne qui sépare la cuisine du salon. Ça ressemble si peu à la maison où j'ai grandi, dont la table de la cuisine formait le cœur avec ses nappes, ses couverts et ses assiettes choisis en fonction de la saison, surmontée d'un lustre élaboré.

Chez Miles, il n'y a même pas une corbeille à fruits.

La seule chose remarquable dans cet appartement, c'est la bibliothèque avec ses dizaines de livres, qui ne pouvait qu'attirer mon attention. Je m'en approche pour me faire une idée de ce qu'il lit, espérant trouver un indice sur ses goûts.

Étagère après étagère, ça ne parle que d'aéronautique.

Un peu déçue, je suis bien obligée d'en déduire que j'ai affaire à un bourreau de travail dépourvu de tout sens de la décoration.

J'abandonne le salon pour aller explorer la cuisine. J'ouvre le réfrigérateur, mais il ne contient pour ainsi dire rien, sinon quelques plats tout préparés, des condiments et du jus d'orange. On dirait celui de Corbin, vide, tristement célibataire.

J'ouvre un placard, attrape un verre, le remplis de jus de fruit, le bois, le rince et le mets à égoutter au-dessus de l'évier. J'en profite pour laver les quelques assiettes qui traînent à côté. Même sa vaisselle manque de personnalité, blanche, ordinaire. Sinistre.

Tout d'un coup, j'ai une envie folle de foncer lui acheter des rideaux, quelques jolis plats, des tableaux et même une plante ou deux. Cet appartement a besoin d'un peu de vie.

Je me demande comment se passe sa vie. Je ne crois pas qu'il ait de copine. En tout cas, je ne l'ai jamais croisé en compagnie d'une nana et, visiblement, ça manque d'une présence féminine. Je ne vois pas une fille entrer ici sans aussitôt apporter une petite touche de décoration. D'où je conclus qu'il n'en a jamais reçu chez lui.

Ce qui m'amène à me poser la question pour Corbin. Durant notre enfance, quand on vivait ensemble, on ne s'est pas trop raconté nos petites aventures, mais je suis à peu près sûre que c'est parce qu'il n'en a pas vraiment connu de sérieuse. Chaque fois que je l'ai vu avec une fille, ça ne durait pas plus d'une semaine. J'ignore si c'est parce qu'il n'aime pas vivre avec quelqu'un ou bien qu'il est trop difficile à approcher, mais j'opterais plutôt pour la première solution, compte tenu de toutes ces nanas qui le harcèlent au téléphone.

Étant donné le nombre de ses aventures d'un soir et son refus de s'engager, j'ai du mal à comprendre comment il a pu se montrer aussi protecteur à mon égard. Peut-être parce qu'il ne se connaît que trop bien. Il ne voulait pas que je rencontre des mecs comme lui.

Je me demande si Miles est un mec comme Corbin.

– Tu fais la vaisselle ?

Sa voix me prend complètement par surprise. Je sursaute, me retourne et, en apercevant Miles à quelques pas de moi, je manque lâcher le verre que je tiens entre les mains ; il glisse, mais je le rattrape au vol. Je pousse un soupir pour me calmer et le repose dans l'évier.

– Fini de réviser, dis-je en ravalant le nœud qui vient de se former dans ma gorge. Elle était dégueu, ta vaisselle.

Il sourit.

Enfin je crois.

Ses lèvres se sont à peine étirées, mais elles se resserrent aussitôt en ligne droite. *Fausse alerte.*

– Tout le monde est parti, annonce-t-il comme pour me mettre dehors.

Apercevant la bouteille de jus d'orange que j'ai laissée dehors, il la range dans le réfrigérateur.

– Pardon, dis-je d'une petite voix. J'avais soif.

– Ce n'est pas grave, Tate, tu as le droit de boire mon jus.

Ouah...

Facile à interpréter de travers, cette phrase. Surtout quand on voit le mec adossé à son frigo, les bras croisés.

Il ne sourit toujours pas. C'est pas vrai, il sait que quand on dit quelque chose, on est censé adopter une expression adéquate ?

Comme je ne tiens pas à ce qu'il capte ma déception, je me retourne vers l'évier, le nettoie au jet de ses dernières traces de savon. Ce qui me permet d'assumer les étranges vibrations qui flottent dans la cuisine.

– Ça fait longtemps que tu habites ici ?

Je pose la question d'un ton normal, histoire de rompre le silence.

– Quatre ans.

Je me retourne en riant. Je ne sais pas pourquoi je ris, mais c'est comme ça. Il n'a pas l'air de comprendre, lui non plus.

– C'est juste que ton appartement...

Je jette un coup d'œil vers le salon, derrière lui.

– Il semble un peu impersonnel. À la rigueur, j'aurais compris si tu venais d'emménager, mais là...

Je n'avais pas l'intention de lui présenter les choses comme une insulte, pourtant c'est exactement l'effet que ça fait. Je voulais juste entretenir la conversation. Tout ce que j'obtiens, c'est de nous mettre mal à l'aise.

– Je travaille beaucoup, répond-il. Je ne reçois jamais personne ici, ça n'est donc pas une priorité pour moi.

J'ai envie de lui demander pourquoi il ne fait entrer personne chez lui, mais certaines questions pourraient lui sembler déplacées.

– À propos, tu penses quoi de Dillon ?

Il hausse les épaules et s'adosse complètement au réfrigérateur.

– Dillon est un connard qui ne respecte pas sa femme.

Là-dessus, il quitte la cuisine pour se diriger vers sa chambre.

Il laisse sa porte entrouverte, de façon à ce que je puisse l'entendre parler.

– Ne tombe pas dans le panneau.

– Ça risque pas, surtout avec un mec comme Dillon.

– Tant mieux.

Tant mieux ? Yesss ! Miles ne veut pas que je m'intéresse à Dillon. Ça me plaît bien.

– Corbin ne serait pas content si tu te mettais à fréquenter ce type. Il déteste Dillon.

Ah... et Miles ne veut donc pas que je fréquente Dillon à cause de Corbin... Pourquoi suis-je déçue ?

Il ressort de sa chambre ; il a enfilé une chemise blanche impeccable, quoiqu'encore déboutonnée et ouverte.

Il revêt son uniforme de pilote.

Là, j'en reste un rien perplexe.

– Toi aussi, tu es pilote ?

Ma voix me paraît étrangement troublée.

Hochant la tête, il entre dans la buanderie adjacente à la cuisine.

– C'est comme ça que j'ai connu Corbin. À l'école de pilotage.

Il revient dans la cuisine avec un panier à linge qu'il dépose sur le comptoir.

– C'est un mec bien.

Il n'a toujours pas boutonné sa chemise.

Je regarde son estomac.

Arrête de regarder son estomac.

Oh là là, ces tablettes de chocolat ! Cette superbe musculation qui s'achève par un V enfoncé dans son jean comme pour aboutir à une cible secrète.

Sérieusement, Tate, tu es en train de dévorer des yeux son entrejambe !

Ça y est, il se met à boutonner sa chemise. Ce qui me laisse le temps de récupérer la force surhumaine de relever les yeux vers son visage.

Mais impossible de penser à autre chose, peut-être parce que je suis encore obnubilée par l'idée qu'il est pilote.

Pourtant, en quoi cela devrait-il m'impressionner ?

Ça ne m'impressionne pas que Dillon soit pilote. Mais je ne l'ai pas non plus surpris en train de faire sa lessive ou ses abdos. Comment ne pas se laisser impressionner par un type qui plie son linge tout en faisant des abdos, et pilote par-dessus le marché ?

Miles est maintenant complètement habillé. Il enfile ses chaussures et je le contemple comme si j'étais à un spectacle.

Je crois bon de m'inquiéter :

– C'est pas un peu risqué ? Tu as bu avec tes potes et maintenant tu vas prendre les commandes d'un avion commercial ?

Il ferme sa veste, attrape un sac marin par terre.

– Je n'ai bu que de l'eau, ce soir, corrige-t-il en sortant de la cuisine. Je ne suis pas un gros buveur. Surtout pas les soirs où je travaille.

Je le suis en riant dans le salon et récupère mes affaires sur la table.

– Tu as l'air d'oublier comment on s'est rencontrés. Ce mec complètement torché sur le palier devant l'appartement ?

Il m'ouvre la porte d'entrée.

– J'ignore de quoi tu parles, Tate. On s'est rencontrés dans un ascenseur.

Impossible de jurer qu'il plaisante, car aucun sourire n'illumine ses yeux.

Il ferme derrière nous. Je lui rends sa clé et me dirige vers mon appartement.

– Tate ?

Je suis presque tentée de faire mine de ne pas l'entendre, pour l'obliger à répéter mon nom. Bonne fille, je me retourne quand même, tout en jouant les indifférentes.

– Le soir où tu m'as trouvé sur le palier, c'était une exception. *Très rare.*

Il reste planté devant sa porte, comme s'il attendait ma réponse. Je devrais lui dire au revoir, lui souhaiter un bon vol, mais j'ai peur que ça ne lui porte malheur. Non, bonne nuit, ça devrait suffire.

– Cette exception avait quelque chose à voir avec ce qui est arrivé à Rachel ?

Oui. Finalement, j'ai dit ça à la place.

Pourquoi j'ai dit ça ?

Il change instantanément de posture. Son expression se fige, comme s'il venait d'être frappé par la foudre. Il n'en revient visiblement pas que j'aie dit ça. Il ne semble pas se rappeler un mot de ce qu'il m'a raconté cette nuit-là.

Vite Tate, reprends-toi.

– Tu me prenais pour quelqu'un qui s'appelle Rachel. Du coup, j'ai pensé qu'il avait dû se passer quelque chose entre vous deux et que... enfin, tu sais.

Miles prend une profonde inspiration. J'ai touché une corde sensible.

Il semblerait qu'on ne doive pas parler de Rachel.

– Bonne nuit, Tate, lance-t-il en se détournant.

J'ai du mal à comprendre ce qui vient de se passer. L'ai-je embarrassé ? Irrité ? Peiné ?

Quoi qu'il en soit, je ne suis pas fière de moi. On dirait qu'une énorme gêne règne entre ma porte et celle de l'ascenseur devant laquelle il se tient maintenant.

J'entre dans mon appartement et ferme derrière moi. Pourtant la gêne semble m'avoir suivie et s'être répandue partout, au lieu de rester sur le palier.

♡

6

MILES

SIX ANS PLUS TÔT

Nous dînons, mais l'atmosphère est tendue.
Lisa et papa essaient de nous faire participer à la
conversation, mais on n'a ni l'un ni l'autre envie de parler.
On regarde nos assiettes, touillant la nourriture
avec nos fourchettes.
On ne peut pas manger.
Papa demande à Lisa si elle veut passer au salon.
Lisa dit oui.
Lisa demande à Rachel de m'aider à débarrasser la table.
Rachel dit d'accord.
On emporte les assiettes à la cuisine.
Sans rien dire.
Rachel s'appuie contre le comptoir
pendant que je remplis le lave-vaisselle.
Elle me regarde faire de mon mieux pour l'ignorer. Elle ne
se rend pas compte qu'elle est partout. Qu'elle est mon tout.

Que le moindre détail s'appelle Rachel.
Et ça me ronge.
Mes pensées ne sont plus des pensées.
Mes pensées sont Rachel.
Je ne peux pas tomber amoureux de toi, Rachel.
Je regarde l'évier. *J'ai envie de regarder Rachel.*
Je respire l'air. *J'ai envie de respirer Rachel.*
Je ferme les yeux. *J'ai envie de voir Rachel.*
Je me lave les mains. *J'ai envie de toucher Rachel.*
Je me sèche les mains à un torchon avant
de me retourner pour lui faire face.
Elle agrippe ses mains à l'évier derrière elle.
J'ai croisé les bras.
– Ce sont les parents les plus nuls du monde,
murmure-t-elle.
Sa voix se brise.
Mon cœur se brise.
– Abominables, dis-je.
Elle rit.
Je ne dois pas tomber amoureux de ton rire, Rachel.
Elle soupire, et je tombe amoureux de son soupir.
Je lui demande :
– Depuis combien de temps se connaissent-ils ?
Elle me le dira franchement.
Elle hausse les épaules.
– À peu près un an. Jusque-là, c'était une relation longue
distance, et puis maman nous a fait déménager ici
pour se rapprocher de lui.
Je sens le cœur de ma mère se briser.
L'ignoble salaud.
– Un an ? dis-je. Tu es sûre ?
Elle fait oui de la tête.
Elle n'est pas au courant pour ma mère. Ça se voit.
– Rachel ?

Je prononce son nom à voix haute,
ainsi que je le désire depuis que je la connais.
Elle continue de soutenir mon regard.
Elle pousse un profond soupir.
– Oui ?
Je m'approche d'elle.
Son corps réagit. Elle se redresse, mais pas de beaucoup.
Elle respire plus fort, mais pas de beaucoup.
Ses joues rosissent, mais pas de beaucoup.
Juste ce qu'il faut.
Ma main se pose sur sa taille. Mes yeux cherchent les siens.
Ils ne me disent pas non, alors je continue.
Lorsque mes lèvres effleurent les siennes, c'est tout
un monde qui s'ouvre à moi. Un monde bon et mauvais,
juste et insensé et *vengeur.*
Elle respire, capte mon souffle. Je respire le sien, lui en
donne encore davantage. Nos langues se frôlent, nos fautes
se mêlent et mes doigts se perdent dans cette chevelure que
Dieu a voulue spécialement pour elle.
Mon parfum préféré s'appelle désormais Rachel.
Tout ce que je préfère au monde s'appelle désormais Rachel.
Je voudrais Rachel pour mon anniversaire. Je voudrais
Rachel pour Noël.
Rachel, Rachel, Rachel.
Je ne vais quand même pas tomber amoureux de toi, Rachel.
La porte du fond s'ouvre.
Je lâche Rachel.
Elle me lâche, mais juste physiquement.
Je la sens encore de toutes les manières possibles.
Je me détache de son regard,
mais tout le reste est encore Rachel.
Lisa entre dans la cuisine. Elle paraît heureuse.
Elle a le droit d'être heureuse. Ce n'est pas elle qui est morte.
Lisa dit à Rachel qu'il est temps de partir.

Je leur dis au revoir à toutes deux,
mais ces paroles ne s'adressent qu'à Rachel.
Elle le sait.
Je termine la vaisselle.
Je dis à mon père que Lisa est sympathique.
Je ne lui dis pas que je le déteste. Peut-être que je ne le lui
dirai jamais. Je ne sais pas trop à quoi ça servirait de lui
apprendre que je ne le vois plus sous le même angle qu'avant.
À présent, il est juste... *normal.* Humain.
C'est peut-être le rite de passage avant de devenir
un homme – comprendre que son père n'a,
pas plus que vous, toute sa vie tracée d'avance.
Je vais dans ma chambre.
Je prends mon téléphone et je textote à Rachel.

Moi : Qu'est-ce qu'on fait pour demain soir ?
Rachel : On leur ment ?
Moi : Tu me retrouves à sept heures ?
Rachel : Oui.
Moi : Rachel ?
Rachel : Oui ?
Moi : Bonne nuit.
Rachel : Bonne nuit, Miles.

J''éteins mon téléphone, parce que je veux que ce soit
le dernier SMS que je recevrai dans la nuit.
Je ferme les yeux.
Je tombe, Rachel.

♡

7

TATE

Voilà quinze jours que je n'ai plus revu Miles, mais seulement deux secondes que je ne pense plus à lui. Il semble travailler autant que Corbin. Bien sûr, j'aime profiter en toute tranquillité de l'appartement, mais en fin de compte, j'aime bien aussi quand mon frère est là, ça me permet de parler à quelqu'un. Je voudrais pouvoir dire que c'est sympa quand Corbin et Miles sont là *tous les deux* mais, jusqu'ici, ça ne s'est jamais produit.

Jusqu'ici.

– Son père travaille et lui est en congé jusqu'à lundi, m'annonce Corbin.

J'ignorais qu'il avait invité Miles à venir fêter avec nous Thanksgiving à la maison. Il frappe à sa porte.

– Il n'a rien d'autre à faire, précise aimablement mon frère.

J'ai bien dû hocher la tête en entendant ces mots, mais je me tourne en hâte vers l'ascenseur. J'ai peur que, lorsque Miles ouvrira, ma joie se voie trop.

Je suis déjà au bout du couloir quand ils me rejoignent. En m'apercevant, Miles m'adresse un petit salut de la tête, mais c'est tout ce à quoi j'ai droit. La dernière fois que je lui ai parlé, j'ai complètement déraillé, alors je préfère ne rien dire. Et puis je m'efforce de ne pas le regarder bien qu'il me soit extrêmement difficile de me concentrer sur autre chose. Il porte un jean, un t-shirt à l'effigie de l'équipe de San Francisco et la casquette de base-ball assortie. Tenue décontractée qui explique entre autres pourquoi j'ai tant de mal à détourner mon attention de lui : j'ai toujours trouvé les mecs plus attirants quand ils ne faisaient rien pour jouer les dons Juans.

Mes yeux quittent ses vêtements pour se laisser capter par son regard intense. J'hésite entre lui adresser un sourire gêné et m'intéresser aux boutons de l'ascenseur, mais finalement je copie son attitude en le laissant se détourner le premier.

Ce qu'il ne fait pas. Ses prunelles restent fixées sur moi tout le long du trajet, et je m'entête à l'imiter. Quand on arrive enfin au rez-de-chaussée, je suis soulagée qu'il sorte le premier parce que j'ai besoin de respirer un grand coup après avoir passé près d'une minute en apnée.

– Vous allez où, comme ça, tous les trois ? lance Cap'taine une fois qu'on débouche dans le hall d'entrée.

– Chez nous, à San Diego, dit Corbin. Et vous, qu'est-ce que vous faites pour Thanksgiving ?

– Il va y en avoir du monde dans les aéroports ! Moi, je reste ici à travailler.

Il m'adresse un clin d'œil avant de reporter son attention sur Miles.

– Et toi, mon garçon ? Tu rentres aussi dans la famille ?

Miles le contemple silencieusement de la même façon qu'il m'a dévisagée dans l'ascenseur. Ce qui me déçoit terriblement parce que j'avais déjà formé un début d'espoir à l'idée que je l'attirais peut-être. Et voilà qu'il se comporte de la même façon avec Cap'taine ; autrement dit, ne pas essayer d'interpréter ses regards... Il doit scruter tout le monde comme ça. Cinq secondes de lourd silence s'écoulent. Il n'aime donc pas qu'on l'appelle « mon garçon » ?

– Joyeux Thanksgiving, Cap'taine ! lui lance-t-il enfin pour toute réponse.

Là-dessus, il tourne les talons et part vers la sortie en compagnie de Corbin.

– Souhaitez-moi bonne chance, dis-je à Cap'taine en haussant les épaules. On dirait que M. Archer va encore passer une mauvaise journée.

– Nan ! sourit Cap'taine en regagnant son fauteuil. C'est juste qu'il y a des gens qui n'aiment pas qu'on leur pose des questions.

Il s'assied lourdement, m'adresse un petit signe d'adieu auquel je réponds avant de filer à mon tour.

Je ne saurais dire si Cap'taine pardonne son attitude à Miles parce qu'il l'apprécie ou s'il considère *tout le monde* du même œil bienveillant.

– Je vais conduire si tu veux, propose Miles à Corbin devant la voiture. Je sais que tu n'as pas encore dormi. Tu prendras le volant au retour.

Corbin accepte et Miles ouvre la portière avant, tandis que je m'installe à l'arrière ; là j'hésite : je me mets juste derrière Miles, au milieu ou derrière mon frère ? De toute façon, je vais sentir sa présence, car Miles est partout.

Miles est mon tout.

C'est ce qui arrive quand on se sent attiré par quelqu'un. Il n'est pas là et, soudain, il est partout, qu'on le veuille ou non.

Du coup, je me demande si je suis quelque part pour lui, mais cette idée ne m'occupe pas longtemps. Je sais quand je plais à un mec et, manifestement, Miles n'entre pas dans cette catégorie. Il faut à tout prix que je parvienne à étouffer ce qui se passe en moi dès qu'il se trouve dans les parages. Pas question que je me laisse aller à des penchants stupides pour un mec quand j'ai à peine le temps de me consacrer à mon travail et aux études.

Je sors un livre de mon sac et commence à lire. Miles allume la radio, Corbin incline son siège, pose les pieds sur le tableau de bord.

– Ne me réveille pas avant l'arrivée, lance-t-il en baissant sa casquette sur les yeux.

Miles est en train d'ajuster le rétroviseur. Il se retourne pour entamer les manœuvres de recul et son regard croise brièvement le mien.

– Ça va ? demande-t-il.

Sans attendre ma réponse, il se redresse puis me jette un coup d'œil dans le rétro.

– Ouais, dis-je.

Je lui décoche un large sourire. Je ne veux pas qu'il croie que sa présence me bouleverse, mais je peine à ne pas apparaître complètement fermée quand je suis près de lui, avec tout le mal que je me donne pour y arriver.

Il regarde devant lui et je me replonge dans mon livre.

Au bout d'une demi-heure, entre le mouvement de la voiture et mes tentatives de lecture, j'ai la tête comme une citrouille. Je referme le bouquin à côté de moi, m'enfonce en travers de la banquette, la tête contre le dossier, les jambes sur la console entre Corbin et Miles. Celui-ci me jette un nouveau regard dans le rétro et j'ai l'impression que ses yeux sont des mains qui courent sur mon corps. Il n'insiste pas plus de deux secondes avant de se concentrer de nouveau sur la route.

Je déteste ça.

Je n'ai aucune idée de ce qui se passe dans sa tête. Il ne sourit jamais. Il ne rit jamais. Comme s'il portait un masque de métal qui cache ses expressions au reste du monde.

Je n'ai jamais pu résister aux mecs tranquilles. La plupart des autres parlent trop, au point que ça en devient pénible de devoir partager la moindre de leurs pensées. Miles en arrive pourtant à me faire regretter de ne pouvoir le compter parmi eux. Je voudrais connaître toutes les idées qui lui traversent l'esprit. Particulièrement celles qui l'occupent en ce moment, cachées derrière une attitude impénétrable.

Je l'observe encore quand il me jette un nouveau coup d'œil, m'obligeant à me pencher vers mon téléphone, un rien gênée qu'il m'ait surprise à le regarder. Mais ce rétroviseur m'attire comme un aimant et tant pis si j'y reviens par la suite.

À l'instant où je relève les yeux vers le rétro, Miles en fait autant.

Je les baisse.

Merde.

Ce voyage va me paraître le plus long de ma vie.

Je tiens trois minutes, puis je regarde à nouveau.

Merde. Lui aussi.

Je souris, amusée par son petit jeu.

Il sourit aussi.

Il.

Sourit.

Aussi.

Miles reporte son attention sur la route, mais son sourire persiste un peu. Je le sais, parce que je ne peux m'empêcher de le contempler. Je voudrais pouvoir le prendre en photo avant qu'il ne disparaisse, sauf que ça ferait bizarre.

Il abaisse le bras pour le reposer sur la console, mais ma jambe le gêne. Je me redresse.

– Pardon, dis-je en la retirant.

Il rattrape mon pied nu.

– Laisse, c'est bon.

Il garde la main autour de ma cheville, que je regarde.

J'hallucine ou son pouce vient de remuer ? Il l'a fait *exprès*, il me caresse le côté du pied ! Mes cuisses se tendent, mon souffle se bloque ; je jurerais qu'il m'a caressé le pied avant de le lâcher.

Je dois me mordre l'intérieur de la joue pour ne pas sourire.

Je crois bien que je te plais, Miles.

Dès qu'on arrive chez mes parents, mon père embauche Corbin et Miles pour l'aider à fixer les éclairages de Noël. Quant à moi, je monte nos affaires. Je laisse ma chambre aux garçons, car c'est la seule qui possède deux lits, et je prends l'ancienne piaule de Corbin, avant de rejoindre maman à la cuisine pour l'aider à préparer le dîner.

Thanksgiving n'a jamais beaucoup compté dans la famille. Papa était rarement à la maison, car un pilote ne travaille jamais autant que pendant les fêtes.

Cette année, nous sommes au complet.

Avec Miles.

Étrange qu'il soit là. Maman paraissait contente de le voir, donc ça ne devait pas trop la gêner. Quant à mon père, il aime tout le monde et il est enchanté de trouver des mains pour l'aider à installer la déco de Noël, donc ce n'est pas la présence d'une troisième personne qui risquait de le déranger.

Ma mère me passe la casserole pour que je me lance dans la confection de ses futurs œufs mimosa. Elle se penche sur le comptoir, s'y accoude.

– Ce Miles, observe-t-elle en haussant un sourcil, quel beau garçon !

Bon, il faut vite que j'explique quelque chose au sujet de ma mère. Elle est géniale. Absolument géniale. Mais j'ai toujours eu du mal à lui parler mecs. Déjà, quand j'ai eu mes premières règles, à douze ans, elle était tellement fébrile qu'elle a appelé trois de ses amies pour le leur annoncer, avant même de m'expliquer ce qui m'arrivait. J'ai très vite appris qu'un secret n'était plus secret dès lors qu'il atteignait ses oreilles.

– Pas mal, dis-je.

Mensonge éhonté, c'est vraiment un beau garçon. Avec ses cheveux blond doré et ses fascinants yeux bleus, ses larges épaules, l'odeur délicieuse de son corps, comme s'il sortait de la douche et ne s'était pas encore essuyé...

C'est quoi ce délire ?

– Il a une petite amie ?

– J'en sais rien, maman.

Je passe la casserole sous l'eau froide pour assouplir les coques. J'essaie de changer de sujet :

– Ça va, pour papa, la retraite ?

Ma mère sourit d'un air entendu qui me fait froid dans le dos.

Je n'ai pas besoin de lui dire quoi que ce soit, parce que c'est ma mère. Elle a déjà tout compris.

Je rougis et me retourne pour écaler ces fichus œufs.

8

MILES

SIX ANS PLUS TÔT

Je lui annonce que je passe la soirée chez Ian.
Mon père s'en fiche. Il sort avec Lisa. Il ne pense qu'à Lisa.
Pour lui, Lisa est son tout.
Avant, *c'était* Carol. À une époque,
Carol et Miles étaient son tout.
Maintenant, Lisa est son tout.
Ça m'est égal, parce que pour moi,
Carol et lui formaient mon tout.
Plus maintenant.
J'envoie un SMS à Rachel pour lui demander où on pourrait se retrouver. Elle répond que Lisa vient de partir chez moi, que je peux donc passer la prendre chez elle.
Une fois sur place, je ne sais trop si je devrais sortir de la voiture. Je ne sais pas si elle en a envie.
Je sors.
Je vais frapper à sa porte.

Je ne sais pas quoi dire quand elle ouvre.
Quelque part, j'ai envie de lui demander pardon,
je n'aurais pas dû l'embrasser.
Quelque part, j'ai envie de lui poser un million de questions
jusqu'à ce que je sache tout sur elle.
Mais, surtout, j'ai envie de l'embrasser encore, d'autant que
sa porte vient de s'ouvrir et qu'elle se tient là, devant moi.
– Tu veux entrer un peu ? Elle ne va pas revenir
avant plusieurs heures.
Je hoche la tête. Je me demande si elle aime autant
mes hochements de tête que j'aime les siens.
Elle referme la porte derrière moi et j'examine
l'appartement. Tout petit. Je n'ai jamais vécu dans un
endroit aussi petit. Je crois que ça me plaît. Plus un
logement est petit, plus la famille est obligée de s'entendre.
Pas de place pour les disputes. Du coup, je me prends à
rêver que mon père et moi vivions dans un endroit plus
petit, un endroit où on serait obligés de faire attention
l'un à l'autre. Un endroit où on cesserait de se conduire
comme si ma mère n'avait pas laissé trop
de place vide après sa mort.
Rachel va dans la cuisine.
Elle me demande si je veux boire quelque chose.
Je la suis et lui demande ce qu'elle a.
Elle répond pas mal de choses sauf du lait, du thé,
du soda, du café, du jus de fruit et de l'alcool.
– J'espère que tu aimes l'eau, conclut-elle en riant.
Je ris avec elle.
– De l'eau, ce sera parfait, dis-je.
C'est exactement ce que j'aurais demandé.
Elle nous sert à chacun un verre d'eau.
On s'adosse aux deux comptoirs, l'un en face de l'autre.
On se regarde.
Je n'aurais pas dû l'embrasser l'autre soir.

– Je n'aurais pas dû t'embrasser, Rachel.
– Je n'aurais pas dû te laisser faire.
On se regarde encore.
Je me demande si elle me laisserait l'embrasser encore.
Je me demande si je ne devrais pas partir.
– Ce sera facile de s'arrêter, dis-je.
Je mens.
– Non, ce ne sera pas facile, dit-elle.
Elle dit la vérité.
– Tu crois qu'ils vont se marier ?
Elle hoche la tête. Je ne sais pas pourquoi,
je n'aime plus trop ce hochement.
Pas plus que la question à laquelle il répond.
– Miles ?
Elle a baissé les yeux vers ses pieds.
Elle prononce mon nom comme elle ferait claquer
un coup de feu pour m'obliger à fuir. Je galope.
– Quoi ?
– On ne loue cet appartement que depuis un mois.
Je les ai entendus se parler au téléphone.
On va s'installer chez vous dans quinze jours.
Je trébuche sur l'obstacle.
Elle vient s'installer chez moi.
Elle va vivre dans ma maison.
Sa mère va emplir tous les espaces
laissés vides par la mienne.
Je ferme les yeux. *Je vois encore Rachel.*
J'ouvre les yeux. *Je regarde Rachel.*
Je me retourne, agrippe le comptoir, laisse retomber
ma tête entre mes épaules. Je ne sais pas quoi faire.
Je ne veux pas la trouver sympa.
Je ne veux pas tomber amoureux de toi, Rachel.
Je ne suis pas idiot. Je sais où mène le désir.
Le désir mène à ce qu'il ne peut atteindre.

Le désir me donne envie de Rachel.
La raison voudrait qu'elle s'en aille.
Prenant le parti de la raison, je me retourne vers Rachel.
– Ça nous mènera nulle part, lui dis-je. Ce truc entre nous.
Ça va mal se terminer.
– Je sais, murmure-t-elle.
– Comment on arrête ?
Elle m'interroge du regard, comme si j'allais
répondre à ma propre question.
Je ne peux pas.
Silence.
Silence.
Silence.
LOURD, ASSOURDISSANT SILENCE.
J'ai envie de me couvrir les oreilles des mains.
J'ai envie de me couvrir le cœur d'une armure.
Je ne te connais même pas Rachel.
– Je ferais mieux de partir, dis-je.
Elle me dit d'accord.
Et moi de murmurer :
– Je ne peux pas.
On se regarde.
Peut-être que si je la regarde assez longtemps,
j'en aurai marre de la regarder.
J'ai encore envie de goûter sa peau.
Peut-être que si je la goûte assez,
j'en aurai marre de la goûter.
Sans me laisser le temps d'approcher, elle vient vers moi.
Je lui prends le visage, elle me prend les bras, et nos
hésitations se heurtent en même temps que nos bouches.
On se ment sur la vérité.
On se dit que c'est à nous... alors que rien n'est à nous.
Ma peau s'apaise dès que la sienne m'effleure.
Mais cheveux se détendent quand elle y passe les mains.

Ma bouche s'ouvre à sa langue.
Si au moins on pouvait respirer ainsi.
Vivre ainsi.
La vie serait meilleure ainsi vécue avec elle.
Son dos s'est plaqué contre le réfrigérateur.
Mes mains lui enveloppent la tête.
Je me détache et la regarde.
– J'ai un million de questions à te poser, lui dis-je.
Elle sourit.
– Tu ferais bien de commencer vite.
– Où sera ton université ?
– Dans le Michigan. Et toi ?
– Je vais rester ici pour passer ma licence et ensuite,
avec mon meilleur pote, Ian, on va faire l'école de pilotage.
Je veux devenir pilote. Et toi, qu'est-ce que tu veux être ?
– Heureuse.
La réponse parfaite.
– C'est quand, ton anniversaire ?
– Le trois janvier, me répond-elle. J'aurai dix-huit ans.
Et toi ?
– Demain, j'aurai dix-huit ans.
Elle ne me croit pas. Je lui montre ma carte d'identité.
Elle me souhaite bon anniversaire, m'embrasse encore.
– On va faire quoi, s'ils se marient ? lui dis-je.
– Ils voudront jamais qu'on soit ensemble,
même s'ils se marient pas.
Elle a raison. Ils auraient du mal à expliquer ça
à leurs amis et au reste de la famille.
– Alors, pourquoi continuer si on sait
que ça va mal se terminer ?
– Parce qu'on ne sait pas comment arrêter
Elle a raison.
– Tu pars pour le Michigan dans sept mois, moi je serai ici,
à San Francisco. La voilà sans doute, notre réponse.

Elle acquiesce.
– Sept mois ?
Je fais oui de la tête, lui effleure les lèvres d'un doigt,
parce qu'il faut savoir les apprécier,
même quand on ne les embrasse pas.
– On peut continuer pendant sept mois,
sans rien dire à personne. Ensuite...
Je m'interromps parce que je ne sais pas
comment dire *on arrête.*
– Ensuite on arrête, murmure-t-elle.
– Ensuite on arrête.
Elle acquiesce et j'ai l'impression d'entendre
démarrer le compte à rebours.
J'embrasse Rachel, et c'est encore meilleur
maintenant qu'on a pris cette décision.
– C'est toujours ça, Rachel.
– C'est toujours ça, Miles.
Je donne à sa bouche souriante l'appréciation qu'elle mérite.
Je vais t'aimer pendant sept mois, Rachel.

9

TATE

– Infirmière ! crie Corbin.

Il surgit dans la cuisine, suivi de Miles, la main ensanglantée. Tous deux me regardent comme si je devais intervenir. On n'est pas au service des urgences. C'est maman qui gère la cuisine.

– Quelqu'un peut m'aider ? demande Miles en tenant son poignet.

Son sang tombe goutte à goutte sur le carrelage.

– Maman ! je crie en ouvrant les placards un à un. Où est ta trousse à pharmacie ?

– Dans la salle de bains d'en bas, sous le lavabo !

Je désigne la salle de bains à Miles et il me suit. Je sors la trousse, ferme le couvercle des toilettes et prie Miles de s'y asseoir ; quant à moi, je m'assieds sur le rebord de la baignoire. Puis je pose sa main sur mes genoux.

– Comment tu as fait ça ?

Je commence à la nettoyer puis inspecte la plaie, profonde, au beau milieu de sa paume.

– C'était en rattrapant l'échelle qui tombait.

– Tu aurais mieux fait de la laisser tomber.

– Je ne pouvais pas. Il y avait Corbin dessus.

Je relève les yeux. Il me fixe de son intense regard bleu. Je me hâte de revenir vers sa main.

– Il te faut des points de suture.

– Tu es certaine ?

– Oui. Je vais t'emmener aux urgences.

– Tu ne peux pas les poser ici ?

– Je n'ai pas les instruments nécessaires. On ne peut pas faire n'importe quoi. C'est très profond.

De sa main libre, il fouille dans la trousse, en sort une bobine, me la tend.

– Fais de ton mieux.

– Ce n'est pas comme si je devais recoudre un bouton, Miles.

– Je ne vais pas passer ma journée aux urgences pour une simple coupure. Fais ce que tu peux. Ça ira.

Moi non plus, je n'ai pas envie qu'il passe sa journée aux urgences. Parce que, pendant ce temps-là, il ne serait pas ici.

– Si ta main s'infecte et que tu meurs, faudra pas venir te plaindre.

– Si ma main s'infecte et que je meurs, je ne pourrai pas me plaindre.

– C'est toi qui vois.

Je nettoie encore sa plaie puis étale les instruments sur le meuble lavabo. Tels que nous sommes installés, je n'arrive pas à trouver un bon angle, alors je me lève, plie la jambe sur le rebord de la baignoire, pose sa main dessus.

Je pose sa main sur ma jambe.

Et merde.

Ça ne va pas marcher avec son bras ainsi appuyé le long de ma cuisse. Si je veux pouvoir travailler sans trembler, il faut que je nous repositionne.

– Ça ne va pas le faire, dis-je en me tournant vers lui.

Je pose sa main sur le meuble et me mets juste en face de lui. Ça aurait mieux marché dans l'autre position, mais je n'aurais pas supporté qu'il me touche la jambe pendant que je le recouds.

Je le préviens :

– Ça va faire mal.

Il rit, comme s'il ne craignait pas la douleur.

Je lui transperce la peau avec mon aiguille, il ne tressaille même pas.

Il n'émet pas un son.

Il me regarde tranquillement travailler. De temps à autre, il lève les yeux pour voir la tête que je fais. Nous n'échangeons pas une parole, comme d'habitude.

J'essaie de ne plus penser à lui, pour me concentrer sur cette plaie qu'il faut absolument refermer, mais nos visages sont si proches l'un de l'autre que je sens son souffle sur ma joue. Et sa respiration s'accélère.

– Tu auras une cicatrice, dis-je doucement.

Je me demande où est passé le reste de ma voix.

J'enfonce l'aiguille une quatrième fois et il ne manifeste toujours rien. Chaque fois que je lui perce la peau, c'est moi qui manque frissonner à sa place.

Je ne sens que le contact de nos deux genoux, je ne vois que son autre main posée sur sa cuisse, que le bout d'un de ses doigts qui effleure la mienne et qui me brûle comme un fer rouge.

Il est là, sérieusement blessé, en train d'inonder de son sang la serviette que j'ai posée sous son poignet, mon aiguille troue sa chair et je ne parviens pourtant pas à me détacher du minuscule contact entre mon genou et son doigt.

J'en arrive à me demander ce que ça me ferait s'il n'y avait pas une petite couche de tissu entre nous.

Nos regards se croisent deux secondes, mais je repose vite les miens sur sa blessure, tandis qu'il continue de me dévisager ;

je fais mon possible pour ne pas tenir compte du rythme de son souffle.

Je ne saurais dire si sa respiration s'est accélérée parce que je suis si près de lui ou parce que je le fais souffrir.

Ce sont maintenant deux doigts qui me touchent le genou. Trois.

J'inspire une goulée d'air, essaie d'achever mon travail.

Je n'y arrive pas.

Il le fait exprès. Ce contact n'a plus rien d'un hasard. Il me touche parce qu'il a envie de me toucher. Ses doigts m'enveloppent le genou puis tombent sur mon mollet. Il pose en soupirant son front sur mon épaule et m'étreint la jambe de sa main.

Dire que j'arrive à rester debout...

– Tate, murmure-t-il.

Il y a de la douleur dans sa voix, alors je m'arrête un peu, prête à l'entendre dire que ça fait trop mal, qu'il voudrait souffler une minute. C'est bien pour ça qu'il me touche, non ? Parce que je le fais souffrir ?

Pourtant, il ne dit plus rien. Alors, j'achève mon dernier point de suture.

– C'est fini, dis-je en replaçant les instruments sur le meuble à côté du lavabo.

Il ne me lâche pas, donc je ne me détache pas de lui.

Sa main commence à remonter à l'arrière de ma jambe, jusqu'à la cuisse puis la hanche et la taille.

Respire, Tate.

Ses doigts m'agrippent la taille et m'attirent plus près de lui, tandis qu'il garde la tête posée sur moi. À tâtons, mes mains trouvent ses épaules parce qu'il faut bien que je les agrippe à quelque chose pour me redresser. Tous les muscles de mon corps semblent ne plus savoir faire leur travail.

Je suis toujours debout, lui toujours assis, mais je me retrouve coincée entre ses jambes. Il relève lentement la tête et je dois fermer les yeux parce que je suis incapable de soutenir son regard.

Le sentant bouger, je serre davantage les paupières, sans trop savoir pourquoi. Je ne sais plus rien maintenant. Sauf que Miles est là, tout près.

Et là, j'ai l'impression qu'il veut m'embrasser.

Et là, je suis certaine de vouloir l'embrasser.

Sa main remonte le long de mon dos, jusqu'à ma nuque. J'ai l'impression qu'elle laisse une marque sur tout ce qu'elle touche en moi. Ses doigts m'enrobent le cou, et sa bouche arrive à quelques centimètres de ma joue, si proches que je ne sais plus si cette sensation de chaleur sur ma peau provient de son souffle ou de ses lèvres.

Je suis au bord de mourir, et ce n'est pas la trousse de secours qui va me sauver.

Il resserre son étreinte... il va me tuer.

Ou m'embrasser. Ce qui reviendra au même. Ses lèvres sur les miennes forment un tout qui m'emporte, me tue et me fait revivre à la fois.

C'est trop fou. Il m'embrasse.

Sa langue est déjà dans ma bouche, qui caresse la mienne, et je ne sais même plus comment c'est arrivé. Mais ça va. Je me sens bien.

Il se lève sans arrêter pour autant de m'embrasser, il m'entraîne sur quelques pas, jusqu'à ce que le mur derrière moi remplace la main qui me tenait la nuque. Maintenant, il me touche la taille.

Oh mon Dieu, sa bouche est tellement possessive !

Ses doigts se déploient de nouveau pour s'enfoncer dans mes hanches.

Ça y est, c'est lui qui gémit.

Ses mains descendent de ma taille sur ma jambe.

Je veux mourir maintenant, tout de suite.

Il soulève ma jambe, l'enroule autour de lui avant de se

presser contre moi avec une telle ardeur qu'à mon tour je geins dans sa bouche. Le baiser s'arrête brusquement.

Pourquoi il s'éloigne ? N'arrête pas, Miles !

Il lâche ma jambe, et sa paume se plaque sur le mur près de ma tête.

Non, non, non. Continue. Repose ta bouche sur la mienne.

J'essaie de le regarder encore dans les yeux, mais il les a fermés.

Comme s'ils désapprouvaient.

Ne les ouvre pas, Miles. Je ne veux pas te voir désapprouver ce qu'on fait.

Il appuie le front sur le mur, à côté de ma tête mais ne se détache pas pour autant, et nous tentons ensemble de reprendre notre souffle. Au bout d'un instant, il se redresse, se retourne et s'approche du lavabo. Heureusement que je n'ai pas vu ses yeux quand il les a rouverts ; à présent, il me tourne le dos, donc je ne peux pas lire la désapprobation sur son visage. Il prend une paire de ciseaux, coupe une bande de gaze.

Je reste collée au mur. Jamais je ne m'en détacherai.

Je ne suis plus que du papier peint. Voilà. C'est tout.

– Je n'aurais jamais dû faire ça, marmonne-t-il.

D'une voix ferme. Tranchante. Comme du métal. Comme une épée.

– Moi ça va, dis-je.

Ma voix n'est pas ferme. Elle semble liquide. Elle s'évapore.

Il bande sa main blessée puis se retourne vers moi.

Ses yeux sont fermes comme sa voix. Durs, comme du métal, comme une épée qui trancherait les cordes auxquelles se raccrochent mes derniers espoirs de baiser.

– Ne me laisse pas recommencer ça, dit-il.

Et moi j'ai envie qu'il recommence, je n'ai pas envie de partager ce dîner de Thanksgiving, mais je ne le lui dis pas. Je ne peux par parler, car j'ai la gorge trop serrée par le regret.

Il ouvre la porte de la salle de bains et s'en va.

Je reste collée au mur.

Qu'est-ce.

Qui.

Se passe ?

Je ne suis plus collée au mur de la salle de bains.

Maintenant, je suis collée à ma chaise. Assise pour le dîner, à côté de Miles.

Miles à qui je n'ai plus parlé depuis qu'il nous a désignés, nous ou notre baiser, par « ça ».

Ne me laisse pas recommencer « ça ».

Je ne pourrais pas l'arrêter, même si j'en avais envie. J'ai tellement envie de « ça » que je ne peux plus manger, et il ne se doute certainement pas combien j'aime le dîner de Thanksgiving. Ce qui prouve à quel point j'ai envie de « ça », qui n'a rien à voir avec l'assiette remplie devant moi. « Ça », c'est Miles. Nous. Moi en train d'embrasser Miles. Miles qui m'embrasse.

Tout d'un coup, j'ai très soif. J'attrape mon verre, le vide de la moitié de son eau en trois gorgées.

– Vous avez une petite amie, Miles ? s'enquiert ma mère.

Oui, maman. Continue à poser des questions de ce genre, j'ai trop peur de le faire moi-même.

Miles s'éclaircit la gorge.

– Non, madame.

Corbin rit sous cape, ce qui me met encore plus mal à l'aise. Apparemment, Miles considère les liaisons amoureuses un peu comme Corbin, et Corbin trouve tordant que ma mère le croie capable de s'engager.

Tout d'un coup, je considère notre récent baiser comme beaucoup moins irrésistible.

– Pourtant, vous êtes un beau parti, commente-t-elle. Pilote de ligne, célibataire, beau garçon, bien élevé.

Miles ne répond pas. Il esquisse un sourire et enfourne ses pommes de terre. Il n'a aucune envie de parler de lui.

Dommage.

– Voilà belle lurette que Miles n'a plus de petite amie, maman, lance Corbin comme pour confirmer mes soupçons. Ça ne veut pas dire qu'il est célibataire.

Ma mère penche la tête, l'air de ne pas comprendre. Moi aussi. Et Miles.

– C'est-à-dire ? demande-t-elle.

D'un seul coup, elle écarquille les yeux.

– Oh, pardon ! Ça m'apprendra à me montrer trop curieuse.

Apparemment, elle a sauté une phrase, comme si elle avait soudain pris conscience d'une chose que j'ignore encore.

Au point qu'elle s'excuse auprès de Miles. L'air gêné.

Et moi je n'y pige rien.

– Il y a quelque chose qui m'échappe ? intervient mon père.

Ma mère pointe sa fourchette en direction de Miles.

– Il est gay, chéri.

Euh...

– Sûrement pas, décrète fermement mon père en riant devant une telle affirmation.

Je fais non de la tête. *Ne secoue pas la tête, Tate.*

– Miles n'est pas gay, dis-je sur la défensive en regardant ma mère.

Pourquoi j'ai dit ça tout fort ?

Cette fois, Corbin n'a plus l'air de comprendre. Il regarde Miles. Sa fourchette pleine de pommes de terre immobilisée face à lui, Miles lui jette un regard interrogateur.

– Oh merde ! lâche Corbin. Je ne savais pas que c'était un secret. Pardon, mon pote.

Miles rabaisse sa fourchette, l'air perplexe.

– Je ne suis pas gay.

Mon frère lève les paumes, l'air de s'excuser d'avoir laissé échapper un tel secret.

– Corbin, insiste Miles. Je ne suis pas gay. Je ne l'ai jamais été et ne le serai sûrement jamais. Qu'est-ce qui t'arrive, mon pote ?

Tout le monde a tourné les yeux sur Miles.

– M... mais... balbutie Corbin. Tu as dit... un jour tu m'as dit...

Miles lâche sa fourchette pour se couvrir la bouche d'une main, étouffant ainsi un éclat de rire.

J'hallucine, Miles qui rit.

Ris, ris, ris. S'il te plaît, dis-toi que c'est la chose la plus marrante qui te soit arrivée, parce que ton rire est tellement plus agréable que ce dîner de Thanksgiving !

– Qu'est-ce que j'ai pu te dire qui te fasse penser que je pouvais être gay ?

Corbin s'adosse à sa chaise.

– Je ne me rappelle pas exactement. Tu as raconté que tu n'étais plus sorti avec une fille depuis au moins trois ans, ou quelque chose comme ça, alors j'ai cru que c'était ta façon de me dire que tu étais gay.

Tout le monde rit aux éclats. Même moi.

– Ça fait plus de trois ans ! Et pendant tout ce temps-là, tu m'as cru gay ?

Corbin n'a toujours pas l'air de comprendre.

– Mais...

Des larmes... Miles en pleure de rire...

Que c'est beau !

Je suis navrée pour Corbin, il a l'air tellement gêné, mais j'aime bien que Miles trouve ça si drôle, qu'il n'en soit pas gêné le moins du monde, lui.

– Trois ans ? dit mon père.

– C'était il y a trois ans, finit par reconnaître Corbin en riant à son tour. Ce qui donne donc six ans, maintenant.

On se calme autour de la table. Cette fois, Miles semble accuser le coup.

Je persiste à croire que notre baiser dans la salle de bains, tout à l'heure, prouve qu'il est sorti avec une fille depuis beaucoup moins que six ans. Un garçon à la bouche aussi possessive sait s'en servir, et il doit s'en servir souvent.

Je préfère ne plus y penser.

Ni moi ni *ma famille.*

– Tu saignes encore, dis-je en désignant son pansement rougeoyant.

Je me tourne vers ma mère :

– Tu aurais du pansement liquide ?

– Non. Ça me fait peur, ces trucs-là.

Je me tourne vers Miles.

– Tu vas me montrer ta main, après le dîner.

Il acquiesce sans me regarder. Ma mère m'interroge sur mon travail et, dès lors, Miles n'occupe plus le centre des conversations. J'espère qu'il en est soulagé.

J'éteins la lumière et me glisse dans mon lit, pas trop certaine d'avoir apprécié la journée. Passé le dîner, on ne s'est plus beaucoup adressé la parole, bien qu'il m'ait fallu dix bonnes minutes pour lui refaire son bandage dans le salon.

On n'a pas parlé, nos genoux ne se sont pas effleurés. Ses doigts n'ont pas touché ma cuisse. Il ne m'a même pas regardée. Tout ce temps, il n'a fait que contempler sa main, comme s'il craignait qu'elle ne finisse par tomber.

Alors je ne sais plus trop que penser du baiser de Miles. Visiblement, je lui plais, sinon, il ne m'aurait pas embrassée. Pour moi, c'est suffisant. À la limite, je me fiche qu'il m'apprécie ou non ; je veux juste qu'il soit attiré par moi, parce que l'affection peut venir ensuite.

Je ferme les yeux afin d'essayer pour la cinquantième fois de m'endormir, mais sans succès. Je roule sur le côté, face à la porte, juste pour voir une ombre de pieds s'en approcher. Je ne la quitte pas du regard, prête à entendre frapper, mais elle finit par disparaître et les pas s'éloignent dans le couloir. Je jurerais que c'était Miles, juste parce que toutes mes pensées sont concentrées sur lui. Je respire longuement, posément, pour me calmer, me demander si je ne vais pas le suivre. Je n'en suis qu'à la troisième inspiration quand je saute du lit.

J'ai presque envie de me relaver les dents, mais la dernière fois remonte à peine à vingt minutes.

Je vérifie dans la glace l'état de mes cheveux, puis ouvre la porte de ma chambre et me dirige aussi discrètement que possible vers la cuisine.

En tournant au coin du couloir, je l'aperçois, face à moi, accoudé au bar, comme s'il m'attendait.

Ça craint, *j'ai horreur de ça.*

Je fais comme si c'était un pur hasard qui m'amenait là, en même temps que lui, à minuit.

– Tu ne dors pas ? dis-je en allant ouvrir le réfrigérateur.

J'en sors le jus d'orange, je prends aussi un verre que je remplis, avant de m'appuyer au comptoir, face à Miles. Il me regarde, sans répondre à ma question.

– Tu es somnambule ?

Il sourit, m'inonde des pieds à la tête de son regard bleu glacier.

– Tu aimes beaucoup le jus d'orange, observe-t-il, amusé.

Je jette un coup d'œil sur mon verre avant qu'il ne s'approche pour me le prendre et en boire à son tour une gorgée ; puis il me le rend. Tout cela sans me quitter des yeux.

Bon, là, je me mets à adorer le jus d'orange.

– J'aime bien, aussi, précise-t-il.

Je dépose le verre à côté de moi puis m'assieds carrément sur le comptoir, l'air décontractée, comme si je ne sentais pas toutes mes pensées, toute ma vie envahies par Miles. Il est là, il est partout.

Dans toute la maison.

Rien ne bouge. Je décide d'effectuer le premier pas.

– Ça fait vraiment six ans que tu n'as pas eu de petite amie ?

Il hoche la tête sans hésitation, réponse qui me choque autant qu'elle me plaît. Je ne sais d'ailleurs pas trop pourquoi. Peut-être parce que ça me donne une bien meilleure image de sa vie.

– Ouah... Tu as déjà...

Je ne sais pas comment finir ma phrase.

– Fait l'amour ? coupe-t-il.

Encore heureux que nous ne soyons éclairés que par la petite lampe au-dessus du four, parce que j'ai dû rougir jusqu'aux oreilles.

– Tout le monde n'attend pas forcément les mêmes choses de la vie, réplique-t-il.

Sa voix douce me fait l'effet d'un édredon de plumes. J'ai envie de m'y rouler, de me laisser envelopper par cette voix.

– Tout le monde cherche l'amour, dis-je. Ou du moins le sexe. C'est humain.

Dire qu'on parle ouvertement de ces choses-là...

Il croise les bras, mais aussi les chevilles. J'avais déjà remarqué que c'était sa façon de se replier sur lui-même. Comme s'il se réfugiait derrière sa cuirasse habituelle, de peur de laisser filer trop d'indices.

– La plupart des gens ne conçoivent pas l'un sans l'autre, observe-t-il. Alors, je préfère oublier les deux.

Tout en parlant, il me dévisage attentivement, guettant ma réaction. Je fais de mon mieux pour ne rien laisser paraître.

– Alors lequel des deux refuses-tu, Miles ? dis-je d'une voix décidément trop faible. L'amour ou le sexe ?

Son regard ne bouge pas, mais sa bouche se crispe sur un imperceptible sourire.

– Je crois que tu connais déjà la réponse, Tate.

Ouah...

Je pousse un soupir aussi contrôlé que possible mais, en fait, je me fiche que Miles comprenne à quel point ses paroles m'affectent. Il a une façon d'articuler mon nom qui me trouble au moins autant que son baiser. Je croise les genoux en espérant qu'il ne repérera pas ma cuirasse personnelle.

Il descend les yeux vers mes jambes et je le vois qui retient son souffle.

Six ans. Incroyable.

À mon tour, j'examine mes jambes. J'ai envie de lui poser une autre question, en même temps je préfère ne pas le regarder à ce moment-là.

– Ça fait combien de temps que tu n'as plus embrassé une fille ?

– Huit heures, répond-il sans hésitation.

Je relève la tête et le vois sourire. Il sait pourtant bien ce que je voulais dire.

– Pareil, finit-il par répondre. Six ans.

Je ne sais pas ce qui m'arrive, mais là, quelque chose a changé. Une partie de ma cuirasse se liquéfie quand je me rends compte ce que signifiait pour lui ce baiser. Je me sens moi-même liquéfiée, et ce n'est pas ainsi que je pourrai me lever et partir. Alors, je ne bouge pas.

– Tu te fiches de moi ? dis-je sans cacher mon scepticisme.

Là, j'ai l'impression que c'est lui qui rougit.

Et moi je n'y comprends plus rien. Comment ai-je pu à ce point me tromper sur son compte ? En même temps, ce qu'il dit me paraît impossible. Un beau gosse comme lui, avec un métier pareil. Et puis il embrasse très bien, alors pourquoi s'en priverait-il ?

– Donc, lui dis-je, c'est quoi ton problème ? Tu as une MST ?

Là, c'est l'infirmière en moi qui parle. Il ne me répond pas pour autant.

– Si ça fait six ans que tu n'as plus embrassé de fille, pourquoi tu l'as fait avec moi ? J'avais l'impression que tu ne m'appréciais pas beaucoup. Tu es vraiment difficile à sonder.

Il ne me demande pas pourquoi j'ai l'impression qu'il ne m'aime pas.

Je commence à croire que si je le sens différent avec moi, c'est qu'il le fait exprès.

– Ce n'est pas que je ne t'aime pas, Tate, souffle-t-il en se passant une main dans les cheveux. C'est plutôt que je ne veux pas t'apprécier. Ni toi ni personne. Je ne veux plus sortir avec une fille. Je ne veux aimer personne. Seulement...

De nouveau il croise les bras, regarde le bout de ses pieds.

– Seulement quoi ? dis-je en le poussant à terminer sa phrase.

Ses yeux reviennent lentement vers moi, et je dois faire appel à toute ma volonté pour rester assise sur ce comptoir alors qu'il me regarde comme... un dîner de Thanksgiving.

– Tu m'attires, Tate, énonce-t-il à voix basse. Je te désire, mais je ne veux que toi, sans tout le reste.

Je ne sais plus que penser.

Cerveau = liquide.

Cœur = beurre.

Heureusement, je peux encore respirer, alors je ne m'en prive pas.

Le temps de remettre mes idées en place et de réfléchir un bon coup.

Il vient de reconnaître qu'il veut faire l'amour avec moi. Il voudrait seulement que ça n'aboutisse à rien de spécial. Je ne sais pas trop pourquoi je me sens flattée. Ça devrait plutôt me donner envie de le boxer mais, en avouant qu'il veut m'embrasser après n'avoir plus embrassé personne depuis six ans, il me donne plutôt l'impression que je viens de gagner un prix Pulitzer.

On se regarde encore et, cette fois, il me semble un rien nerveux. Il doit se demander s'il ne m'a pas mise hors de moi.

Je ne tiens pas à ce qu'il pense ça parce que, franchement, j'ai plutôt envie de crier « j'ai gagné ! » de tous mes poumons.

Alors je ne sais plus quoi dire. Depuis qu'on se connaît, on a échangé toutes sortes de conversations glauques, mais celle-ci les dépasse toutes.

– On se raconte quand même de drôles de choses, dis-je.

Il part d'un petit rire soulagé.

– Oui.

Ce mot « oui » résonne si joliment dans sa bouche, articulé avec sa voix. Il pourrait sans aucun doute rendre n'importe quel mot magnifique. J'en cherche un que je déteste. Par exemple *bœuf.* C'est un mot horrible. Je me demande s'il ne parviendrait pas à me le faire aimer.

– Dis le mot *bœuf.*

Il hausse les sourcils, l'air de se demander s'il a bien entendu. Il doit me trouver un peu barge.

M'en fiche.

– Allez, vas-y !

– Bœuf, finit-il par articuler.

Je souris. *J'aime le mot bœuf. C'est mon nouveau mot préféré.*

– Tu es spéciale toi, dans ton genre, lâche-t-il amusé.

Je décroise les jambes. Il s'en aperçoit.

– Alors, Miles, on va vérifier si j'ai bien compris. Tu n'as pas fait l'amour depuis six ans. Tu n'as plus eu de petite amie depuis six ans. Tu n'as pas embrassé de fille depuis huit heures. Visiblement, tu n'aimes pas les liaisons. Ni l'amour. Pourtant tu es un mec. Ça a des besoins, un mec.

Il ne me quitte pas des yeux, l'air toujours aussi amusé.

– Continue, dit-il avec son irrésistible sourire.

– Tu ne veux pas te laisser attirer par moi, pourtant c'est ce qui t'arrive. Tu veux faire l'amour avec moi, mais tu ne veux pas sortir avec moi. Tu ne veux pas non plus *m'aimer.* Tu ne veux pas non plus *me laisser t'aimer.*

Je l'amuse toujours autant. Il sourit toujours.

– Je ne me rendais pas compte que j'étais aussi transparent.

Pas du tout, Miles. Crois-moi.

– Si on se lance, dis-je d'un ton taquin, je crois qu'on devrait prendre notre temps. Je ne veux pas te bousculer. Si tu n'es pas prêt, tu n'es pas prêt. Tu es pratiquement vierge.

Là, il ne sourit plus du tout, mais il s'avance lentement vers moi. Trois pas qui m'arrachent mon sourire, car je suis impressionnée. Arrivé à ma hauteur, il place les mains sur mes hanches, se penche vers mon cou.

– Cela remonte à six ans, Tate. Crois-moi quand je te dis... que je suis prêt.

Ces mots deviennent à leur tour mes préférés. *Crois* et *moi* et *quand* et *je* et *te* et *dis* et *que* et *je* et *suis* et *prêt.*

Je les aime tous.

Il recule et doit alors remarquer que je ne respire plus. Il se repositionne face à moi. Il secoue la tête comme s'il n'arrivait pas à croire ce qui vient de se passer.

– Je n'arrive pas à croire que je viens de te proposer de faire l'amour. Quel genre de mec je suis ?

Je déglutis.

– À peu près le même que tous les autres.

Ça le fait rire, pourtant il culpabilise. Il a sans doute peur que je ne tienne pas le coup. Et il a raison, mais hors de question de l'admettre. S'il sent que je ne pourrai pas supporter une telle situation, il va retirer tout ce qu'il a dit. S'il retire tout ce qu'il a dit, j'oublie les baisers du genre de tout à l'heure.

J'accepterais tout si ça devait me rapporter un autre baiser. Et surtout si ça devait aller plus loin.

Rien que d'y penser, j'en ai la gorge sèche. Je reprends mon verre et bois une gorgée de jus d'orange tout en essayant de chasser de telles idées.

Pour lui, ce serait purement sexuel.

Or, justement, je suis en manque depuis quelque temps.

Bon, moi aussi, je suis très attirée par lui et, tant qu'à faire, si c'est juste pour s'envoyer en l'air, pourquoi pas avec ce pilote ?

Je repose mon verre, appuie mes paumes sur le comptoir et me penche légèrement en avant.

– Écoute-moi, Miles. Tu es célibataire. Je suis célibataire. Tu travailles beaucoup trop, et je suis braquée sur ma carrière à m'en rendre malade. Même si on voulait entretenir une relation, ça ne marcherait pas. Nos vies ne nous le permettraient pas. Et puis on n'est pas vraiment potes, donc on ne risque pas de briser une amitié. Tu veux faire l'amour avec moi ? Pas de souci. On y va. Tant que tu voudras.

Il observe ma bouche comme si chacun de mes mots devenait l'un de ses mots préférés.

– On y va ? demande-t-il.

– C'est ça. On y va.

Il me jette un regard provocateur.

– D'accord, finit-il par lancer comme un défi.

– D'accord.

On est encore à quelques pas l'un de l'autre. Pourtant, je viens de dire à ce type que j'aimerais faire l'amour avec lui sans en demander davantage, et il est toujours là, et je suis là, et il devient clair que je l'avais vraiment mal jugé. Il est plus anxieux que moi. Même si j'ai l'impression que nous n'avons pas les mêmes raisons de l'être. Il est anxieux parce qu'il ne veut pas que ceci aboutisse à autre chose.

Quant à moi, j'angoisse car je ne suis pas certaine de pouvoir me contenter de sexe. Quand je pense à quel point il m'attire, j'ai l'impression que le sexe va vite devenir le cadet de nos soucis. Pourtant, je reste assise là, prétendant être prête à m'en contenter. Qui sait si, en commençant par là, on ne va pas aboutir à autre chose ?

– Mais on ne peut pas se lancer tout de suite, déclare-t-il.

Merde.

– Pourquoi ?

– La seule capote qu'il me reste a dû se dissoudre à l'heure qu'il est.

J'éclate de rire.

– Cela dit, reprend-il avec un sourire plein d'espoir, je suis d'accord pour t'embrasser tout de suite.

À vrai dire, je suis plutôt surprise qu'il n'ait pas encore essayé.

– Ok.

Il s'approche de moi et se glisse entre mes genoux en me regardant fixement comme s'il s'attendait à ce que je change d'avis. Je ne change pas d'avis.

J'en ai sans doute encore plus envie que lui.

Des deux mains, il me caresse les cheveux et promène ses pouces sur mes joues. Il laisse échapper un soupir en regardant ma bouche.

– J'ai tellement de mal à respirer, avec toi.

Il ponctue cette phrase d'un baiser et j'achève de me liquéfier complètement. Jamais la bouche d'un homme ne m'avait paru aussi délicieuse. Sa langue me parcourt les lèvres puis s'enfonce, me goûte, m'emplit, me possède.

C'est... trop.

Je.

Vénère.

Sa.

Bouche.

Je penche le visage pour pouvoir mieux la déguster. Il penche le visage pour pouvoir mieux déguster la mienne. Il sait exactement quoi faire. Il laisse retomber sa main blessée sur ma cuisse, tandis que l'autre saisit l'arrière de ma tête pour mieux l'approcher de lui, mieux écraser nos deux bouches. Quant à mes mains, voilà un moment qu'elles ne sont plus sagement posées sur sa chemise. Elles explorent ses bras, son cou, ses cheveux.

Je laisse échapper un gémissement qui l'incite à m'étreindre avec encore plus de vigueur, au point de m'attirer complètement au bord du bar

– Bon, d'accord, vous n'êtes pas gay, lance quelqu'un derrière nous.

Oh bordel !

Papa.

Papa !

Merde.

Miles. S'écarte de moi.

Moi. Je saute du bar.

Papa. Passe devant nous.

Il ouvre le réfrigérateur, attrape une bouteille d'eau, comme si ça lui arrivait tout le temps de tomber sur sa fille en train de se faire tripoter par un invité. Il se retourne pour nous faire face, boit longuement. Quand il a fini, il referme la capsule et range la bouteille dans le frigo. Après quoi, il sort de la cuisine en passant au milieu de nous.

– Va te coucher, Tate ! lance-t-il du couloir.

Je me couvre la bouche de la main, Miles se couvre le visage. Nous sommes tous les deux morts de honte. Lui sans doute encore plus que moi.

– On ferait mieux d'aller se coucher, maugrée-t-il.

Je ne peux qu'acquiescer.

Il s'éloigne sans plus me toucher. Nous arrivons d'abord devant ma chambre, alors je m'arrête, me tourne vers lui. Il s'arrête aussi.

Il jette un regard sur sa gauche, un autre, plus bref, sur sa droite, afin de s'assurer que nous sommes seuls dans le couloir. Puis il se rapproche, m'embrasse de nouveau. Mon dos se colle à la porte de ma chambre mais, déjà, Miles se détache de moi.

– Tu es sûre que ça va ? s'inquiète-t-il.

Je ne sais pas si ça va. Je me sens bien, j'aime son contact, je n'ai qu'une envie, rester auprès de lui. En même temps, je me demande quelles raisons ont pu le conduire à cette abstinence de six ans.

– Tu t'inquiètes trop, lui dis-je avec un sourire forcé. Tu préférerais qu'on se fixe une règle ?

Il me dévisage un moment avant de reculer d'un pas.

– Peut-être, souffle-t-il. J'en vois même deux pour le moment.

– Lesquelles ?

– Pas de question sur le passé. Ne pas espérer de futur.

Je n'aime pas du tout ces règles-là. Elles me donnent envie de changer d'avis sur notre pacte et de prendre mes jambes à mon cou. Pourtant, je fais oui de la tête. Parce que j'ai bien l'intention d'en tirer ce que je pourrai. Près de Miles, je ne suis plus Tate. Je suis liquéfiée, incapable de m'affirmer, de tenir debout toute seule. Quand on est liquéfié, on coule. C'est tout ce dont je suis capable avec Miles.

Couler.

– Quant à moi, dis-je, je n'ai qu'une règle à fixer.

Il attend la suite. Mais je ne vois rien de plus à lui dire. Aucune règle. Pourquoi ne dis-je rien ? Il attend toujours.

– Je ne suis pas encore capable de la définir, mais dès que je saurai, tu devras t'y conformer.

Il se met à rire, puis se penche et m'embrasse sur le front, avant de regagner sa chambre. Il ouvre la porte, mais me jette encore un bref regard et disparaît.

Sans pouvoir l'affirmer, je suis à peu près sûre d'avoir lu une lueur d'effroi dans son regard. Si seulement je pouvais savoir de quoi il a eu peur... parce qu'en ce qui me concerne, je sais exactement de quoi j'ai peur.

J'ai peur de la façon dont tout ça va finir.

10

MILES

SIX ANS PLUS TÔT

Ian sait.
J'ai dû tout lui raconter. Au bout d'une semaine,
il savait que ma vie tournait autour de Rachel.
Rachel sait que Ian sait.
Mais aussi qu'il n'en dira jamais rien.
Je laisse ma chambre à Rachel quand elle emménage
à la maison, moi je prends la chambre d'amis. Parce que
ma chambre est la seule qui ait sa salle de bains privée.
Je veux que Rachel puisse profiter du meilleur.
– Tu veux que je pose ce carton ici ? s'enquiert Ian.
Elle demande de quoi il s'agit,
il répond ses soutiens-gorge et autres sous-vêtements.
– Sinon, ajoute-t-il, je vais les mettre directement
dans la chambre de Miles.
Elle lève les yeux au ciel.
– Tu es lourd !

Il éclate de rire.
Il adore se mêler de petits détails intimes de ce genre.
C'est bien pour ça qu'il tiendra sa langue.
Il connaît le pouvoir des secrets.
Une fois qu'on a monté tous les cartons, il s'en va.
Mon père me croise dans le couloir et s'arrête.
Ce qui veut dire que je dois m'arrêter moi aussi.
– Merci, Miles.
Il croit que je suis d'accord. Que ça me va s'il laisse une autre femme remplir le vide laissé par ma mère.
Je ne suis pas d'accord.
Je fais juste semblant, parce que ça n'a plus d'importance.
Seule Rachel a de l'importance.
Pas lui.
– Pas de souci, dis-je.
Il repart, s'arrête de nouveau. Il me dit apprécier ma gentillesse envers Rachel. Et qu'il regrette qu'avec maman ils n'aient pu me donner un frère ou une sœur quand j'étais plus jeune.
Il dit que je fais un excellent grand frère.
Quelle horreur !
Je retourne dans la chambre de Rachel.
Je ferme la porte.
On se retrouve tous les deux.
On se sourit.
Je m'approche d'elle, la prends dans mes bras, l'embrasse dans le cou. Ça fait trois semaines que je l'ai embrassée pour la première fois et je ne compte plus le nombre de baisers que nous avons échangés depuis. Impossible de se comporter ainsi au lycée ni en public, encore moins devant les parents. Je ne peux la toucher que quand on est seuls, et ça ne nous est pas arrivé souvent ces trois dernières semaines.
Et maintenant ?
Maintenant, je l'embrasse.

– Il va falloir qu'on se fixe une règle de conduite
pour ne pas avoir d'ennuis, dit-elle en s'écartant de moi.
Elle s'assied à mon bureau et moi sur mon lit.
Enfin non... elle s'assied à *son* bureau et moi sur *son* lit.
– D'abord, commence-t-elle, pas de câlins quand ils sont
dans la maison. C'est trop risqué.
Je ne suis pas trop d'accord avec cette règle,
pourtant j'acquiesce de la tête.
– Ensuite, on ne couche pas.
Là, je n'acquiesce plus du tout. Je vais jusqu'à demander :
– Jamais ?
Elle fait non. Et je *déteste* ce non.
– Pourquoi ?
Elle pousse un énorme soupir.
– Parce qu'on n'arrivera plus à se séparer.
Tu le sais très bien.
Elle a raison, en même temps elle a tort,
mais j'ai l'impression qu'elle s'en rendra compte plus tard.
– Je peux te demander la règle numéro trois
avant d'accepter la deux ?
Elle sourit.
– Pas de règle numéro trois.
– Ainsi on peut tout faire sauf coucher ?
On parle bien de pénétration ? Pas de rapports oraux ?
Elle se cache le visage derrière les mains.
– Oh, mon Dieu ! On doit parler de ce genre de détails ?
Elle est mignonne quand elle est gênée.
– Je précise, c'est tout. J'ai envie de te faire tellement
de choses que ça pourrait occuper toute une vie,
pas juste les six mois qu'on a devant nous.
– Ça peut se préciser sur le moment.
– Comme tu voudras.
J'admire la légère coloration de ses joues.
– Rachel ? Tu es vierge ?

Elle s'empourpre davantage, secoue la tête en soufflant
que non. Elle me demande si ça compte pour moi.
– Pas du tout, dis-je franchement.
Elle me demande si je le suis, mais d'une voix
presque étouffée par la timidité.
– Non, dis-je. Mais, maintenant que je t'ai rencontrée,
je le regretterais presque.
Elle a l'air d'aimer cette réponse.
Je me lève et me dirige vers ce qui va devenir ma chambre,
pour commencer à m'y installer. Avant de sortir,
je ferme pourtant sa porte de l'intérieur,
me retourne vers Rachel et lui souris.
Je m'approche lentement d'elle.
Je lui enveloppe la taille de mon bras,
l'attire contre moi.
Je l'embrasse.

11

TATE

– J'ai envie de faire pipi.

– Encore ? grogne Corbin.

– Ça fait deux heures depuis la dernière fois, dis-je sur la défensive.

En fait, je me fiche d'aller aux toilettes ou non, mais je ne supporte plus de rester dans cette voiture. Après la conversation échangée avec Miles cette nuit, je me sens trop mal à l'aise en sa présence, comme s'il envahissait davantage les lieux au fur et à mesure que le temps passe. D'autant qu'il ne dit pas un mot. Je me demande ce qui lui passe par la tête. Je me demande s'il regrette notre conversation. Je me demande s'il ne va pas faire comme si rien ne s'était passé.

Si seulement mon père avait fait comme si de rien n'était ! Avant notre départ, ce matin, alors que je prenais mon petit déjeuner avec lui, Miles est entré.

– Bien dormi ? lui a-t-il demandé.

Je croyais que Miles allait rougir, mais il a juste regardé mon père en secouant la tête.

– Pas trop bien. Votre fils parle dans son sommeil.

Mon père a levé sa tasse en répondant :

– Content de savoir que vous avez passé la nuit dans la chambre de Corbin.

Encore une chance que mon frère ait été absent à ce moment-là. Miles n'a plus dit un mot de tout le repas. En fait, il n'a repris la parole que dans la voiture, une fois qu'on a été partis. À part le moment où il a serré la main de mon père pour le remercier de son hospitalité. Je n'ai pas entendu ce qu'il lui disait exactement et papa est resté de glace. Il est parfois aussi doué que Miles pour cacher ses pensées.

J'aimerais vraiment savoir ce qu'ils se sont dit.

D'ailleurs, j'ai encore une dizaine de questions qui me tourmentent au sujet de Miles.

Quand on était gamins, avec Corbin, on se disait que si on pouvait choisir un super-pouvoir, on prendrait tous les deux celui de voler. Maintenant que je connais Miles, j'ai changé d'avis. Si j'avais un super-pouvoir, j'aimerais que ce soit celui de m'infiltrer. Ainsi j'infiltrerais son esprit pour capter chacune de ses pensées.

J'infiltrerais son cœur pour m'y répandre comme un virus.

Je me nommerais la Taupe.

Oui, ça m'irait bien.

– Vas-y ! me lance Corbin en se garant.

Dommage que je ne sois plus au lycée, parce que je ne me gênerais pas pour le traiter de trouduc. Mais quand on est adulte, on ne balance plus ce genre de truc à son frère.

Je sors de la voiture et j'ai aussitôt l'impression de respirer enfin, du moins jusqu'au moment où Miles ouvre sa portière. Il me paraît plus grand que jamais, et mes poumons semblent rétrécir. On se rend ensemble à la station-service, sans se parler.

Étrange comment se passent les choses. Parfois, on en dit davantage en se taisant. Parfois, mon silence dit : *Je ne sais pas comment te parler. Je ne sais pas à quoi tu penses. Parle-moi.*

Dis-moi tout ce que tu as déjà dit. Toutes ces paroles. À commencer par ta première fois.

Je me demande ce que raconte son silence.

Une fois à l'intérieur, il cherche du regard le panneau des toilettes et passe devant moi. Je le laisse me précéder. Parce qu'il est solide et que je suis liquide et que, pour l'instant, je ne marche que dans son sillage.

Sans un mot, sans une hésitation, il entre dans les toilettes pour hommes, ne se retourne pas, ne me regarde pas. À mon tour, j'ouvre la porte des dames, mais je me contente de prendre une grande inspiration sur le seuil. Je n'y arrive pas. Il m'envahit, sans même le faire exprès. Il envahit mes pensées et mon ventre, et ma poitrine et mon monde.

C'est son super-pouvoir.

L'Envahisseur et la Taupe. Quelque part, ils ont le même but ; ce qui fait de nous un sacré couple d'enfoirés.

Je me lave les mains en y mettant assez de temps pour laisser paraître que j'avais besoin de demander à Corbin de s'arrêter. Je rouvre la porte, et le voilà qui m'envahit de nouveau. Il est sur mon chemin, en face de moi, alors que j'essaie de m'échapper.

Il ne bouge pas. Je n'y tiens d'ailleurs pas forcément, je le laisse m'envahir.

– Tu veux boire quelque chose ? propose-t-il.

– Non, merci. J'ai de l'eau dans la voiture.

– Tu as faim ?

Je réponds encore que non. Il a l'air légèrement déçu que je ne veuille rien. Il n'a peut-être pas encore envie de regagner la voiture. Je m'empresse d'ajouter :

– Je prendrais bien une sucrerie.

Et voilà qu'apparaît l'un de ses rares et précieux sourires.

– Bon, je t'invite.

Il se dirige vers le stand des sucreries. Je le rejoins. On passe un peu trop de temps à choisir. Je n'ai pas envie de grand-chose, mais on fait comme si.

Je finis par murmurer :

– C'est drôle.

– Qu'est-ce qui est drôle ? demande-t-il. Choisir une sucrerie ou faire comme si aucun de nous n'avait envie de retourner dans la voiture pour le moment ?

Ouah ! Quelque part, j'ai vraiment l'impression d'avoir infiltré ses pensées. Sauf que ce sont là des paroles qu'il voulait bien prononcer, pour me mettre à l'aise.

– Les deux, dis-je imperturbable. Tu fumes ?

Il me fixe encore, l'air de dire que, décidément, je raconte de drôles de choses.

Rien à fiche.

– Non, répond-il tranquillement.

– Tu te rappelles ces cigarettes en sucre qu'on nous offrait quand on était petits ?

– Oui. Plutôt morbide comme cadeau, quand on y pense.

– Avec Corbin, on adorait ça. Jamais je ne laisserais mes enfants acheter ce genre de truc.

– Ça m'étonnerait qu'ils en fabriquent encore.

On se remet à inspecter les sucreries.

– Et toi ? demande Miles.

– Moi quoi ?

– Tu fumes ?

– Non.

– Bon.

On regarde encore autour de nous, jusqu'à ce qu'il se plante devant moi.

– Tu es sûre de vouloir une sucrerie, Tate ?

– Non.

Il rit.

– Dans ce cas, on n'a plus qu'à retourner à la voiture.

Je suis d'accord avec lui, mais aucun de nous ne bouge. Il me caresse doucement la main, comme s'il sentait qu'il me brûlait telle une coulée de lave.

– Attends, lui dis-je.

Il se retourne, l'air interrogateur. Cette fois, je me lance :

– Qu'est-ce que tu as dit à mon père, ce matin ? Avant le départ ?

Ses doigts serrent les miens et son expression ne s'écarte pas de l'émouvant regard qu'il sait si bien prendre.

– Je me suis excusé.

Il reprend la direction de la porte et, cette fois, je le suis. Il ne relâche ma main qu'à proximité de la sortie ; là, j'ai l'impression de m'évaporer.

Je le suis vers la voiture en espérant que je ne suis pas vraiment capable d'infiltrer ses pensées. Je suis obligée de me rappeler qu'il porte une cuirasse, qu'il est impénétrable.

Je ne sais pas si je peux faire ça, Miles. Je ne sais pas si je peux suivre ta deuxième règle, parce que j'ai brusquement beaucoup plus envie d'entrer dans ton avenir que dans cette voiture.

– Longue file d'attente, lance Miles en guise d'explication à Corbin.

Mon frère redémarre et change de station radio. Il se fiche qu'on ait attendu longtemps ou non. Il ne suspectait rien, sinon il aurait dit quelque chose. D'ailleurs, je ne vois pas ce qu'il aurait pu suspecter.

Au bout d'une bonne quinzaine de minutes, je me rends compte que je ne pense plus à Miles ; je ne faisais qu'évoquer des souvenirs.

– Tu te rappelles quand on était petits et qu'on rêvait de pouvoir voler ?

– Ah oui, dit Corbin, nos super-pouvoirs !

– Tu l'as bien mérité, toi, tu peux voler.

Corbin me sourit dans le rétroviseur.

– Tu vois, je suis devenu un super-héros.

Je me cale dans mon siège et me mets à regarder par la vitre. Je les envie un peu, tous les deux, pour tout ce qu'ils ont pu voir, tous les endroits où ils sont allés.

– C'est comment, un lever de soleil vu d'en haut ?

– Je t'avoue que je ne regarde pas souvent. J'ai trop de travail quand je suis aux commandes d'un avion.

Je trouve ça triste.

– *Moi* je regarde, intervient Miles.

Il a les yeux fixés sur sa vitre, et sa voix est si posée que je l'entends à peine.

– Chaque fois que je suis là-haut, poursuit-il.

Il n'explique pas pour autant à quoi ça ressemble. Sa voix reste distante, comme s'il se parlait à lui-même.

– Vous dominez les lois de l'univers quand vous volez, dis-je. C'est impressionnant. Vous défiez la gravité en regardant les levers et couchers de soleil d'endroits que la nature n'avait pas prévus pour l'usage de l'homme. Vous êtes vraiment des super-héros !

Corbin me jette un autre regard dans son rétroviseur, puis éclate de rire. Alors que Miles, lui, ne rit pas du tout. Il continue de regarder par la vitre.

– Et toi, tu sauves des vies, me dit-il. C'est autrement impressionnant.

Mon cœur accuse le choc.

La deuxième règle ne s'annonce pas bien, vue d'ici.

12

MILES

SIX ANS PLUS TÔT

La règle numéro un d'interdiction de câlins
quand les parents sont dans la maison a déjà
connu un amendement.
Il s'agit maintenant de ne nous faire des câlins
que derrière une porte fermée.
Quant à la règle numéro deux, elle tient bon,
malheureusement. On ne couche pas.
À quoi s'est récemment ajoutée une règle numéro trois :
plus de rencard la nuit. Lisa passe de temps en temps
une tête dans la chambre de sa fille, tout simplement
parce que c'est le rôle de la mère d'une ado.
Je déteste ça.
Voilà un mois que nous habitons sous le même toit.
Nous ne parlons jamais du fait qu'il ne nous reste que
cinq mois. Nous ne parlons jamais de ce qui se passera
quand mon père épousera sa mère. Nous ne parlons
jamais de ce qui en résultera : dès lors, nous serons liés
pour beaucoup plus que cinq mois.

Les vacances.

Les week-ends.

Les réunions.

Nous serons obligés d'assister à tout ça, en tant que membres de la famille.

Nous n'en parlons pas parce que ça nous donne l'impression de mal agir.

Nous n'en parlons pas parce que c'est trop dur. Quand je pense au jour où elle partira pour le Michigan, tandis que je resterai à San Francisco, je n'arrive plus à rien voir au-delà.

Je ne vois rien du jour où elle ne sera plus mon tout.

– Nous rentrons dimanche, annonce-t-il. Tu auras la maison pour toi. Rachel dormira chez une amie. Tu devrais en profiter pour inviter Ian.

Et moi de mentir :

– C'est fait.

Rachel aussi a menti. Elle sera là tout le week-end. Inutile de leur donner le moindre prétexte pour nous suspecter de quoi que ce soit. C'est déjà assez dur de faire semblant quand ils sont là, comme si nous n'avions rien en commun, elle et moi, quand j'ai envie de rire à tout ce qu'elle dit.

Je suis prêt à approuver tout ce qu'elle fait. J'ai envie de vanter son intelligence auprès de mon père, ses bonnes notes, sa gentillesse, sa vivacité d'esprit. J'ai envie de lui parler de cette amie extraordinaire que je me suis faite, parce qu'il l'aimerait sûrement.

D'ailleurs, il l'aime déjà.

Mais pas de la même façon que moi.

Et j'ai envie qu'il l'aime *pour moi.*

Nous disons au revoir à nos parents. Lisa conseille à Rachel de partir, mais elle ne s'inquiète pas plus que ça. Elle sait que sa fille se comporte bien, qu'elle n'enfreint pas la règle.

À part la règle numéro trois. Ce week-end, Rachel va totalement enfreindre la règle numéro trois.

On va jouer au papa et à la maman.

On fait comme si cette maison était la nôtre. On fait comme si cette cuisine était la nôtre, et elle va me préparer de petits plats. Je fais comme si Rachel était à moi, et je la suis partout, je m'accroche à elle. Je la caresse. Je l'embrasse dans le cou. Je la distrais de sa tâche pour mieux la sentir contre moi. Elle aime ça, même si elle dit que non. Quand on a fini de manger, elle s'assied près de moi sur le canapé. On met un film, mais on ne le regarde pas. On ne peut pas arrêter de s'embrasser. On s'embrasse tellement qu'on en a mal aux lèvres, aux mains, au ventre, tant nos corps désirent enfreindre la règle numéro deux.

Le week-end va être long.

J'ai besoin d'une douche, sinon je vais la supplier d'amender la règle numéro deux.

Je me rends dans sa salle de bains. J'aime bien cette douche. Encore plus que quand c'était la mienne. J'aime bien voir les affaires de Rachel ici. J'aime regarder son rasoir, j'aime imaginer comment elle s'y prend quand elle s'en sert. J'aime regarder ses bouteilles de shampooing et l'imaginer la tête renversée sous le jet d'eau pour les rincer.

J'aime que ma douche soit aussi la sienne.

– Miles ? lance-t-elle.

Elle frappe, mais elle est déjà dans la salle de bains. L'eau coule encore, chaude sur ma peau, mais cette voix me la rend brûlante. J'écarte le rideau. Peut-être un peu trop parce que j'ai envie *qu'elle ait envie* d'enfreindre la règle numéro deux. Elle pousse un soupir, seulement ses yeux tombent là où j'ai envie qu'ils tombent.

– Rachel, dis-je amusé par son expression gênée.

Elle relève la tête vers mon visage.

Elle a envie de prendre une douche avec moi.

Mais n'ose pas le demander.

– Viens, lui-dis-je.

Ma voix cassée me donne l'impression d'avoir crié.

Pourtant, elle était encore parfaite il y a cinq secondes.

Je ferme le rideau pour cacher l'effet qu'elle me fait, mais aussi pour respecter sa pudeur tandis qu'elle se déshabille. Je ne l'ai jamais vue dévêtue. J'ai juste senti ce qu'il y avait sous ses vêtements.

Tout d'un coup, j'ai le trac.

Elle éteint la lumière.

– Ça va ? demande-t-elle timidement.

Je dis oui, mais j'aurais préféré qu'elle soit plus sûre d'elle. Il faut que je l'aide à se détendre. Elle ouvre le rideau et je vois une jambe entrer. Je déglutis quand tout son corps s'approche de moi. Finalement, je préfère qu'il n'y ait plus que la veilleuse pour nous éclairer.

Je la vois bien assez.

Je la vois parfaitement.

Elle me regarde dans les yeux et se rapproche.

Je me demande si elle a déjà pris sa douche avec quelqu'un d'autre, mais ne lui pose pas la question. Je fais un pas vers elle, parce qu'elle semble un peu effrayée.

Je ne veux pas qu'elle ait peur.

J'ai peur.

Je lui pose les mains sur les épaules et l'amène sous le jet d'eau, tout en évitant de me coller contre elle malgré mon désir. Il vaut mieux que je garde un peu mes distances. Le seul contact que nous ayons passe par nos bouches.

Je l'embrasse doucement, lui effleurant à peine les lèvres, mais ça fait tellement mal. Pire qu'aucun des baisers que nous avons déjà échangés. Des baisers où nos bouches se heurtent. Nos dents se heurtent. Des baisers frénétiques, tellement précipités qu'ils semblent un peu bâclés.

Des baisers qui s'achèvent sur une morsure.

Mais aucun ne m'a jamais fait mal comme celui-ci, et je ne saurais dire pourquoi.

Au point que je dois me détacher. Je lui demande de m'accorder
une minute et elle accepte, avant d'appuyer sa joue
sur ma poitrine. Je m'adosse au mur et l'attire contre moi
tout en gardant les paupières fermées. Les mots essaient
encore de briser la barrière que j'ai édifiée autour d'eux.
Chaque fois que je suis avec elle, ils veulent sortir, mais
je m'efforce de cimenter encore le mur qui les encercle.
Elle n'a pas besoin de les entendre.
Je n'ai pas besoin de les lui dire.
Pourtant, ils tambourinent avec vigueur jusqu'à ce que tous
nos baisers se terminent de la même façon : je lui demande
de m'accorder une minute et elle accepte. En ce moment,
ils veulent sortir, avec plus de violence que jamais.
Ils ont besoin d'air. Ils demandent à être entendus.
Je ne vais bientôt plus pouvoir résister.
Il y a si longtemps que mes lèvres touchent les siennes
sans laisser les paroles passer, les remparts s'abaisser,
m'envahir la poitrine jusqu'à ce que je prenne le visage
de Rachel entre mes mains, que je la regarde dans les yeux
et que je laisse libre cours au flot
qui nous sépare de l'inévitable chagrin.
Les paroles finissent toujours par sortir.
– Je ne vois rien, lui dis-je.
Je sais qu'elle ignore de quoi je parle.
Je ne veux pas entrer dans les détails,
mais *les paroles finissent toujours par sortir.*
Elles ont pris le pouvoir.
– Quand tu partiras pour le Michigan et que je resterai
à San Francisco... Je ne vois plus rien après ça.
Jusque-là, je voyais très bien mon avenir, mais c'est fini.
J'embrasse la larme qui lui coule sur la joue.
– Je ne peux pas faire ça, lui dis-je. Tout ce que je veux voir,
c'est toi, et si on ne peut pas continuer...
rien ne vaudra plus la peine.

Avec toi, tout est tellement plus beau !
Je l'embrasse brusquement sur la joue et, cette fois,
ça ne me fait plus mal du tout,
maintenant que les paroles sont libres.
– Je t'aime, lui dis-je en me libérant totalement.
Je l'embrasse encore, sans lui donner la chance de répondre.
Je n'ai pas besoin de l'entendre me dire ces mots tant
qu'elle ne se sentira pas prête, et je ne veux pas l'entendre
me dire que je ne devrais pas ressentir cela.
Ses mains sont sur mon dos et me rapprochent d'elle.
Ses jambes enveloppent les miennes
comme si elle voulait se fondre en moi.
Ce qu'elle a déjà fait.
Notre ardeur nous reprend de plus belle. Elle gémit et je
sens qu'elle cherche à se détacher de moi, mais je garde la
main sur sa tête et je lui recouvre désespérément les lèvres,
dans l'espoir qu'elle n'aura plus besoin de respirer.
Elle me force à la relâcher.
Je pose mon front sur le sien en m'efforçant d'empêcher
mes émotions de me submerger.
– Miles, souffle-t-elle. Miles, je t'aime. J'ai si peur !
Je ne veux pas que ça finisse entre nous.
Tu m'aimes, Rachel.
Je recule, la regarde dans les yeux.
Elle pleure.
Je ne veux pas qu'elle ait peur. Je lui dis que tout ira bien.
Je lui dis que nous attendrons d'avoir obtenu nos diplômes,
avant de prévenir tout le monde. Je lui dis qu'ils seront
forcément d'accord. Une fois que nous aurons quitté
la maison, tout sera différent. Tout ira bien.
Ils devront bien comprendre.
Je lui dis que c'est toujours ça.
Elle hoche fiévreusement la tête.
– C'est toujours ça, répète-t-elle.

– C'est toujours ça, Rachel.
– Je ne peux pas te quitter maintenant. Impossible.
Elle prend mon visage entre ses paumes, m'embrasse.
Tu es tombée amoureuse de moi, Rachel.
Ses baisers ôtent un poids si lourd de ma poitrine
que j'ai l'impression de flotter,
et qu'elle flotte avec moi.
Je la retourne jusqu'à l'adosser contre le mur,
lui soulève les bras au-dessus de la tête,
entrelace mes doigts avec les siens.
Nous ne nous quittons plus des yeux...
et la règle numéro deux vole en éclats.

13

TATE

– Merci de m'avoir emmené avec vous, dit Miles à Corbin. À part une nouvelle blessure à la main et la découverte que tu me croyais gay, j'ai passé un bon moment.

Mon frère se met à rire puis ouvre la porte.

– C'est pas vraiment ma faute. Tu ne parles jamais de filles et on dirait que tu as renoncé au sexe depuis six ans.

Corbin entre dans l'appartement et se dirige vers sa chambre. Je reste sur le seuil, face à Miles.

Il me dévore du regard.

– Maintenant, c'est dans mes projets, dit-il avec un sourire.

Voilà que je deviens un *projet.* Pas très envie. Je voudrais plutôt être un but, le programme de tout son avenir.

Mais ceci brisera la deuxième règle.

Miles regagne son appartement et me désigne sa chambre d'un mouvement de la tête.

– Dès qu'il sera couché ? murmure-t-il.

Bien, Miles. Tu peux cesser de supplier. Je ferai partie de tes projets.

Je fais oui de la tête avant de fermer la porte.

Je prends une douche, me brosse les dents en chantonnant et mets juste ce qu'il faut de maquillage pour avoir l'air naturelle. Puis je remets mes habits pour ne pas donner l'impression de m'être changée. Alors que j'ai tout de même pris des sous-vêtements propres qui vont nettement mieux avec ce que je portais tout à l'heure. Je frémis un peu à l'idée que Miles va les voir ce soir.

Et peut-être les toucher.

Peut-être même qu'il projette de me les enlever.

Mon téléphone sonne, et ça me surprend. Parce qu'on n'en reçoit pas souvent à onze heures du soir. D'autant qu'il vient d'un numéro inconnu et reste assez laconique.

Numéro inconnu : Il est rentré dans sa chambre ?

Moi : Où tu as eu mon numéro ?

Miles : Je l'ai chopé sur le téléphone de Corbin pendant qu'il conduisait

Une petite voix chantonne dans ma tête : « Hé hé ! Il a chopé mon numéro ! »

Moi : Non, il regarde la télé.

Miles : Tant mieux. J'ai des courses à faire. Je rentre dans vingt minutes au cas où il irait se coucher avant.

Qui fait des courses à onze heures du soir ?

Je relis ce que je lui ai écrit, et ça me fait grincer des dents. C'est beaucoup trop décontracté. Comme si je passais ma vie à faire ça. Il va croire que j'ai l'habitude.

Mec inconnu : Tate, tu veux faire l'amour ?

Moi : Oui. Je termine avec ces deux mecs et j'arrive. Au fait, je n'ai aucune limite. Tout me va.

Mec inconnu : Génial.

Un quart d'heure passe, et la télévision finit par s'éteindre. Dès que la porte de Corbin se ferme, la mienne s'ouvre. Je traverse le salon et me glisse en dehors de l'appartement. Là, je tombe nez à nez avec Miles qui avait l'air de m'attendre sur le palier.

– Tu arrives pile ! observe-t-il.

Il porte un sac à la main et le glisse derrière lui, comme pour me le cacher.

– Après toi, Tate, dit-il en m'ouvrant sa porte.

Non, Miles. Je te suis. C'est ainsi que ça se passe entre nous. Tu es solide, je suis liquide. Tu écartes les eaux, je marche sur tes pas.

– Tu as soif ?

Il se dirige vers la cuisine, mais je ne suis pas certaine de pouvoir l'y suivre cette fois-ci. Je ne sais que faire et j'ai peur qu'il remarque que, jusqu'ici, je ne m'étais jamais imposé de limites. Si le passé et l'avenir sont aujourd'hui hors limites, j'ignore que faire du présent.

Je me rends dans la cuisine. Au présent.

– Qu'est-ce que tu as acheté ?

Il a posé le sac sur le comptoir et, voyant que j'essaie d'y jeter un coup d'œil, il l'écarte hors de ma vue.

– Dis-moi ce que tu veux, annonce-t-il, et je vais voir si j'en ai.

– Du jus d'orange.

Il sourit, puis ouvre le sac, en sort une brique de jus d'orange. Le seul fait qu'il y ait pensé me fait fondre. Ça prouve aussi qu'il ne m'en faut pas beaucoup. Je devrais lui dire que je viens de me créer une règle, une seule, *arrête de faire des choses qui me donnent envie de briser ta loi.*

Je prends la brique avec un sourire.

– Qu'est-ce qu'il y a d'autre dans le sac ?

Il hausse les épaules.

– Des trucs.

Il me regarde ouvrir la brique, me remplir un verre, remettre le bouchon. Il me regarde poser le verre sur le comptoir de la cuisine et bondir sur le sac.

Je l'attrape avant de sentir les bras de Miles me prendre par la taille.

Il rit.

– Range ça, Tate.

Je l'ouvre, regarde à l'intérieur.

Des préservatifs.

Cette fois, c'est moi qui éclate de rire en jetant le sac sur le comptoir. Miles ne me lâche pas quand je me retourne vers lui, pour me retrouver dans ses bras.

– J'ai vraiment très envie de dire quelque chose de déplacé ou de gênant, mais je ne vois pas quoi. Alors, tu fais comme si j'avais trouvé et tu ris quand même.

Il ne rit pas, mais ses bras restent autour de moi.

– Tu es vraiment spéciale, observe-t-il.

– Rien à fiche.

– Tout est spécial, avec toi.

Moi je trouve ça très à mon goût, mais je ne sais pas s'il apprécie vraiment.

– Spécial en bien ou en mal ?

– Les deux... répond-il. Ni l'un ni l'autre.

– Tu es spécial.

Il sourit.

– Rien à fiche.

Il remonte ses mains sur mon dos, sur mes épaules, et lentement redescend le long de mes bras, jusqu'à mes poignets.

Ce qui me rappelle quelque chose.

Je regarde ses paumes.

– Comment va ta main ?

– Bien.

– Il va falloir que je l'examine demain.

– Je ne serai pas là, demain. Je pars dans quelques heures.

Deux idées me traversent l'esprit. Une : *je suis très déçue qu'il parte ce soir.* Deux : *pourquoi suis-je là ?*

– Tu ne devrais pas dormir un peu ?

– Là, tout de suite ? Impossible.

– Tu n'as même pas essayé, dis-je. Tu ne vas pas piloter un avion si tu n'as pas dormi.

– Le premier vol est court. Et puis, je suis copilote. Je dormirai dans l'avion.

Le sommeil n'est pas au programme pour lui. Mais *Tate,* oui.

Dans son programme, Tate l'emporte sur le sommeil.

Je me demande sur quoi encore Tate peut l'emporter.

Un silence s'installe et devient pesant.

Je finis par lui demander :

– Tu veux savoir depuis combien de temps j'ai rien fait, puisque tu m'as révélé ce détail intime sur toi ?

– Non, dit-il simplement. Mais je voudrais t'embrasser.

– Alors, embrasse-moi.

Ses doigts lâchent les miens pour venir envelopper mes tempes.

– J'espère que tu as encore un goût d'orange.

Un, deux, trois, quatre, cinq, six, sept, huit.

Je compte les huit mots de cette dernière phrase puis cherche une place dans ma tête pour les y stocker à jamais. Je les cacherais bien dans un tiroir de l'esprit et j'y collerais une étiquette *Choses à sortir et à lire quand sa stupide règle numéro deux me placera dans un présent triste et solitaire.*

Miles est dans ma bouche. Il m'envahit encore.

Envahis-moi, envahis-moi, envahis-moi.

Je dois avoir un goût d'orange, parce que Miles a l'air d'apprécier. Je dois l'apprécier moi aussi parce que je l'attire vers moi, je l'embrasse, je fais de mon mieux pour l'abreuver de Tate.

Il se détache pour reprendre son souffle.

– J'avais oublié à quel point c'était bon.

Il me compare. Je n'aime pas ça.

– Tu veux savoir quelque chose ? reprend-il.

Bien sûr. J'ai envie de tout savoir mais, pour je ne sais quelle raison, je choisis cet instant pour prendre ma revanche sur tout à l'heure.

– Non.

Je le ramène vers ma bouche. Il ne m'embrasse pas tout de suite parce qu'il ne sait pas comment réagir. Néanmoins, sa bouche revient vite sur moi. Je suppose qu'il a détesté ma réponse trop sèche, au moins autant que j'ai détesté la sienne, et maintenant, il se sert de ses mains pour prendre sa revanche. Je ne saurais dire où il me touche parce que, dès qu'il se pose à un endroit, son autre main arrive à un autre. Il me touche partout, nulle part, pas du tout, tout d'un coup.

Ce que je préfère dans les baisers de Miles, c'est le bruit de ses lèvres quand elles arrivent sur les miennes. Le bruit de notre souffle avalé par l'autre. J'aime ses geignements lorsque nos corps se rejoignent. Habituellement, les garçons font plutôt moins de bruit que les filles dans ces moments-là.

Pas Miles. Il me désire et il veut que je le sache, et j'aime ça.

Bon sang, que j'aime ça !

– Tate, murmure-t-il contre ma bouche, viens dans ma chambre.

J'acquiesce, alors il se détache de moi, attrape les capotes puis m'entraîne vers sa chambre après avoir chopé au passage la brique de jus d'orange. Il me bouscule pour repasser devant, en m'adressant un clin d'œil.

L'état dans lequel me met ce clin d'œil me terrifie à l'idée de ce que je vais ressentir quand il sera en moi. Je ne sais pas si j'y survivrai.

Une fois dans sa chambre, je suis prise d'une nouvelle appréhension. Surtout parce qu'on est chez lui et que toute la situation repose sur lui. C'est lui qui a l'avantage.

– Qu'est-ce qu'il y a ? me demande-t-il en quittant ses chaussures.

Il se dirige vers la salle de bains pour éteindre la lumière et fermer la porte.

Debout au milieu de la pièce, je murmure la vérité :

– J'ai un peu le trac.

Bien sûr, je sais parfaitement ce qui va se passer. En général, on ne parle pas de ce genre de chose ; ça arrive dans le feu de l'action.

Mais Miles et moi savons très bien ce qui va se passer.

Il va s'asseoir au bord du lit.

– Viens ici.

Je m'approche de lui en souriant.

– On peut y aller lentement, propose-t-il. On n'est pas obligés de le faire ce soir. Ça ne fait pas partie de la règle qu'on s'est fixée.

Je ris, tout en secouant la tête.

– Non, c'est bon. Tu pars dans quelques heures et tu ne vas pas revenir avant, quoi ? Cinq jours ?

– Neuf, cette fois.

Je déteste ce chiffre.

– Je ne veux pas que tu attendes neuf jours en te nourrissant de faux espoirs, dis-je.

Ses mains remontent à l'arrière de mes cuisses pour revenir sur l'avant de mon jean. Il en ouvre le bouton d'un seul geste.

– Je ne dirais pas que c'est un supplice de m'imaginer en train de faire ça avec toi, répond-il en tirant sur la fermeture Éclair.

Mon cœur bat si fort dans ma poitrine que je jurerais qu'il est en train de bâtir quelque chose. Peut-être qu'il se fabrique son propre escalier vers le ciel, puisqu'il sait qu'il va exploser et mourir à l'instant où ce jean va tomber.

Miles glisse sa main sous ma ceinture, palpe ma hanche, puis l'appuie sur mon ventre et entreprend de me retirer mon jean.

Je ferme les yeux en essayant de tenir sur mes jambes mais, déjà, son autre main a soulevé mon chemisier, juste ce qu'il faut pour lui permettre de poser les lèvres sur ma poitrine. C'est irrésistible.

Il glisse maintenant les deux mains dans mon jean et, d'un mouvement circulaire, le descend jusqu'à mes genoux. Sa langue m'effleure le ventre, et moi je lui caresse les cheveux.

Quand enfin mon jean tombe sur mes chevilles, je m'en débarrasse à petits coups de pied, en même temps que de mes chaussures. Miles a remonté les mains sur mes fesses puis attire mes jambes vers lui pour que je l'enfourche. Je pousse un petit cri.

Je ne sais pas pourquoi c'est moi qui me sens inexpérimentée dans l'histoire. Je m'attendais à ce qu'il soit un peu moins entreprenant, mais je ne me plains pas.

Pas du tout.

Le voyant prêt à soulever mon chemisier, je lève obligeamment les bras. Il le jette par terre, derrière moi, et ses lèvres se reconnectent aux miennes tandis que ses doigts détachent mon soutien-gorge.

Ce n'est pas juste. Je vais me retrouver en culotte alors que lui n'aura encore rien ôté.

– Tu es si belle ! murmure-t-il en défaisant les bretelles pour les glisser le long de mes bras.

Je retiens mon souffle, j'attends qu'il m'enlève complètement mon soutien-gorge. J'ai tellement envie de sentir encore sa bouche sur moi que je n'arrive pas à mettre de l'ordre dans mes idées. Quand enfin il découvre ma poitrine, il pousse un soupir tremblé.

– Ouah !

Il jette le soutien-gorge par terre et me contemple de nouveau, sourit, m'effleure les lèvres d'un bref baiser. En se redressant, il me reprend le visage entre les mains, me regarde dans les yeux.

– Ça va ? Tu t'amuses ?

Je me mords la lèvre inférieure pour m'empêcher de sourire aussi largement que je voudrais. Il se penche et me prend la lèvre dans sa bouche. Il l'embrasse quelques secondes puis la relâche.

– Arrête de te mordre, dit-il. J'aime voir ton sourire.

Bien entendu, je souris encore.

Je glisse les mains de ses épaules dans son dos et tire sur sa chemise. Il lâche mon visage et lève les bras pour que je puisse la lui ôter. Je recule afin de l'observer un peu, comme il le fait pour moi depuis un moment. Je passe les paumes sur sa poitrine, sur les contours de chaque muscle.

– Toi aussi, tu es beau.

Il plaque les mains dans mon dos, pour m'obliger à m'asseoir, et vient aussitôt promener sa langue sur mes seins.

– Allonge-toi, murmure-t-il.

Il garde l'autre main dans mon dos comme pour me guider dans mon mouvement, me faisant passer de ses genoux au lit. Le voilà bientôt penché sur moi, avec sa langue qui s'enfonce dans ma bouche. Cependant, mes mains trouvent les boutons de son jean, et je les détache en hâte. Mais il recule d'un coup.

– Pas tout de suite, me prévient-il. Sinon ça se terminera plus vite que ça n'a commencé.

Je me fiche un peu du temps que ça va durer. Je veux juste qu'il ôte ses vêtements.

Quant à lui, il tire ma culotte le long de mes jambes, la passe sur mes pieds l'un après l'autre. Maintenant, il ne me regarde plus du tout dans les yeux.

Une fois que mes jambes sont retombées sur le lit, il se lève, recule de quelques pas et m'examine de la tête aux pieds, allongée nue sur sa couette, alors qu'il garde tranquillement son jean sur lui.

Je ne peux m'empêcher de marmonner :

– C'est pas juste !

Secouant la tête, il se ferme soudain la bouche avec le poing, puis me tourne le dos pour laisser échapper un profond soupir. Quand il revient vers moi, ses yeux remontent lentement jusqu'aux miens.

– C'est trop, Tate !

Je sens une sorte de déception dans sa voix. Il secoue toujours la tête, mais cette fois, il se dirige vers la table de nuit, y prend la boîte de préservatifs, l'ouvre, en sort un qu'il cale entre ses dents pour l'ouvrir.

– Pardon, dit-il en ôtant vivement son jean puis son caleçon. Je voulais que tu profites au maximum de ce moment, ou du moins qu'il te laisse un bon souvenir.

Cette fois, il est complètement à poil, et c'est moi qui ai du mal à soutenir son regard.

– Mais, ajoute-t-il, si je ne suis pas en toi dans deux secondes, ça va devenir très gênant pour moi.

En deux enjambées, il me rejoint, enfile la capote d'un geste sûr et rapide, m'écarte les genoux.

– Je vais me faire pardonner dans quelques minutes, promis, dit-il.

Là, il marque une pause, comme s'il attendait mon approbation.

– Miles, je ne te demande pas ça. Je te demande juste de venir.

– Ouf ! Tant mieux !

Tout en prenant ma jambe derrière le genou, il m'embrasse sur les lèvres puis entre en moi, si fort, si vite, que j'en hurle pratiquement dans sa bouche. Il ne s'arrête pas pour me demander si ça fait mal. Il ne ralentit pas. Il va plus loin et plus profond jusqu'à ce que disparaisse tout moyen de nous rapprocher davantage.

Ça fait mal, mais c'est si bon !

Je gémis dans sa bouche et il geint dans mon cou, et ses lèvres sont partout, de même que ses mains. C'est rude. C'est charnel, puissant et brûlant, pas paisible du tout. C'est rapide et je peux dire, à la tension de son dos sous mes mains, qu'il avait raison. Il n'en aura pas pour longtemps.

– Tate, halète-t-il. C'est pas vrai, Tate !

Les muscles de ses jambes se raidissent et il commence à trembler.

– Merde ! grogne-t-il.

Ses lèvres pressent violemment les miennes et il se fige un instant, malgré les tressaillements qui lui secouent les jambes et le dos. Et puis, il se redresse un peu pour pousser un énorme soupir, avant de laisser retomber son front à côté de moi.

– Merde ! articule-t-il.

Toujours au plus profond de moi, il tremble encore.

À l'instant où il se détache, ses lèvres sont sur mon cou et descendent vers ma poitrine. Il l'embrasse brièvement avant de revenir sur ma bouche.

– Je voudrais te goûter, tu veux bien ?

Je fais oui de la tête.

Vigoureusement.

Il sort du lit, enlève le préservatif et revient près de moi. Je ne le quitte pas des yeux parce que – même s'il ne veut pas savoir depuis combien de temps je ne m'étais pas envoyé un mec – ça remonte à près d'un an. Ce qui n'est rien à côté de ses six années d'abstinence, mais assez long pour que je ne veuille rien perdre de ce moment en fermant les yeux.

Et lui examine mon corps toujours avec la même ardeur, alors que ses mains glissent sur mon estomac puis descendent vers mes cuisses. Il m'écarte les jambes et continue de me découvrir sans cacher sa fascination, au point que je me plais à le regarder me contempler. Quand je vois ce que je provoque en lui, ça suffit à mon bonheur, sans qu'il ait encore besoin de me toucher.

Il glisse deux doigts en moi et je trouve tout d'un coup plus difficile de garder les yeux ouverts. Son pouce reste dehors, harcelant tout ce qu'il peut atteindre. Sans cesser de gémir, je m'abandonne sur le lit, les bras au-dessus de la tête.

Pourvu qu'il ne s'arrête pas. Surtout qu'il ne s'arrête pas.

Sa bouche revient sur la mienne et il m'embrasse doucement, avec une infinie délicatesse en comparaison de ce que me fait sa main. Peu à peu, sa bouche descend le long de mon corps, quittant d'abord mon menton, puis explorant mon cou, le creux de ma gorge, ma poitrine, agaçant un mamelon au passage, avant de reprendre son chemin sur le ventre et de plus en plus bas, *putain*, encore plus bas...

Il s'installe entre mes jambes, tout en laissant ses doigts en moi, alors que sa langue caresse ma chair, la sépare, à m'en faire cambrer de désir et d'abandon.

D'abandon.

Et tant pis si je geins trop fort, au point sans doute de réveiller tout l'étage.

Et tant pis si je plante les talons dans le matelas en essayant de me dégager de lui parce que c'est trop, trop, trop...

Et tant pis si ses doigts me quittent pour venir me saisir les hanches, afin de me rapprocher encore de sa bouche, sans me laisser lui échapper, *trop bien* !

Et tant pis si je lui fais mal à force de lui tirer les cheveux, de l'attirer en moi, de faire tout ce que je peux pour accéder à un point que, j'en suis à peu près certaine, je n'ai encore jamais atteint.

Mes jambes se mettent à trembler et ses doigts reviennent en moi ; je crois bien que j'essaie de m'étouffer dans son oreiller parce que je ne veux pas qu'il se fasse virer de son appartement si je me mets à hurler aussi fort que j'en ai envie.

Tout d'un coup, j'ai l'impression de voler dans les airs. Si je regardais en bas, je verrais un lever de soleil sous mes pieds. Je me sens monter en flèche.

Je...

Oh mon Dieu.

Je suis... ça... lui.

Je tombe.

Je flotte.

Ouah !

Ouah ! Ouah ! Ouah !

Je ne veux plus jamais toucher terre.

Une fois totalement fondue dans le lit, je sens sa bouche en train de me dévorer le corps avec avidité. Il enlève le coussin de mon visage et l'écarte, puis m'embrasse brièvement.

– Encore un coup, dit-il.

Il saute du lit pour y revenir presque aussitôt, et il rentre en moi mais, cette fois, je n'essaie même pas d'ouvrir les yeux. Mes bras sont toujours étalés au-dessus de ma tête, et il a mêlé ses doigts aux miens. Et il pousse, creuse, vit en moi. Nos joues pressées l'une sur l'autre, son front appuyé sur mon oreiller, et, cette fois, ni lui ni moi n'avons l'énergie de laisser échapper le moindre son.

Il penche la tête jusqu'à ce que ses lèvres se posent sur mon oreille et là, il ralentit à un rythme plus léger, s'enfonçant en moi, avant de se retirer complètement. Il recommence plusieurs fois ce mouvement et je ne peux rien faire d'autre que rester là, étendue, à le sentir pleinement.

– Tate, me souffle-t-il à l'oreille.

Il se retire complètement, se redresse.

– Je peux au moins te dire ceci avec une totale certitude.

Il revient en moi.

Il se retire, reprend son mouvement.

– C'est.

Encore.

– La.

Encore.

– Meilleure.

Encore.

– Sensation.

Encore.

– Que.

Encore.

– J'aie.

Encore.

– Jamais.

Encore.

– Éprouvée.

Il ne bouge plus, respirant lourdement contre mon oreille, m'agrippant les mains à m'en faire mal ; mais il n'émet aucun son en s'éloignant une nouvelle fois de moi.

On ne bouge pas.

On ne bouge pas pendant un bon moment.

Je n'arrive pas à chasser le sourire épuisé qui me marque la figure et qui a dû s'y imprimer pour l'éternité.

Miles se redresse et me domine de son regard. Il sourit en voyant mon visage, et je prends conscience qu'il n'a pas une fois tenté de croiser mon regard quand il était en moi. Je me demande si c'était intentionnel ou pas.

– Des commentaires ? s'enquiert-il d'un ton blagueur. Des suggestions ?

Je pouffe de rire.

– Désolée. Je... je ne... peux pas... paroles...

Je secoue la tête, pour qu'il comprenne que j'ai encore besoin d'un peu de temps avant de pouvoir parler.

– Muette ! observe-t-il. C'est encore mieux.

Il m'embrasse sur la joue puis se rend dans la salle de bains. Je ferme les yeux et me demande comment imaginer que cette histoire se termine bien.

Impossible.

Je peux déjà le dire parce que je n'ai pas envie de recommencer ça avec qui que ce soit d'autre.

Juste Miles.

Il revient dans la chambre et se penche pour ramasser son caleçon. Au passage, il attrape ma culotte et mon jean, vient les déposer sur le lit.

Dois-je comprendre qu'il est temps de me rhabiller ?

Je m'assieds, le regarde récupérer mon soutien-gorge et mon chemisier et me les tendre. Sans perdre son sourire. Moi, j'ai du mal à le lui rendre.

Une fois que je suis habillée, il me fait lever, m'embrasse, me prend dans ses bras.

– J'ai changé d'avis, annonce-t-il. Maintenant, je suis sûr que les neuf jours à venir vont être une véritable torture.

Je me mords la lèvre pour garder mon sérieux, mais il ne s'en aperçoit pas, parce que je suis toujours dans ses bras.

– Ouais.

C'est tout ce que j'arrive à répondre.

Il m'embrasse sur le front.

– Tu pourras claquer la porte en sortant ?

Ravalant ma déception, je trouve la force de lui sourire quand il me relâche.

– Bien sûr.

Alors que je me dirige vers la porte de sa chambre, j'entends Miles tomber sur son lit.

Je pars, sans trop savoir quoi penser. Il ne m'a rien promis d'autre que ce qui vient de se passer entre nous. On a fait ce que j'avais accepté, s'envoyer en l'air.

Je ne m'attendais pas à me sentir aussi profondément gênée. Pas parce qu'il m'a quasiment mise à la porte une fois les galipettes terminées, plutôt à cause de la sensation que ça m'a donnée. Je croyais ne rien chercher d'autre que le sexe, comme lui, mais si je me base sur les battements de mon cœur au cours des deux dernières minutes, je ne suis pas certaine de pouvoir entretenir une relation aussi simple avec lui.

Une petite voix me conseille de fuir avant que la situation ne devienne trop compliquée. Malheureusement, une voix beaucoup plus puissante me pousse à continuer – après tout, je mérite un peu de distraction...

Il me suffit de repenser à quel point j'ai adoré cette soirée pour accepter et même approuver la désinvolture dont il a ensuite fait preuve. Peut-être qu'avec un peu d'entraînement, j'arriverai même à en rajouter.

Je me dirige vers mon appartement quand j'entends quelqu'un

parler. J'appuie l'oreille sur la porte, écoute. Corbin semble monologuer dans le salon, sans doute au téléphone.

Je ne peux pas entrer maintenant. Il me croit au lit.

Je jette un regard sur l'entrée de Miles, seulement je ne vais pas frapper chez lui. Non seulement ce serait déplacé mais ça le priverait du sommeil dont il a tant besoin.

Je me dirige vers l'ascenseur en décidant d'aller passer une demi-heure en bas, sur un des fauteuils de Cap, en espérant que celui-ci aura regagné sa chambre.

C'est idiot de vouloir me cacher de Corbin, mais je ne veux surtout pas que mon frère en veuille à Miles. Et c'est exactement ce qui se produirait.

Au rez-de-chaussée, en sortant de la cabine, je ne sais plus trop ce que je vais faire. Finalement, je devrais peut-être attendre un peu dans ma voiture.

– Tu es perdue ?

Je jette un coup d'œil vers Cap, toujours assis à sa place habituelle, bien qu'il ne soit pas loin de minuit. Il tapote le fauteuil à côté de lui.

– Viens t'asseoir.

Je passe devant lui et m'installe.

– Je n'ai rien à manger, ce soir. Désolée.

– Ce n'est pas pour tes petits plats que je t'apprécie, Tate. D'ailleurs, tu n'es pas très bonne cuisinière.

J'éclate de rire, et ça fait du bien. Tout était tellement tendu ces deux derniers jours.

– Thanksgiving s'est bien passé ? me demande-t-il. Le garçon s'est bien amusé ?

Je me penche vers lui, l'interroge du regard.

– Le garçon ?

– Oui, monsieur Archer. Il n'a pas passé ce congé avec toi et ton frère ?

Là, je comprends mieux.

– Ah oui !

J'ai presque envie de lui répondre que, selon moi, monsieur Archer a passé son meilleur Thanksgiving depuis six ans, mais je m'abstiens et reste plus évasive.

– Je crois que M. Archer s'est bien amusé.

– Et ce petit sourire, alors ?

Aussitôt, j'efface le sourire en question, que je n'avais pas senti s'installer sur mon visage.

– Quel sourire ?

À son tour, Cap'taine se met à rire.

– Oh, bon sang ! Toi et le garçon ? Serais-tu en train de tomber amoureuse, Tate ?

Je fais non de la tête et m'empresse de répondre :

– Ce n'est pas mon genre.

– Vraiment ?

Je détourne vite les yeux en sentant le rouge me monter aux joues, et Cap'taine ne cache pas son hilarité.

– Je suis peut-être vieux, mais ça ne veut pas dire que je ne pige rien au langage corporel. Si je comprends bien, toi et le garçon, vous... comment dit-on aujourd'hui ? Vous vous payez du bon temps ? Vous faites des cochonneries ?

Je me prends le visage dans les mains. Dire que j'ai ce genre de conversation avec un homme de quatre-vingts ans !

– Pas du tout ! dis-je. Je n'ai pas dit ça.

– Je vois.

Nous restons un moment sans rien dire, digérant ce que je viens plus ou moins de lui avouer.

– Épatant, conclut-il. Peut-être que ça finira par le faire sourire un peu !

J'acquiesce. Moi aussi, je pourrais sourire.

– On peut changer de sujet, maintenant ?

Cap'taine tourne lentement la tête vers moi, en haussant ses sourcils grisonnants.

– Je t'ai raconté comment j'ai trouvé un jour un cadavre au troisième étage ?

Bon, c'est bien qu'il change de sujet, même si je ne vois pas trop comment la découverte d'un cadavre pourrait me détendre...

14

MILES

SIX ANS PLUS TÔT

– Tu crois que c'est parce qu'on ne devrait pas le faire
que ça nous plaît autant ? demande Rachel.
Elle parle de m'embrasser.
On s'embrasse beaucoup.
Dès que l'occasion se présente,
et même quand elle ne se présente pas.
– Quand tu dis *qu'on ne devrait pas*, tu sous-entends
que c'est parce que nos parents sont ensemble ?
Elle dit oui. D'une voix haletante parce que je suis
en train de lui couvrir le cou de baisers.
J'adore lui couper le souffle.
– Tu te souviens de la première fois que je t'ai vue, Rachel ?
Elle émet un son qui veut dire oui.
– Et tu te souviens quand je t'ai emmenée
dans la classe de M. Clayton ?
Elle m'adresse un autre oui inarticulé.

– Dès ce jour-là, j'ai eu envie de t'embrasser, dis-je en remontant vers sa bouche, tout en la regardant dans les yeux. Et toi, tu voulais m'embrasser ?

Elle dit oui et je lis dans son regard qu'elle pense à ce jour-là.

Au jour où

Elle est

Devenue

Mon tout.

– Nous ne savions pas pour nos parents à l'époque, j'ajoute. Mais nous désirions déjà le faire. Alors non, je ne crois pas que ce soit pour cette raison qu'on aime tant ça.

Elle sourit.

– Tu vois ? je murmure contre ses lèvres pour lui montrer comme c'est bon.

Soulevant son oreiller, elle s'appuie sur ses coudes.

– Et si, tout simplement, on aimait bien embrasser, en général ? demande-t-elle. Et si ça n'avait rien à voir avec toi ou moi en particulier ?

Voilà qu'elle recommence. Je lui conseille de se lancer dans des études de droit puisqu'elle aime tant jouer l'avocat du diable. En même temps, j'adore quand elle se conduit ainsi, je marche toujours.

– Bien vu, lui dis-je. J'adore embrasser. Je ne connais personne *qui n'aime pas ça.* Mais il y a une différence entre ceci et un simple baiser.

– Ah bon ? Quelle différence ?

Je rapproche encore ma bouche de la sienne.

– Toi. J'adore t'embrasser, *toi.*

Cela semble répondre à sa question, car elle m'offre ses lèvres sans aucun commentaire.

Du coup, je considère les choses sous un autre angle. J'ai toujours aimé embrasser les filles que j'embrassais, mais juste parce qu'elles m'attiraient. Sinon, je n'avais pas grand-chose d'autre à partager avec elles.

Avec les autres filles, je ressentais du plaisir.
C'est pour cette raison que les gens aiment ça,
parce qu'on se sent bien.
Toutefois, quand on aime embrasser une fille pour ce qu'elle
est, la différence ne se situe plus dans le plaisir mais dans
la peine que l'on ressent quand on ne l'embrasse plus.
Je ne souffre pas lorsque je n'embrasse plus
les autres filles que j'ai embrassées.
Je souffre juste quand je n'embrasse pas Rachel.
Ce qui explique sans doute pourquoi il est si douloureux
de tomber amoureux.
J'adore t'embrasser, Rachel.

15

TATE

Miles : Tu es occupée ?

Moi : Toujours. Qu'est-ce qui se passe ?

Miles : J'ai besoin de ton aide. Ce sera pas long.

Moi : J'arrive dans cinq minutes.

J'aurais dû me donner plutôt dix minutes, parce que je n'ai pas encore pris de douche aujourd'hui. Après une garde de dix heures cette nuit, je dois en avoir bien besoin. Si j'avais su qu'il était là, j'aurais commencé par me laver. Mais je croyais qu'il ne rentrait que demain.

Je me fais un rapide chignon, change mon pyjama contre un jean et un chemisier. Il n'est pas tout à fait midi mais j'ai honte d'avouer que je suis encore au lit.

Dès que je frappe à sa porte, il me crie d'entrer, et je le trouve perché sur une chaise devant l'une des fenêtres du salon. Il baisse les yeux vers moi, me désigne une autre chaise.

– Attrape ça et pousse-la par ici, dit-il en me désignant un point à quelques pas de lui. J'essaie de mesurer ça, mais c'est la première fois que j'achète des rideaux et je ne sais pas si je dois mesurer le cadre extérieur de la fenêtre ou juste les vitres.

J'hallucine ! Il achète des rideaux !

J'approche la chaise de l'autre côté de la fenêtre et grimpe dessus. Il me tend un bout de son mètre ruban et se met à tirer.

– Tout dépend du genre de rideaux que tu veux. À ta place, je noterais les deux.

Lui aussi porte un jean, avec un t-shirt marine. C'est drôle, cette couleur lui donne le regard moins bleu, plutôt transparent, encore qu'avec lui, rien ne soit transparent.

Il relève les mesures dans son téléphone et on passe au cadre. Une fois qu'il a noté tous les chiffres qui l'intéressaient, on descend et on remet nos chaises devant la table.

– Qu'est-ce que tu dirais d'un tapis ? demande-t-il en considérant le parquet. Tu crois que je devrais en prendre un aussi ?

– Ça dépend de ce que tu veux.

– Je ne sais plus ce que j'aime.

Il jette le mètre sur le canapé et me regarde.

– Tu veux venir ?

Je me retiens d'acquiescer immédiatement.

– Où ça ?

D'un geste de la main, il repousse ses cheveux de son front, récupère sa veste jetée sur le dossier du canapé.

– Là où on achète des rideaux.

Je devrais dire non. Il faut être en couple pour acheter des rideaux, ou à la rigueur des amis très proches. Ce n'est en tout cas pas ce que devraient faire Miles et Tate s'ils veulent s'en tenir aux limites qu'ils se sont fixées ; seulement voilà, c'est bel et bien la seule et unique chose que j'ai envie de faire en ce moment.

Je hausse les épaules pour faire paraître ma réponse moins empressée.

– Si tu veux. Je vais juste fermer ma porte à clé.

– Quelle est ta couleur préférée ?

Je lui demande ça une fois qu'on se retrouve dans l'ascenseur. J'essaie de me concentrer sur les courses qu'on va faire mais je ne peux nier le désir qui m'habite. Si seulement il me touchait. Un baiser, une étreinte... tout ce qu'il voudra. Mais on est chacun adossé à une paroi opposée de la cabine. On ne s'est pas touchés depuis la nuit où on a couché ensemble. On ne s'est même pas parlé ni envoyé de texto.

– Le noir ? répond-il d'un ton hésitant. J'aime bien le noir.

– Tu ne va pas mettre des rideaux noirs ! Il faut de la couleur. Peut-être quelque chose de sombre mais pas noir.

– Marine ?

Je remarque qu'il ne me regarde plus aussi fixement ; il a plutôt l'air de m'inspecter de la tête aux pieds. Et je sens ses yeux fiévreux sur moi, où qu'ils se posent.

– Le marine, pourquoi pas ? dis-je.

Je suis certaine que cette question ne servait qu'à meubler la conversation. Je vois bien que ni lui ni moi ne pensons en ce moment à des couleurs de rideaux.

– Tu travailles ce soir, Tate ?

Je hoche la tête. Je suis contente qu'il pense à ce soir et j'aime qu'il termine la plupart de ses questions par mon prénom. J'adore sa façon de le prononcer. Je devrais lui demander de le répéter chaque fois qu'il me parle.

– Je ne commence pas avant vingt-deux heures.

L'ascenseur arrive au rez-de-chaussée et on s'approche ensemble des portes. Je sens sa main se poser au creux de mes reins. Impossible de nier la légère décharge que cela déclenche dans mon corps. C'est trop fou, je suis pourtant sortie avec d'autres garçons avant lui, j'ai même été amoureuse plusieurs fois, mais aucun n'a jamais provoqué en moi de telles réactions.

À peine est-on sortis de la cabine qu'il me lâche. Et cette absence de contact m'est encore plus pénible maintenant qu'il m'a touchée. J'en suis à révérer le moindre de ses gestes.

Cap'taine ne se trouve pas à sa place habituelle. Normal, il n'est que midi. Ce n'est pas un lève-tôt. C'est peut-être pour ça qu'on s'entend si bien.

– Tu te sens de marcher un peu ? me propose Miles.

J'acquiesce, bien qu'il fasse froid dehors. Je préfère marcher. Je lui suggère un magasin devant lequel je suis passée il y a quinze jours et qui se trouve à deux rues de là.

– Après toi, dit-il en m'ouvrant la porte de l'immeuble.

Je sors et remonte le col de mon blouson. Je doute que Miles soit du genre à tenir une fille par la main en public, alors je ne cherche même pas à sortir les miennes de mes poches.

On n'articule pour ainsi dire pas un mot le long du chemin, mais ça me va. Je ne suis pas du genre à ressentir le besoin de parler tout le temps et je me rends compte que ce doit être la même chose pour lui.

Arrivés au carrefour, je lui indique la rue à droite.

– C'est par là.

J'aperçois un vieil homme affalé sur le trottoir, emmitouflé dans un pauvre manteau en loques. Il garde les yeux clos et ses mains tremblent dans ses gants troués.

Je me sens toujours triste devant les gens qui n'ont nulle part où aller. Corbin me reproche de ne pouvoir passer devant un SDF sans lui donner de l'argent ou quelque chose à manger. Il dit que la plupart des sans-abri boivent ou se droguent, et qu'en leur donnant de l'argent, je ne fais qu'alimenter leur dépendance.

Que ce soit vrai ou non, franchement je m'en fiche. Même si un pauvre mec n'a plus de toit à cause d'un besoin plus fort encore que celui d'un logement, ce n'est pas ça qui va me dissuader. Ça vient peut-être du fait que je suis infirmière, mais je ne crois pas qu'on devienne dépendant par choix.

C'est une maladie et ça me fait de la peine de voir des gens obligés de vivre ainsi parce qu'ils sont incapables de se prendre en main.

Je lui aurais bien donné de l'argent si j'avais pris mon sac.

Je me rends compte que je me suis immobilisée seulement lorsque Miles s'arrête pour me chercher du regard derrière lui. Du coup, je le rattrape en quelques pas. Je n'essaie pas de cacher mon trouble. Pas la peine. J'ai assez souvent vécu cette situation avec Corbin pour ne plus essayer de faire changer d'avis tous les gens qui ne sont pas d'accord avec moi.

– C'est là, dis-je en m'arrêtant devant le magasin.

Miles contemple la vitrine.

– Tu aimes ? me demande-t-il.

Je m'approche pour voir ce qu'il désigne. C'est une reproduction de chambre à coucher, qui présente des éléments intéressants Le tapis est gris, orné de motifs dans un dégradé de bleu et de noir. Quelque chose qui doit bien correspondre à son goût.

Cependant, les rideaux ne sont pas marine mais d'un gris ardoise, parcouru d'une verticale blanche sur la partie gauche.

– Oui, j'aime bien.

Il m'ouvre la porte et me laisse passer la première. Aussitôt, une vendeuse vient à notre rencontre, demandant si elle peut nous aider. Miles montre la vitrine.

– Je veux ces rideaux. Quatre. Et le tapis.

Avec un sourire, elle nous fait signe de la suivre.

– Quelles dimensions cherchez-vous ?

Miles sort son téléphone et lui lit ce qu'il a noté. Elle l'aide aussi à choisir des tringles et nous demande d'attendre quelques minutes. Tandis qu'elle s'en va vers l'arrière-boutique, je regarde autour de moi, soudain prise d'une envie folle de choisir à mon tour un décor pour mon futur appartement. J'ai l'intention de rester encore quelques mois avec Corbin, mais pourquoi ne pas commencer à me faire une idée de ce que j'installerai chez moi ? J'espère seulement pouvoir tout acheter, le moment venu, aussi facilement que Miles aujourd'hui.

– Je n'ai jamais vu personne se décider aussi vite, dis-je.

– Déçue ?

Je secoue la tête. S'il y a une chose pour laquelle je ne me conduis pas en fille normale, c'est le shopping. En vérité, je suis ravie que ça ne lui ait pris qu'une minute.

– Tu crois que je devrais regarder autre chose ? me demande-t-il.

Adossé au comptoir, il m'interroge du regard. J'aime cette façon qu'il a de me considérer, comme si j'étais la chose la plus importante du monde.

– Si ce que tu as choisi te plaît, pas la peine de chercher plus loin. Quand on est sûr de soi, c'est bon.

Nos yeux se croisent et, là, j'en ai le souffle coupé. Il paraît tellement sérieux, tellement concentré, que je me sens mal à l'aise, inquiète mais aussi très importante. Tout à la fois. Il se détache du comptoir, s'approche de moi.

– Viens ici.

Ses doigts s'enroulent autour des miens et il m'entraîne derrière lui.

Mon cœur bat trop fort. Dommage.

Ce ne sont que ses doigts, Tate. Ne t'affole pas pour ça.

Il continue jusqu'à un paravent de bois à trois panneaux, décoré de lettres asiatiques. Le genre d'objet qu'on place dans un coin de chambre. Je n'ai jamais compris à quoi ils servaient. Ma mère en a un, mais je suis certaine qu'elle ne s'en est pas servie une fois pour se changer.

Je m'inquiète :

– Qu'est-ce que tu fais ?

Il se retourne sans me lâcher la main, sourit et passe derrière le paravent, si bien que je le suis à mon tour et que nous nous retrouvons à l'écart du reste du magasin. Je ne peux m'empêcher de pouffer de rire, comme une lycéenne qui voudrait se cacher de son prof.

Miles me pose l'index sur les lèvres.

– Chut !

Je m'interromps immédiatement, non pas parce que je ne trouve plus la situation amusante mais parce qu'à l'instant où son doigt m'effleure la bouche, j'oublie comment rire.

J'oublie tout.

Pour le moment, la seule chose sur laquelle je puisse me concentrer est son doigt qui glisse doucement vers mon menton et mon cou. Et qu'il suit des yeux, jusqu'à ma poitrine et puis plus bas, sur mon ventre.

Cette caresse me donne autant de sensations que si c'étaient cent mains qui se promenaient sur moi.

Miles garde toujours les yeux fixés sur son doigt alors qu'il l'arrête en haut de mon jean, juste au-dessus du bouton. Il a beau ne pas me toucher la peau, j'ai le cœur qui bat la chamade. Cette fois, c'est sa paume qui entre en jeu et se pose sur ma ceinture, puis se promène sur mon chemisier, jusqu'à ce que ses deux mains m'attrapent par la taille et m'attirent contre lui.

Une minute, il ferme les paupières, mais quand il les rouvre, c'est pour me regarder droit dans les yeux.

– J'ai envie de t'embrasser depuis l'instant où tu as franchi ma porte, tout à l'heure.

Aveu qui m'arrache un nouveau sourire.

– Quelle patience incroyable !

Sa main droite quitte ma hanche pour venir me caresser les cheveux ; en même temps, il secoue la tête, l'air de vouloir me contredire.

– Si j'étais si patient, tu ne serais pas avec moi en ce moment.

J'essaie de saisir le sous-entendu de ces paroles mais du moment où ses lèvres se posent sur les miennes, je me moque des mots qui pourraient encore les franchir. Rien ne m'intéresse plus que la sensation du baiser qui m'envahit les sens.

Long baiser mesuré, totalement à l'opposé de mon pouls.

Sa main droite se pose à l'arrière de ma tête, tandis que la gauche descend sur mes reins. Il explore patiemment ma bouche, comme s'il comptait me garder jusqu'au soir derrière ce paravent.

Je dois faire appel à tout ce qui me reste de volonté pour m'interdire de l'envelopper de mes bras et de mes jambes. J'essaie de faire preuve de la même patience que lui, mais c'est difficile quand le moindre contact provoque de telles réactions en moi.

La porte de l'arrière-boutique s'ouvre et le claquement des talons de la vendeuse résonne sur le sol. Miles arrête de m'embrasser, et mon cœur crie de désespoir. Heureusement que personne ne peut l'entendre.

Au lieu de repartir vers le comptoir, Miles me prend quelques secondes le visage entre ses mains, me caressant la joue d'un pouce. Dans un soupir, il fronce les sourcils et ferme les yeux, puis pose son front contre le mien. Je ressens alors le combat qui se livre en lui.

– Tate.

Il prononce mon nom si bas que je sens comme un regret dans les paroles qu'il n'a pas encore articulées.

– J'adore...

Il rouvre les yeux, me regarde.

– J'adore t'embrasser, Tate.

Je ne sais pas pourquoi cette phrase a pu lui paraître si difficile à formuler, mais sa voix traînait tellement à la fin qu'il semblait vouloir s'empêcher de la terminer.

Néanmoins, à peine a-t-il fini qu'il me lâche et sort en hâte du paravent, comme s'il voulait échapper à son propre aveu.

J'adore t'embrasser, Tate.

Malgré le regret qu'il semble éprouver, je suis à peu près certaine que je vais me répéter silencieusement ces mots toute la journée.

Je passe déjà une bonne dizaine de minutes à me les répéter tout en regardant Miles achever sa transaction. En le voyant tendre sa carte de crédit, je m'approche du comptoir.

– Nous allons vous les faire livrer d'ici une heure, précise la vendeuse.

Elle lui rend sa carte et récupère les sacs qu'elle pose derrière elle. Mais Miles en prend un.

– J'emporte celui-ci, dit-il.

Puis il se tourne vers moi.

– Prête ?

Nous sortons et j'ai alors l'impression que la température a chuté d'une vingtaine de degrés depuis tout à l'heure. Peut-être parce que la situation est devenue tellement chaude entre nous.

À hauteur du carrefour, je reprends la direction de la résidence et je m'aperçois alors que Miles s'est arrêté. Je me retourne pour le voir sortir quelque chose du sac qu'il a emporté. Il déchire une étiquette, déplie une couverture.

Non, il n'a pas fait ça.

Il tend la couverture au vieil homme toujours blotti sur le trottoir. Celui-ci la prend sans se faire prier, lève sur lui des yeux surpris. Aucun des deux ne dit un mot.

Miles se dirige vers une corbeille pour y jeter le sac vide, puis il revient vers moi en regardant ses pieds. Cette fois, nos regards ne se croisent pas quand on reprend la direction de l'immeuble.

J'ai envie de le remercier, mais je m'abstiens. Sinon, j'aurais l'air de croire qu'il a fait ça pour moi.

Je sais qu'il ne l'a pas fait pour moi.

Mais pour l'homme qui avait froid.

Dès notre arrivée, Miles m'a priée de rentrer chez moi. Il ne voulait pas que je voie son appartement tant qu'il ne l'aurait pas redécoré. En fait, ce n'est pas plus mal, parce que j'ai beaucoup de boulot à rattraper. Mon emploi du temps ne m'aurait guère permis de l'aider, alors tant mieux qu'il n'ait pas compté sur moi.

Il avait l'air plutôt enchanté d'installer ces rideaux, pour autant que Miles puisse jamais paraître enchanté...

Ça remonte à un bon moment maintenant. Je repars au travail dans moins de trois heures ; à l'instant où je commence à me demander s'il va me proposer de venir jeter un œil, je reçois un SMS.

Miles : Tu as dîné ?

Moi : Oui.

Du coup, je suis déçue, mais j'en avais assez de l'attendre, d'autant qu'il n'avait pas parlé de m'inviter.

Moi : Corbin avait préparé un petit plat avant de partir. Tu veux que je t'en apporte ?

Miles : Avec plaisir. Tu verras ce que j'ai fait.

Je lui sers en hâte une assiette que j'enveloppe dans du papier alu avant de sortir. Il m'ouvre sans que j'aie besoin de frapper, me prend l'assiette des mains.

– Attends ici, me dit-il.

Et de retourner dans l'appartement pour revenir quelques secondes plus tard, sans l'assiette.

– Prête ?

J'ignore comment je perçois sa joie, parce qu'il ne sourit pas du tout. Je dois l'entendre dans sa voix, ce changement subtil qui m'amuse ; comment peut-il à ce point se délecter de poser des rideaux ? Je ne sais pas pourquoi, j'ai l'impression qu'il n'a pas souvent l'occasion de se réjouir de quelque chose ; alors tant mieux si ça lui arrive aujourd'hui.

Il m'ouvre grand la porte et j'entre.

– Tu as bien choisi, dis-je en admiration devant la manière dont ce décor semble coller à sa personnalité.

Néanmoins, quand je regarde le tapis, mon étonnement doit se lire sur mon visage car il croit bon de préciser :

– Je sais que j'aurais dû le mettre sous la table et c'est d'ailleurs là-bas qu'il finira.

Là, il recouvre le sol à un endroit complètement inattendu, pas au centre de la pièce ni même devant le canapé. Je comprends d'autant moins que Miles a l'air de savoir que ce n'est pas sa place.

– Je l'ai laissé là, parce que je voulais que nous l'étrennions d'abord.

Cette fois, je lui découvre une expression adorable, pleine d'espoir, qui me fait sourire.

– J'aime bien cette idée, dis-je en regardant de nouveau le tapis.

Un long silence s'ensuit. Je ne sais pas trop si Miles compte que nous nous y mettions dès maintenant ou s'il préfère dîner d'abord. En ce qui me concerne, les deux me vont. Tant que ça ne me met pas en retard pour mon travail.

– Je mangerai plus tard, m'annonce-t-il.

Répondant ainsi à la question qui me taraudait l'esprit.

Il ôte sa chemise, j'envoie promener mes chaussures. Et le reste de nos vêtements s'entasse bientôt à côté du tapis.

♡

16

MILES

SIX ANS PLUS TÔT

Tout va mieux, maintenant que Rachel est entrée
dans ma vie. C'est plus agréable de s'endormir, du moment
que je sais qu'elle s'endort dans la chambre d'en face.
C'est plus agréable de s'éveiller tous les matins, du moment
que je sais qu'elle s'éveille dans la chambre d'en face.
C'est plus agréable d'aller au lycée,
maintenant qu'on y va ensemble.
– Si on séchait les cours ? lui dis-je
alors que je me gare dans le parking.
Je suis sûr que ce sera plus sympa de sécher avec Rachel.
– Et si on se fait prendre ?
Ça n'a pas l'air de la préoccuper plus que ça.
– J'espère bien qu'on se fera prendre, dis-je.
Comme ça, on sera collés. Ensemble.
Elle sourit, se rapproche sur la banquette,
me passe une main dans le cou. J'adore quand elle fait ça.

– D'accord, faisons-nous coller ensemble, acquiesce-t-elle. On va se marrer.

Elle se penche vers moi, me dépose une petite bise sur les lèvres. Les baisers les plus courts sont les meilleurs quand ils viennent de Rachel.

– Tu fais tout mieux que tout le monde, lui dis-je. Même ma vie va mieux depuis que tu es là.

Mes paroles la font sourire. Elle ne le sait pas, mais je n'articule pas un mot pour une autre raison que celle-ci. *Pour la faire sourire.*

Je sors du parking et lui annonce qu'on va à la plage. Elle répond qu'il lui faut son maillot de bain, alors on repasse à la maison pour prendre chacun le sien. On en profite pour ajouter de quoi pique-niquer et une couverture.

On va à la plage.

Rachel a envie de lire en prenant son bain de soleil.

J'ai envie de la regarder lire en prenant son bain de soleil.

Elle s'est allongée sur le ventre, appuyée sur ses coudes.

Je pose ma tête sur mes bras et la regarde.

Mes yeux suivent la courbe douce de ses épaules... la cambrure de ses reins... ses genoux repliés, ses jambes dressées vers le ciel, ses chevilles croisées.

Rachel est heureuse.

Je la rends heureuse.

Je rends sa vie plus agréable.

Sa vie va mieux depuis que je suis là.

– Rachel.

J'ai murmuré son nom, et voilà qu'elle ferme son livre sur le marque-page, mais elle ne me regarde pas.

– Je veux que tu saches quelque chose, lui dis-je.

Elle hoche la tête mais ferme les yeux comme si elle tenait à se concentrer sur ma voix et rien d'autre.

– Quand maman est morte, j'ai cessé de croire en Dieu.

Elle pose la tête sur ses bras sans relever les paupières.

– Je ne pensais pas que Dieu pouvait laisser quelqu'un partir dans de telles douleurs physiques. Qu'il pouvait laisser quelqu'un souffrir comme elle a souffert. Qu'il pouvait lui infliger de traverser des moments aussi immondes.

Une larme coule des yeux clos de Rachel.

– Mais quand je t'ai rencontrée, et chaque jour depuis ce moment, je me demande comment une personne pourrait être aussi belle s'il n'y avait pas de Dieu. Je me demande comment une personne pourrait me rendre aussi heureux si Dieu n'existait pas. Et j'ai compris... je viens de comprendre... que Dieu nous donne la laideur pour que nous ne prenions pas les bonnes choses de la vie comme un dû.

Mes paroles ne font pas sourire Rachel.

Elle fronce les sourcils.

Elle pleure.

– Miles, murmure-t-elle.

Elle prononce mon nom tout doucement, comme si elle ne voulait pas que je l'entende.

Elle me regarde et je constate à cet instant que ce moment ne fait pas partie des plus beaux, pour elle.

Au contraire de moi.

– Miles... j'ai du retard.

17

TATE

Corbin : Tu viens grignoter un morceau ? À quelle heure sors-tu du boulot ?

Moi : Dans dix minutes. On va où ?

Corbin : On est dans le coin. On passe te prendre.

On ?

Impossible de faire comme si ce texto me laissait indifférente. Ce *on* veut sûrement dire lui et Miles. Ce dernier est rentré hier soir.

Je vérifie ma coiffure (je m'en veux d'y attacher tant d'importance) avant de me diriger vers la sortie pour les retrouver.

Ils m'attendent tous les trois devant le portail. Corbin, entouré de Ian et Miles. Ian sourit quand il m'aperçoit. Corbin se retourne quand j'arrive à leur hauteur.

– Prête ? On va chez Jack's.

Ils forment une belle équipe. Chacun plutôt séduisant dans son genre, mais encore plus quand ils portent leur uniforme de pilote. Dans ma blouse d'infirmière, je me sens un rien débraillée face à eux.

– D'accord, dis-je. Je meurs de faim.

Mon regard croise celui de Miles qui m'adresse un petit signe de la tête, sans un sourire. Il garde les mains fermement planquées dans ses poches et se détourne dès qu'on se met en route. Il marche devant moi, jusqu'à notre arrivée, alors je reste près de Corbin. J'en profite pour interroger mon frère :

– On fête quelque chose ? Ou juste le fait que vous êtes libres tous les trois ensemble ?

Une conversation silencieuse semble se dérouler autour de moi. Ian regarde Miles. Corbin regarde Ian. Miles ne regarde personne, les yeux fixés sur la route, devant lui.

– Tu te rappelles quand on était gosses et que papa et maman nous ont emmenés à La Caprese ? me demande Corbin.

Je me rappelle ce soir-là. Je n'avais jamais vu mes parents aussi contents. Je ne devais pas avoir plus de cinq ou six ans, mais c'est l'un des rares souvenirs que je garde de ce jeune âge. C'était le jour où mon père passait au grade de commandant.

Tout d'un coup, je m'arrête, regarde Corbin :

– Tu deviens commandant ? Ce n'est pas possible, tu es trop jeune.

En principe, il faut un nombre d'heures de vol incalculable pour passer au grade supérieur. Avant trente ans, on est plutôt copilote.

– Non, j'ai trop souvent changé de compagnies, dit Corbin en jetant un coup d'œil vers Miles, mais Monsieur Je Suis Toujours Partant pour des Heures Supplémentaires, ici présent, a obtenu une petite promotion aujourd'hui. Il a battu le record de la compagnie.

Miles se retourne, pose un regard plein de reproches sur mon frère, l'air contrarié qu'il l'ait ainsi interpellé ; je ne l'en trouve que plus attirant. Je suis sûre que si leur copain Dillon passait commandant, il serait le premier à le clamer sur tous les toits.

– C'est pas grand-chose, observe-t-il. Il ne s'agit que d'une ligne régionale, au personnel plutôt réduit.

– Et alors, intervient Ian, je n'ai pas été promu, moi, ni Corbin ni Dillon. Toi, tu es arrivé un an après nous, sans parler du fait que tu n'as que vingt-quatre ans. Arrête de jouer les modestes de temps en temps, mon vieux. Mets-nous en plein la vue, pour une fois. Nous, c'est ce qu'on ferait, si les rôles étaient inversés.

Je ne sais pas depuis combien de temps ils sont amis, mais j'aime bien Ian. On voit qu'il est très proche de Miles, qu'il l'admire et n'éprouve pas la moindre jalousie. Je suis contente de voir que Corbin a des amis sur qui compter. Avant, quand je pensais à lui, je l'imaginais trop pris par son travail, toujours loin de chez lui. Je me demande d'ailleurs pourquoi, puisque notre père, lui, passait beaucoup de temps à la maison

Apparemment, Corbin n'est pas le seul à s'inquiéter pour les membres de sa famille.

Arrivé au restaurant, il nous ouvre la porte. Ian entre le premier tandis que Miles recule pour me laisser passer.

– Je vais aux toilettes, annonce Ian. Allez-y, je vous retrouve à la table.

Tandis que Corbin s'approche de l'hôtesse, je me tourne vers Miles.

– Félicitations, commandant !

Sans trop savoir pourquoi je l'ai dit si bas. Tout de même pas parce que je crains que Corbin ne nous entende. Non, ce serait plutôt que je voulais y mettre du sous-entendu.

Apparemment, Miles comprend. Il sourit, vérifie que mon frère est toujours occupé puis se penche et me dépose un rapide baiser sur la tempe.

Je devrais avoir honte de ma faiblesse. Je ne devrais pas laisser un seul homme me mettre dans un tel état avec une simple petite bise. Je me sens soudain flotter, puis couler, voler... n'importe quoi pourvu que ça ne m'oblige pas à rester sur mes jambes qui ne peuvent plus me porter.

– Merci, murmure-t-il en me donnant un petit coup d'épaule.

Il arbore encore son magnifique sourire néanmoins toujours aussi réservé.

– Tu es très en beauté, Tate.

J'ai envie d'afficher ces six mots sur un panneau publicitaire, au beau milieu de la route que j'emprunte tous les jours. Du coup, je ne prendrais plus un seul congé.

Cependant, j'ai du mal à le croire, étant donné la blouse que je porte depuis douze heures d'affilée.

Voyant Corbin se retourner, j'efface illico mon sourire.

– Un box ou une table ?

Je fais la moue, alors Miles répond pour nous deux :

– Comme tu voudras.

Ian nous rejoint à l'instant où l'hôtesse nous mène à nos places. Miles et moi fermons la marche, tout près l'un de l'autre. Très, très près. Au point qu'il me prend par la taille et me murmure à l'oreille :

– J'aime bien les infirmières.

Je frotte mon cou parcouru de frémissements. Miles me lâche et se redresse, mettant un peu de distance entre nous au moment où l'on arrive au box. Mon frère et Ian s'asseyent au fond et je me place à côté de Corbin, face à Miles.

Au contraire de ses acolytes qui commandent tous les deux une bière, Miles s'aligne sur moi pour prendre un soda. Décidément, il n'a pas fini de m'étonner. Voilà quelques semaines, il m'affirmait ne pas boire régulièrement, mais vu l'état dans lequel je l'avais trouvé la première nuit, j'aurais cru qu'il avalait bien une bière de temps en temps. D'autant qu'il a quelque chose à fêter. Dès qu'on nous apporte nos commandes, Ian lève son verre.

– À celui qui nous en met plein la vue, dit-il.

– Idem, dit Corbin.

– À celui qui travaille deux fois plus que vous, répond Miles, légèrement sur la défensive.

– En fait, Corbin et moi, on est aussi occupés par une vie sexuelle bien remplie ! rétorque Ian.

– Ne parle pas de ça devant ma sœur, intervient Corbin.

– Ah bon, pourquoi ? dis-je. Tu crois que je n'ai pas remarqué toutes les fois où tu découches alors que tu ne travailles pas ?

– Non sérieux, marmonne-t-il. On change de sujet.

Je ne me fais pas prier :

– Depuis combien de temps vous vous connaissez, tous les trois ?

– Miles et moi, on a rencontré ton frère à l'école de pilotage, il y a quelques années. Et je connais Miles depuis l'âge de neuf ou dix ans.

– On avait onze ans, corrige ce dernier. On était ensemble en CM2.

J'ignore si cette conversation outrepasse la règle numéro un de ne pas poser de questions sur le passé, mais Miles n'a pas l'air trop gêné d'en parler.

La serveuse nous apporte une corbeille à pain, mais aucun de nous n'a ouvert le menu, alors elle annonce qu'elle reviendra plus tard.

– J'ai encore du mal à croire que tu n'es pas gay, reprend Corbin à l'adresse de Miles.

Celui-ci lui jette un coup d'œil par-dessus son menu.

– Je croyais qu'on ne devait pas parler de nos vies sexuelles.

– Non, rectifie Corbin. J'ai dit qu'on ne devait pas parler de ma vie sexuelle. En plus, toi tu n'as rien à raconter.

Il repose son menu pour regarder Miles dans les yeux.

– Non, sérieux. Pourquoi tu ne cherches pas quelqu'un ?

Miles hausse les épaules, plus intéressé par son verre que par un conflit avec mon frère.

– Selon moi, aucune liaison n'est digne du mal qu'on se donne pour l'entretenir.

Quelque chose se brise en moi, et, d'un regard circulaire, je m'assure que personne n'a entendu les fragments tomber.

Corbin s'adosse à la banquette.

– Ouf ! Tu as dû tomber sur une belle salope !

Impossible de quitter Miles des yeux ; je guette sa réaction, prête à apprendre du nouveau sur son passé, mais il se contente de secouer la tête, comme pour rejeter l'hypothèse de Corbin. Ian s'éclaircit la gorge, et je trouve son expression bien changée sans le sourire qui l'éclaire habituellement. À l'évidence, il est au courant de ce qui a pu arriver à Miles.

Il se redresse, lève son verre avec une jovialité un peu forcée.

– Miles n'a pas le temps de s'occuper des filles. Il préfère battre les records de la compagnie pour devenir le plus jeune commandant qu'elle ait jamais nommé.

On se joint tous au toast en faisant cliquer nos verres.

En douce, je remarque le regard de remerciement que Miles jette à Ian, et cela ne m'en rend que plus curieuse.

– Il faut fêter ça, dit Corbin.

– Je croyais qu'on était là pour ça, s'étonne Miles.

– Je veux dire, après le dîner. On va sortir, te trouver une fille pour occuper ton temps libre.

Je manque avaler de travers mais, heureusement, je parviens à étouffer mon rire. Remarquant ma réaction, Miles me donne un petit coup sur la cheville, puis repose son pied tout près du mien.

– Ça ira, dit-il. Et puis le commandant voudrait bien se reposer.

– Moi, j'en suis, lance Ian. Laissons le commandant rejoindre ses appartements et cuver son Coca.

Sans me quitter des yeux, Miles change de position, afin que nos genoux restent collés. Il m'enveloppe la cheville de son pied.

– J'irais bien dormir, dit-il en faisant mine de replonger dans son menu. On accélère un peu pour commander, que je puisse rentrer. J'ai l'impression de ne pas avoir fermé l'œil depuis neuf jours et je n'arrive plus à penser à autre chose.

J'ai les joues en feu, ainsi que quelques autres parties de mon corps.

– En fait, je pourrais m'endormir tout de suite, précise-t-il en me regardant de nouveau. Là, sur cette table.

Maintenant, c'est toute la température de mon corps qui se met au diapason de celle de mes joues.

– Quel rabat-joie ! s'esclaffe Corbin. On aurait mieux fait d'amener Dillon à ta place.

– Pas du tout ! s'insurge Ian.

J'en profite pour demander :

– Qu'est-ce qu'il a, Dillon ? Pourquoi vous le détestez tous ?

– C'est pas qu'on le déteste, dit Corbin, mais on ne peut pas le supporter et on ne s'en est vraiment rendu compte qu'après l'avoir invité à nos soirées de match. C'est un con.

Il se tourne carrément vers moi :

– Quant à toi, je ne veux pas que tu restes seule une minute avec lui. Il est marié, mais ça ne l'empêche pas de se conduire comme un enfoiré.

Je le retrouve bien là, ce cher petit frère autoritaire et protecteur qui me manquait tellement !

– Il est dangereux ?

– Non, mais je sais à quel point il se fiche d'être marié quand il voit une fille à son goût, et je ne veux pas qu'il t'entraîne là-dedans. Mais je lui ai déjà interdit de t'approcher.

– J'ai vingt-trois ans, Corbin ! dis-je en riant. Arrête de jouer les papas avec moi.

Son expression se fige et, un court instant, il ressemble effectivement à notre père.

– Tu vas voir ça, marmonne-t-il. Tu es ma petite sœur. J'ai des ambitions pour toi, et Dillon est loin d'en remplir une seule.

Il n'a pas changé d'un pouce. Il me cassait déjà les pieds au lycée, mais comment lui en vouloir de toujours me souhaiter le meilleur ? Je crains seulement que le meilleur en question n'existe pas.

– Corbin, aucun garçon ne sera jamais digne des ambitions que tu as pour moi.

– Parfaitement ! dit-il d'un ton moralisateur.

S'il a prévenu Dillon de ne pas s'approcher de moi, est-ce qu'il n'en a pas fait autant avec Ian et Miles ? C'est vrai qu'il pensait qu'il était homo, donc ça n'a pas dû lui traverser l'esprit.

Je me demande si Miles remplirait ses conditions.

Là, j'ai une envie folle de le regarder, mais ce serait le meilleur moyen de nous trahir. Alors, je me contente de secouer la tête en souriant.

– Si seulement j'étais née la première !

– Ça n'aurait rien changé, rétorque mon frère.

Ian fait signe à la serveuse de nous apporter l'addition.

– Je vous invite.

– Alors, demande Miles, qui va où ?

– Au bar pour moi, lance Corbin comme s'il jouait au poker.

– Je sors d'une journée de douze heures, dis-je. Je suis crevée.

– Je peux rentrer avec toi ? demande Miles en sortant. Je n'ai pas envie de sortir, ce soir. J'ai trop *sommeil.*

J'apprécie la façon dont il appuie sur le mot *sommeil,* même devant Corbin. Comme s'il voulait s'assurer que j'ai bien compris qu'il n'avait aucune intention de dormir.

– Oui, dis-je, ma voiture est au parking de l'hôpital.

– Parfait ! conclut Corbin en tapant dans ses mains. Allez donc dormir, bande de mollassons. Ian et moi, on fait la fête. On boira une chopine en ton honneur, El Capitán !

Un instant immobiles, Miles et moi les regardons s'éloigner dans l'éclatante lumière des réverbères. Machinalement, je regarde la partie illuminée du trottoir, m'aperçois qu'une de mes chaussures disparaît dans l'obscurité. J'ai l'impression de sentir des projecteurs braqués sur nous.

– On se croirait sur une scène, dis-je.

Levant la tête, Miles inspecte à son tour l'étrange éclairage.

– *Le patient anglais*, murmure-t-il.

Je l'interroge du regard et il désigne la lampe au-dessus de nous.

– Si on était sur scène, ce serait sans doute dans une production du *Patient anglais*. D'ailleurs, on en a déjà les costumes. Une infirmière et un pilote.

Je retourne la chose dans ma tête, sans doute un peu trop ; bon, je sais qu'il est le pilote, mais si on offrait une version scénique du *Patient anglais*, je pense qu'il serait plutôt le soldat. C'est lui qui entretient une relation sexuelle avec l'infirmière. Pas le pilote.

Mais le pilote est celui dont le passé cache un secret...

– C'est à cause de ce film que j'ai voulu devenir infirmière.

Remettant les mains dans ses poches, il baisse les yeux vers moi.

– C'est vrai ?

J'éclate de rire.

– Non.

Miles sourit.

Ensemble, nous nous dirigeons vers l'hôpital. Et je profite de ce moment de calme pour composer dans ma tête un très mauvais poème.

Mille fois le sourire de Miles
Pour personne d'autre
Mille fois Miles me sourit
À moi seule.

– Pourquoi ris-tu ? me demande-t-il.

Parce que je me récite un poème débile en ton honneur.

Je pince un peu les lèvres pour reprendre mon sérieux.

– Parce que j'ai hâte de rentrer, dis-je en le regardant dans les yeux. J'ai vraiment sommeil.

Cette fois, c'est lui qui sourit.

– Je vois. Moi non plus, je ne crois pas que j'aie jamais été aussi fatigué. Je pourrais même m'endormir dans ta voiture.

Faites donc, mon cher.

Je n'insiste cependant pas trop sur notre lourde métaphore. La journée a été longue et je suis vraiment fatiguée. Nous marchons en silence et je ne peux m'empêcher de remarquer qu'il garde les mains coincées dans ses poches, comme pour m'en protéger. À moins qu'il ne les protège de moi.

On n'est qu'à une rue du parking quand il ralentit le pas, avant de s'arrêter complètement. Bien sûr, j'en fais autant et je me retourne pour voir ce qui attire son attention. Il regarde vers le ciel, montrant alors clairement la cicatrice de sa mâchoire. J'ai envie de lui demander d'où ça vient. J'ai envie de l'interroger sur tout, de lui poser un million de questions, à commencer par la date de son anniversaire et ce qu'il a ressenti à son premier baiser. Ensuite, je lui demanderais de me parler de ses parents, de me raconter son enfance, son premier amour.

J'ai envie de l'interroger sur Rachel. Je voudrais savoir ce qui leur est arrivé et pourquoi il en est venu à refuser toute forme d'intimité depuis plus de six ans.

Par-dessus tout, je voudrais savoir pour quelle raison il y a mis un terme avec moi.

– Miles...

– J'ai senti une goutte de pluie.

Il n'a pas fini sa phrase que j'en sens une moi aussi. On regarde tous les deux le ciel et je ravale toutes ces questions qui se bousculaient déjà dans ma gorge. Les gouttes se multiplient, mais pour l'instant, on reste dans la même posture, le visage offert à la pluie. Bientôt, c'est une véritable averse qui nous tombe dessus, pourtant on ne bouge pas, ni l'un ni l'autre. L'eau ruisselle sur mon visage, sur mon cou, dans mes cheveux, trempe ma blouse. Néanmoins, je ne baisse pas la tête, mais je ferme les yeux.

Rien au monde n'est comparable à la sensation et à l'odeur d'une pluie fraîche.

Alors que cette pensée m'occupe encore l'esprit, je sens des mains tièdes me caresser les joues, glisser au creux de mon cou, m'ôtant toute force dans les jambes, me vidant les poumons. Sa haute taille m'abriterait presque de l'averse, mais je garde quand même les paupières closes. Et voilà que ses lèvres se posent sur les miennes, et je me prends à comparer cette sensation avec celle que m'offre la fraîcheur de la pluie.

Son baiser est *beaucoup* plus agréable.

Derrière ses lèvres humides et presque froides, je n'en apprécie que davantage la caresse chaude de sa langue. Cette eau qui tombe, cette obscurité, ce baiser impromptu me donnent vraiment l'impression de me trouver sur une scène, au moment crucial de la pièce ; comme si mon cœur et mon âme se battaient pour s'échapper de moi et se réfugier en lui. Si mes vingt-trois années de vie apparaissaient sous la forme d'un graphique, ce moment marquerait le sommet de la courbe.

Je devrais sans doute me sentir triste et déçue de cette prise de conscience. J'ai déjà eu quelques liaisons plus ou moins sérieuses, pourtant, je ne me rappelle pas qu'un seul baiser m'ait jamais donné de telles sensations. Je devrais me méfier, sachant que je n'entretiens pas vraiment une liaison avec Miles, mais je suis trop occupée par sa bouche pour me poser ce genre de question.

L'averse tourne au déluge, ce qui ne nous dérange pas le moins du monde. Il pose ses mains au creux de mes reins tandis que je m'empare de sa chemise pour le faire venir tout contre moi. Nos bouches se rejoignent aussi naturellement que deux pièces de puzzle.

Il faudrait que la foudre nous tombe dessus pour pouvoir me séparer de lui en ce moment.

Ou alors qu'il pleuve si fort que je ne puisse plus respirer.

Mes vêtements se collent partout sur moi, mes cheveux dégoulinent sans plus pouvoir absorber une goutte de plus.

Je le pousse jusqu'à ce qu'il se détache de ma bouche. Là, je repose ma tête sous son menton et tâche enfin de respirer sans risquer de me noyer. Il passe les bras sur mes épaules et me dirige vers le parking en me protégeant la tête de sa veste. Il presse le pas et je suis le mouvement, jusqu'à ce que nous courions tous les deux.

Arrivé devant la voiture, il m'ouvre la porte côté chauffeur, tout en continuant à me protéger. Une fois que je suis assise, il court vers le côté passager. On se retrouve alors dans l'habitacle, les portières fermées, dans un silence qui souligne encore nos respirations haletantes. Je rassemble mes cheveux en arrière, les tords pour en chasser autant d'eau que possible. Mon siège est bientôt inondé. C'est bien la première fois que je suis soulagée d'avoir des sièges de cuir en Californie.

Laissant retomber ma tête en arrière, je pousse un grand soupir puis regarde mon voisin.

– Je n'ai jamais été aussi trempée.

Il me répond d'un sourire, visiblement arraché à un flot de pensées.

J'en rajoute, d'un ton enjoué :

– Pervers !

Il fait une grimace amusée puis me saisit le poignet pour m'attirer vers lui.

– C'est ta faute. Viens ici.

D'un rapide coup d'œil, je vérifie ce qui nous entoure, mais la pluie tombe si fort que je ne vois rien dehors. Autrement dit, personne ne peut nous voir à l'intérieur.

Je l'enfourche, m'installe sur lui tandis qu'il recule son siège au plus loin. Cependant, il ne m'embrasse pas. Ses mains glissent le long de mes bras et viennent se poser sur mes hanches.

– Je n'ai jamais fait l'amour dans une voiture, avoue-t-il d'une voix pleine d'espoir.

– Je n'ai jamais fait l'amour avec un commandant.

Il glisse une paume sous ma blouse, remonte jusqu'à mon soutien-gorge, englobe mes seins de ses paumes, puis se rapproche pour m'embrasser. Son baiser ne dure pas longtemps, car il reprend bientôt la parole.

– Je n'ai jamais fait l'amour en tant que *commandant.*

Je souris.

– Je n'ai jamais fait l'amour en blouse.

Ses mains glissent maintenant dans mon dos, plongent sous ma ceinture. Il attire mes hanches vers lui tout en se soulevant doucement ; je m'agrippe à ses épaules en poussant un gémissement. Sa bouche s'approche de mon oreille tandis que ses mains recréent le rythme sensuel entre nous, en tirant de nouveau mes hanches vers lui.

– Tu as un look torride en blouse, mais je te préfère quand tu ne portes plus rien du tout.

Je suis gênée à l'idée que ses seules paroles aient le pouvoir de me faire gémir ainsi, que sa seule voix puisse me mettre dans un tel état, au point que j'ai envie de me déshabiller, sans doute encore plus que lui.

– Je t'en prie, dis-moi que tu as apporté ce qu'il faut, dis-je d'un ton déjà lourd de désir.

Il sort la capote de son portefeuille et on passe immédiatement à l'acte. Je déboutonne son jean plus vite que lui ne détache mon soutien-gorge.

– Attends ! lui dis-je en l'arrêtant.

Moins on se dénudera, plus vite on pourra se rhabiller si on se faisait surprendre.

Pourtant, il continue, malgré mes protestations.

– Je ne veux pas entrer en toi si je ne te sens pas complètement sur moi.

Ouah ! Bon, d'accord.

Une fois qu'il a défait les agrafes, il m'enlève la blouse par la tête, glisse les doigts sous mes bretelles de soutien-gorge qu'il descend le long de mes bras, jusqu'à me mettre complètement torse nu. Après quoi, il enlève sa propre chemise, qui va rejoindre mes habits à l'arrière. Puis il m'étreint brusquement, afin que nous nous retrouvions poitrine contre poitrine.

Ensemble, on pousse les mêmes soupirs haletants. La chaleur de son corps me donne une sensation à laquelle je n'ai aucune envie d'échapper. Il m'embrasse dans le cou et je sens son souffle passer sur ma peau par vagues précipitées.

– Tu ne te rends pas compte de ce que tu me fais, murmure-t-il contre ma gorge.

Je souris, parce que c'est exactement l'idée qui me passait par la *tête.*

– Si, si, je crois que je m'en rends très bien compte.

Sa main gauche s'empare de ma poitrine et la droite plonge dans mon pantalon.

– Ôte ça ! ordonne-t-il en tirant sur l'élastique.

Sans me faire prier, je reviens vers ma place vide et envoie promener le reste de mes vêtements, tout en le regardant ouvrir son pantalon.

Sans me quitter des yeux, il déchire l'emballage du préservatif avec les dents. Quand il ne reste plus entre nous que son jean déboutonné, je remonte sur lui.

Je réalise que je suis complètement nue dans ma voiture, au milieu du parking de mon lieu de travail. Je n'ai jamais fait une chose pareille. Je n'ai jamais vraiment désiré faire quoi que ce soit de ce genre. Dire que maintenant *ça nous est* devenu si indispensable à chacun ! Je n'avais jamais ressenti une telle alchimie avec personne.

– Et pas trop de bruit, me lance-t-il. Je n'aimerais pas que tu te fasses virer à cause de moi.

Je jette un coup d'œil par la fenêtre, mais on ne voit toujours rien dehors.

– Il pleut trop fort pour qu'on nous entende, dis-je. Sans compter que c'était toi le plus bruyant, la dernière fois.

Partant d'un grand rire, il commence par m'embrasser. Ses mains sur mes hanches me rapprochent de lui. Normalement, je devrais déjà gémir d'émoi mais, maintenant qu'il m'en a parlé, j'ai envie de dominer mes réactions.

– Impossible, rétorque-t-il contre mes lèvres. Au pire, on était ex æquo.

– Te défile pas. C'est juste la preuve que tu sais que tu as perdu.

Il est assis tellement près de moi que là, je n'ai plus qu'à me positionner pour le prendre en moi et lancer les débats. Seulement voilà, je refuse de céder, parce que j'aime la compétition et que là, j'en sens une qui commence.

Il soulève ses hanches, visiblement prêt. Mes jambes se raidissent et je recule juste à temps.

Ma résistance le fait rire.

– Qu'est-ce qu'il y a, Tate ? Tu as peur qu'une fois que je serai en toi, on ait la preuve de qui est le plus bruyant des deux ?

Une lueur de défi scintille dans ses yeux. Je n'accepte pas de répondre verbalement à cette provocation pour vérifier qui se maîtrise le mieux. Je garde les yeux fixés sur les siens tout en m'installant sur lui, et on gémit tous les deux ensemble, mais c'est l'unique son qui passe entre nous.

Dès qu'il est entièrement entré en moi, ses mains se plaquent dans mon dos et il m'attire contre lui. Nous ne faisons que pousser de lourds soupirs et des gémissements encore plus lourds. La pluie frappe les vitres et tambourine sur le toit, amplifiant le silence dans lequel nous sommes plongés.

La force qu'il faut pour se retenir va de pair avec notre besoin de s'accrocher l'un à l'autre encore plus violemment. Ses bras autour de ma taille me retiennent avec une telle vigueur que je ne peux presque plus bouger, mais j'aime ça. Je lui agrippe le cou et ferme les yeux. J'aime notre rythme lent, quasi immobile, alors que chacun se concentre sur le moyen de retenir les cris qui nous montent dans la gorge.

Pendant plusieurs minutes, on continue ainsi, en remuant juste ce qu'il faut. Je crois qu'on a tous les deux peur de faire un geste un peu trop brutal, ou que l'intensité du moment ne fasse perdre l'un des deux.

Il pose une main sur mes reins, l'autre derrière ma tête, m'attrape par les cheveux et me pousse jusqu'à ce que ma gorge lui tombe sous la bouche. *Ça* me fait frissonner et j'ai de plus en plus de mal à me contrôler. D'autant que notre position donne l'avantage à Miles. Il peut balader ses mains où il veut, et c'est exactement ce qui se passe en ce moment.

Elles vont et viennent, me caressent, puis s'arrêtent sur mon ventre pour pouvoir toucher l'endroit qui risque de me faire céder.

En fait, il triche.

Dès que ses doigts trouvent le point exact à partir duquel il devrait m'arracher toutes sortes de cris, je crispe les mains sur ses épaules et repositionne mes genoux afin de me sentir plus libre de mes mouvements. Que dirait-il si je le soumettais au même genre de torture ?

Dès que je me suis replacée et me sens un peu plus indépendante, notre rythme mesuré fait place à une véritable frénésie. Le baiser qui s'ensuit s'avère plus ardent, plus vigoureux que tout ce qui a précédé. Comme si nous tentions ainsi d'évacuer l'envie naturelle d'exprimer notre plaisir à haute voix.

Je suis soudain prise d'une sensation qui se répand à travers tout mon corps, au point que je suis obligée de me soulever un peu et d'arrêter, de crainte d'exploser. Malgré mon désir de ralentir les choses, il fait tout le contraire et me taquine davantage avec sa main. J'enfouis le visage dans son cou, lui mords doucement l'épaule pour m'obliger à cesser de geindre son nom.

À l'instant où mes dents entrent dans sa peau, j'entends son souffle qui s'accroche, je sens ses jambes se crisper.

Il a presque perdu.

Presque.

S'il bouge encore en moi, ne serait-ce qu'une fois, tout en me caressant ainsi, il aura gagné. Ce que je ne veux surtout pas.

En même temps, j'ai plutôt envie que ce soit lui qui gagne, et j'ai bien l'impression que c'est aussi ce qu'il désire, à l'entendre haleter contre mon cou, tout en m'abaissant un peu plus sur lui.

Miles, Miles, Miles.

Il doit sentir que ça ne va pas se terminer en match nul, alors il en rajoute avec ses doigts tandis que sa langue se pose sur mon oreille.

Oh, ouah !

Là, je vais perdre.

Ça y est presque.

Oh, c'est dingue !

Il soulève les hanches tout en m'attirant davantage sur lui, m'arrachant un cri involontaire :

– Miles !

Suivi d'un gémissement. Je me soulève de lui mais, dès qu'il comprend qu'il a gagné, il pousse un profond soupir et me replace sur lui contre mon gré.

– Enfin ! souffle-t-il. Je n'aurais pas pu tenir une seconde de plus.

Maintenant que le concours est terminé, on se laisse complètement aller, jusqu'à ce qu'on fasse tellement de bruit qu'on doit encore s'embrasser pour étouffer nos cris. Nos corps remuent en harmonie, accélèrent, s'entrechoquent de plus en plus violemment. On continue à ce rythme effréné encore quelques minutes, au point d'atteindre une intensité que je me sens incapable de supporter plus longtemps.

Jusqu'au moment où il ralentit mes hanches de ses mains.

– Tate, articule-t-il contre ma bouche. Je veux qu'on vienne ensemble.

Oh, misère.

S'il veut que je tienne encore un peu, il ne doit pas dire ce genre de chose. Je secoue la tête, incapable de formuler une réponse cohérente.

– Tu y es presque ? insiste-t-il.

Je fais oui de la tête en essayant de toutes mes forces de parler, mais je n'arrive à rien émettre qu'un autre geignement.

– *Ça veut dire oui ?*

Ses lèvres ont cessé de m'embrasser, tant il guette ma réaction. Je pose les mains derrière sa tête et ma joue sur la sienne.

– Oui, dis-je enfin. Oui, Miles. *Oui.*

Moi qui croyais déjà qu'on se tenait très serrés, ce n'était rien comparé à ce moment. J'ai l'impression que nos sens se sont soudain mêlés et que nous éprouvons exactement les mêmes sensations, que nous émettons les mêmes bruits, que nous partageons la même réponse.

Peu à peu, on ralentit le mouvement, et les frémissements de nos corps s'apaisent. On desserre notre étreinte et il enfouit son visage dans mes cheveux pour respirer de tous ses poumons.

– Mauvaise joueuse, murmure-t-il.

Je ris, en faisant mine de le mordre dans le cou.

– Tu as menti, dis-je. Tu as fait appel à des renforts illégaux en utilisant tes mains.

À son tour, il rit en secouant la tête.

– Les mains font partie du jeu. Mais si tu crois que j'ai triché, on devrait peut-être rejouer la partie.

Je hausse les sourcils.

– Tu veux une revanche ?

Il me soulève par la taille et me pousse vers la portière passager en essayant de s'installer derrière le volant. De là, il me tend mes vêtements, enfile sa chemise, reboutonne son jean. Une fois qu'il est prêt, je me rhabille sur mon siège tandis qu'il manœuvre la voiture. Il passe en marche arrière.

– Boucle ta ceinture, me dit-il avec un clin d'œil.

On a eu toutes les peines du monde à entrer dans l'ascenseur, et ça a été encore plus difficile d'atteindre son lit. Il a failli me faire l'amour sur le palier. L'ennui étant que je l'aurais bien laissé faire.

Encore une fois, il a gagné. Je commence à me rendre compte que j'ai tort de vouloir jouer à qui saura rester le plus silencieux avec le plus calme de tous mes partenaires.

Je l'aurai à un autre jeu, mais pas ce soir, parce que Corbin va certainement ne pas tarder à rentrer.

Miles me regarde. Il est installé sur le ventre, les bras croisés sur l'oreiller, la tête sur ses bras. Je m'habille parce que je dois regagner notre appartement avant mon frère.

Miles ne me quitte pas des yeux tandis que je finis de reprendre mes affaires.

– Ton soutien-gorge doit toujours être sur le palier, s'esclaffe-t-il. Tu devrais le récupérer avant que Corbin tombe dessus.

Cette pensée me fait plisser le nez.

– Bonne idée !

Je m'agenouille vers le lit pour embrasser Miles sur la joue, mais il m'enveloppe la taille de son bras et m'attire vers lui en roulant sur le dos. Il me rend mon baiser avec encore plus de ferveur.

– Je peux te poser une question ?

Il hoche la tête, visiblement à contrecœur. Comme si ma curiosité l'inquiétait.

– Comment ça se fait que tu ne me regardes jamais quand on fait l'amour ?

Il me dévisage avec des yeux ronds, marque une longue pause, jusqu'à ce que je m'asseye à côté de lui, dans l'attente de sa réponse.

Alors, il se soulève un peu pour s'appuyer au dosseret, il contemple ses mains.

– On est plus vulnérable dans ces moments-là, laisse-t-il tomber. On a vite fait de prendre ses sensations, ses émotions, pour ce qu'elles ne sont pas, surtout quand on se regarde dans les yeux. Pourquoi ? Ça t'ennuie ?

Je fais non de la tête, mais mon cœur crie *oui !*

– Je m'y suis habituée. C'était juste de la curiosité.

Je me déteste de plus en plus à mesure que de nouveaux mensonges franchissent mes lèvres.

Il sourit, m'attirant de nouveau contre sa bouche, et m'embrasse avec plus de conviction que jamais.

– Bonne nuit, Tate.

Je sors de sa chambre, consciente qu'il me suit des yeux. Étonnant que lui, qui refuse de me regarder pendant l'amour, ne puisse ensuite se détacher de moi.

Je n'ai pas encore vraiment envie de regagner l'appartement, si bien qu'après avoir récupéré mon soutien-gorge, je me dirige vers l'ascenseur et descends dans le hall d'entrée pour voir si Cap'taine ne s'y trouverait pas encore. Tout à l'heure, c'est tout juste si je l'ai aperçu, alors que Miles me faisait vivement entrer dans la cabine, comme s'il me kidnappait.

Mais Cap'taine est bien là, dans son fauteuil, à dix heures du soir passées.

– Il vous arrive de dormir ? dis-je en m'asseyant près de lui.

– Les gens sont plus intéressants la nuit. J'aime me lever tard, pour éviter les cinglés trop pressés du matin.

Je pousse un soupir plus lourd que je ne l'aurais voulu, m'adosse à mon siège. Cap'taine se retourne vers moi.

– Oh non, s'exclame-t-il. Ça ne se passe pas bien avec le garçon ? Pourtant, vous aviez l'air de bien vous entendre, tous les deux. J'ai même eu l'impression de voir un début de sourire sur son visage quand il est arrivé avec toi.

Je lui assure que tout va bien puis rassemble un peu mes idées avant de lui demander :

– Vous avez déjà été amoureux, Cap'taine ?

Un léger sourire lui éclaire le visage.

– Oh oui ! Elle s'appelait Wanda.

– Combien de temps avez-vous été mariés ?

– En fait, je n'ai jamais été marié. Quant à Wanda, je crois qu'elle l'a été quarante ans, avant de mourir.

J'essaie de comprendre ce qu'il veut dire.

– Il faut m'en raconter un peu plus.

Toujours souriant, il se redresse sur son fauteuil.

– Elle habitait dans l'un des immeubles dont j'assurais l'entretien Elle était mariée à une espèce de salaud qui ne rentrait que deux semaines par mois. Je suis tombé amoureux d'elle vers l'âge de trente ans. Elle devait en avoir cinq de moins que moi. À l'époque, on ne divorçait pas aussi facilement. Ça ne se faisait pas, surtout chez les dames de son milieu. Alors j'ai passé les vingt-cinq années suivantes à l'aimer de tout mon cœur, deux semaines par mois.

Je le dévisage, sans trop savoir que répondre à un tel aveu. Ce n'est pas le genre d'histoire d'amour qu'on entend souvent. Je ne suis même pas certaine que ça entre dans une catégorie.

– Je sais ce que tu penses, reprend-il. Ça a l'air déprimant.

Je hoche la tête.

– L'amour, ce n'est pas toujours très joli. Parfois, on passe son temps à espérer que quelque chose arrive. En mieux, de préférence. Et voilà que, tout d'un coup, on se retrouve à la case départ, sauf qu'on a perdu son cœur au passage.

Maintenant, je regarde droit devant moi, je ne veux pas qu'il devine ma déconvenue à l'expression de mon visage.

N'est-ce pas ce que je suis en train de faire ? Attendre qu'il se passe quelque chose avec Miles ? Que nos relations s'améliorent toutes seules ? Je dois réfléchir trop longtemps à cette histoire car je finis par entendre Cap'taine ronfler.

Le menton renversé vers sa poitrine, la bouche ouverte, il s'est endormi.

18

MILES

SIX ANS PLUS TÔT

Je lui caresse le dos pour la rassurer.

– Encore deux minutes.

Elle acquiesce de la tête mais garde le visage caché dans ses mains. Elle ne veut pas regarder.

Je ne lui dis pas que nous n'avons en fait pas besoin de ces deux minutes. Je ne lui dis pas que les résultats sont arrivés, clairs comme le jour.

Je ne dis pas encore à Rachel qu'elle est enceinte, parce qu'il lui reste au moins ces deux minutes d'espoir.

Je continue de lui caresser le dos. Le temps s'écoule et elle ne bouge toujours pas. Elle ne se redresse pas pour regarder les résultats. J'approche la bouche de son oreille.

– Désolé, Rachel.

Elle fond en larmes.

Mon cœur se brise.

C'est ma faute. Tout est de ma faute.

Je n'ai plus qu'à réfléchir à la solution.
Je la tourne vers moi, l'enveloppe de mes bras.
– Je vais leur dire que tu ne te sens pas bien et que tu ne peux pas aller au lycée aujourd'hui. Tu vas rester ici jusqu'à mon retour.
Elle ne me répond pas. Elle continue à pleurer, alors je l'entraîne vers le lit puis retourne dans la salle de bains et remballe le test, que je cache dans un coin sous le lavabo.
Puis je me précipite dans ma chambre pour me changer.
Je m'en vais.
Je suis parti presque toute la journée.
Trouver une solution.
Quand enfin je me gare devant la maison, j'ai encore à peu près une heure avant l'arrivée de mon père et de Lisa.
Je prends tout ce que j'ai entassé sur le siège voisin et fonce pour voir où en est Rachel. En partant ce matin, j'ai oublié mon téléphone, si bien que je n'ai pas pu l'appeler pour lui demander comment ça allait et je mentirais si je disais que ça ne m'a pas rendu malade.
J'entre.
Je cours vers sa porte.
Je frappe.
– Rachel ?
J'entends un mouvement. Quelque chose heurte la porte, me faisant reculer d'un bond. Quand je comprends ce qui se passe, je frappe de nouveau, plus fort.
– Rachel ! Ouvre-moi !
Je l'entends crier :
– Va-t'en !
Je prends mon élan pour revenir donner un coup d'épaule dans le panneau qui cède brusquement. Je me retrouve au milieu de la pièce, face à Rachel blottie contre le dosseret du lit, en train de sangloter dans ses mains.
Je m'approche.

Elle m'évite.
J'insiste.
Elle me frappe puis se lève d'un bond, me repousse en me plaquant les paumes contre la poitrine
– Je te déteste ! crie-t-elle en larmes.
Je lui prends les mains, essaie de la calmer.
Ça l'irrite encore plus.
– Va-t'en ! Si tu ne veux rien avoir à faire avec moi, va-t'en !
Ses paroles m'effarent.
– Rachel, arrête ! Je suis là. Je ne vais nulle part.
Ses larmes redoublent. Elle crie encore. Elle dit que je l'ai abandonnée, que je l'ai mise au lit ce matin et que je suis parti parce que je ne pouvais plus la supporter.
Qu'elle m'avait déçu.
Je t'aime, Rachel. Plus que je ne m'aime moi-même.
– Ma chérie, non, dis-je en l'attirant contre moi. Je ne t'ai pas quittée. Je t'ai dit que j'allais revenir.
Je suis desolé qu'elle n'ait pas compris pourquoi je suis parti aujourd'hui. Et encore plus de ne pas le lui avoir expliqué.
Je la ramène vers ses oreillers, l'adosse à la tête de lit.
– Rachel, tu ne m'as pas déçu du tout. C'est à moi que j'en veux. Je cherche à réparer mon erreur. C'est à ça que je viens de passer la journée. Je cherchais un moyen de résoudre notre problème.
Je me relève pour aller chercher les dossiers que je viens étaler sur le lit. Je lui montre tout. Les brochures pour les logements familiaux que j'ai ramassés sur le campus, les questionnaires à remplir pour faire garder le bébé gratuitement à l'université, les bulletins d'aide financière, les cours du soir et les cours en ligne, ainsi que la liste des conseillers juridiques, et comment tout ceci pourra se coordonner avec mon école de pilotage.
Toutes les possibilités sont ainsi étalées devant elle, et je veux qu'elle voie que, même si nous ne le désirions pas,

même si nous ne l'avons pas fait exprès...
nous pourrons nous en sortir.
– Je sais que ce sera beaucoup plus difficile avec un bébé,
Rachel. Je le sais. Mais ce n'est pas impossible.
Elle contemple tout ce que j'ai étalé devant elle.
Je l'observe en silence et finis par voir ses épaules trembler,
tandis qu'elle se couvre la bouche d'une main.
Elle lève sur moi ses yeux rougis par les larmes et soudain,
plonge vers moi, m'entoure le cou de ses bras.
Elle me dit qu'elle m'aime.
Tu m'aimes tant, Rachel.
Elle m'embrasse tant qu'elle peut.
– On s'appartient l'un l'autre, Miles,
murmure-t-elle à mon oreille.
Je l'étreins à mon tour.
– On s'appartient l'un l'autre, Rachel.

19

TATE

On est jeudi.

Soirée match.

D'habitude, ils font tant de bruit que ça me crispe. Ce soir, je me réjouis puisque Miles sera à la maison. J'ignore ce qu'il faut attendre de lui ou de notre relation. Je ne lui ai pas parlé ni envoyé de texto ces cinq derniers jours.

J'ai beau penser à lui tout le temps, je sais que je ne devrais pas. En vérité, je m'y consacre complètement. Je ne pense pour ainsi dire plus qu'à Miles depuis cette soirée sous la pluie ; je me trouve lamentable, en tournant la poignée de l'appartement, de constater que ma main tremble, tout cela parce que j'espère le voir à l'intérieur.

J'ouvre la porte d'entrée et c'est Corbin qui lève le premier la tête, sans dire un mot. Ian m'adresse un signe de la main, puis reporte son attention sur l'écran.

Le regard de Dillon se promène sur ma silhouette et je fais ce que je peux pour ne pas lever les yeux au ciel.

Miles ne fait rien, parce que Miles n'est pas là.

Tout mon corps en soupire de déception. Je dépose mon sac sur la chaise vide du salon, en me disant qu'au fond ce n'est pas plus mal parce que j'ai beaucoup trop de boulot.

– Il y a de la pizza dans le frigo, m'indique Corbin.

– Super !

Je vais me chercher une assiette dans la cuisine. J'entends des pas qui se rapprochent et mon cœur se met à battre la chamade.

Une main se pose sur mes reins et je souris immédiatement, je me retourne pour faire face à Miles.

Sauf que c'est Dillon.

– Salut, Tate, dit-il en se rapprochant.

Sa main reste sur moi mais, maintenant que je me suis tournée, elle a glissé vers ma taille. Sans me quitter des yeux, il ouvre le placard devant lequel je me trouvais.

– Je viens chercher une chope pour la bière, dit-il comme pour s'excuser d'être là.

De me *toucher.* Son visage à quelques centimètres du mien.

Malheureusement, il m'a vue sourire au début et il a dû le prendre pour lui.

– Tu ne trouveras pas de chope dans ma poche, dis-je en repoussant sa main.

Je m'écarte de lui à l'instant où Miles entre dans la cuisine, le regard fixé sur l'endroit que Dillon vient de caresser.

Miles a vu Dillon me poser la main dessus.

Et Miles le dévisage maintenant comme s'il venait de commettre un meurtre.

– Depuis quand tu as besoin d'une chope pour boire ta bière ?

Dillon fait volte-face mais revient très vite vers moi, l'air vicieux.

– Depuis que Tate me bloque la porte du placard.

Merde. Il ne s'en cache même pas. Il croit que je suis séduite.

Miles va ouvrir le réfrigérateur.

– Alors, Dillon, comment va ta femme ?

La main crispée sur la porte, il ne fait pas mine d'en sortir quelque chose. Il reste devant, à inspecter l'intérieur.

Quant à Dillon, il continue de m'examiner des pieds à la tête.

– Elle est au boulot, indique-t-il d'un ton plein de sous-entendus. Encore quatre heures au moins.

Miles claque la porte du frigo, fait deux pas vers Dillon, qui demeure immobile, droit dans ses bottes. J'en profite pour m'écarter de lui.

– Corbin t'a pourtant dit de ne pas toucher à sa sœur. Montre-lui un peu de respect, merde !

Dillon crispe les mâchoires, mais ne recule pas, ne se détourne pas. En fait, il s'approche plutôt de lui.

– Je n'ai pas l'impression que ce soit pour Corbin que tu t'inquiètes, fulmine-t-il.

Mon cœur se met à battre. Je m'en veux de l'avoir laissé croire des choses fausses, et encore plus de les voir maintenant se chamailler. Mais, bon sang, que j'aime voir Miles le détester à ce point ! Je voudrais juste savoir si c'est parce qu'il n'aime pas voir Dillon draguer alors que sa femme l'attend chez lui, ou simplement parce qu'il n'aime pas le voir flirter avec moi.

Et voilà que Corbin apparaît sur le seuil.

Merde !

– Pourquoi il s'inquiéterait pour moi ? demande-t-il aux deux hommes.

Miles recule pour faire face à la fois à Dillon et à Corbin.

– Il essaie de sauter ta sœur.

Bon Dieu, Miles. Tu ne peux pas prendre des gants ?

Corbin ne bronche pas. Puis il lance fermement :

– Rentre retrouver ta femme, Dillon !

Malgré ma gêne, je ne fais rien pour prendre sa défense, parce que j'ai la sensation que Miles et Corbin cherchaient une excuse depuis longtemps pour le décourager de venir. Et puis je ne défendrai jamais un homme qui trompe ouvertement sa femme. Dillon regarde longuement Corbin avant de se tourner vers moi, en leur présentant son dos.

Il est suicidaire, ce type.

– J'habite l'appartement 1012, me souffle-t-il avec un clin d'œil. N'hésite pas à frapper. En semaine, elle travaille tous les soirs.

Après quoi, il passe entre Miles et Corbin.

– Vous deux, allez vous faire foutre.

Les poings serrés, mon frère s'apprête à le suivre, mais Miles le retient par le bras et ne le lâche qu'une fois que la porte a claqué derrière Dillon.

Corbin me jette alors un regard tellement furieux que je verrais presque la fumée lui sortir des oreilles. Le visage écarlate, il se frappe les poings. J'avais oublié son instinct protecteur à mon égard. J'ai l'impression d'avoir quinze ans, sauf que, cette fois, j'ai deux frères trop protecteurs.

– Efface ce numéro d'appartement de ta tête, m'ordonne-t-il.

Quelque part, je suis plutôt déçue qu'il me croie capable d'attacher de l'importance à ce mec.

– J'ai des principes, Corbin.

Il hoche la tête mais, visiblement, ça ne le calme pas. Il inspire un coup, la mâchoire crispée, puis regagne le salon.

Appuyé au comptoir, Miles contemple ses chaussures. J'attends qu'il relève la tête vers moi. Il jette un coup d'œil dans le salon puis s'approche de moi. Et moi, impressionnée par l'intensité de son expression, je recule, jusqu'à ce que je sois arrêtée par le plan de travail.

Il arrive sur moi.

Il sent bon. La pomme. *Le fruit défendu.*

– Demande-moi si tu peux aller réviser chez moi, murmure-t-il dans mon cou.

Pourquoi il me propose un truc pareil après ce qui vient de se passer ? Néanmoins, je le fais.

– Je peux aller réviser chez toi ?

Il se fend d'un large sourire, pose son front sur ma tête et me souffle à l'oreille en riant :

– Je voulais que tu me le demandes devant ton frère. Ainsi j'aurai une excuse pour t'y conduire.

Ouille, ça devient gênant.

Voilà, il sait exactement à quel point je perds mes moyens en sa présence. Je ne suis plus que liquide. Malléable. Prête à faire ce qu'il demande, ce qu'il veut que je fasse.

– Oh ! dis-je doucement alors qu'il s'écarte de moi. Maintenant, je comprends mieux.

Il sourit toujours et je m'aperçois que ce sourire me manquait. Infiniment. Il devrait tout le temps me sourire. Toujours. À moi.

Il sort de la cuisine pour regagner le salon tandis que je file prendre une douche rapide.

Je ne savais pas que j'étais une si bonne actrice.

Encore que j'aie eu l'occasion de m'entraîner. Pendant cinq minutes. Dans ma chambre, j'essayais de me construire la phrase la plus simple, la plus plausible, à lancer en entrant dans le salon pour demander sa clé à Miles. J'avais décidé d'attendre un moment où le match deviendrait particulièrement bruyant pour surgir.

– Les gars, maintenant soit vous baissez la télé, soit vous allez la regarder ailleurs, parce que je dois travailler !

Miles m'a regardée en essayant de masquer son sourire. Ian a pris un air suspicieux et Corbin a levé les yeux au ciel.

– C'est toi qui vas ailleurs, a-t-il lancé. On regarde le match.

Puis il s'est tourné vers Miles :

– Elle peut aller chez toi ?

– Pas de souci, je vais lui ouvrir.

J'ai rassemblé mes affaires pour le suivre sur le palier, où nous nous trouvons maintenant.

Il pousse la porte qui n'était même pas fermée à clé, ce que Corbin ignore, bien sûr. Il entre et je me glisse à sa suite. On se retrouve tous les deux chez lui.

– J'ai vraiment des trucs à réviser, lui dis-je.

Je ne sais pas à quoi il s'attendait au juste, mais je me sens tenue de lui préciser que ce n'est pas parce qu'il revient après une absence de plusieurs jours qu'il occupe la priorité dans mon esprit.

Même si ce serait plutôt vrai.

– Et moi j'ai vraiment un match à regarder, rétorque-t-il en désignant mon appartement.

Ce qui ne l'empêche pas de venir vers moi. Il me prend mes livres des mains, va les poser sur la table, puis revient dans ma direction pour ne s'arrêter que lorsque ses lèvres se sont posées sur les miennes et qu'on ne peut aller plus loin puisque mon dos est plaqué contre le mur.

Ses mains m'enserrent la taille, tandis que les miennes s'agrippent à ses épaules. Sa langue se glisse dans ma bouche qui l'accueille avec délice. Pourtant, il se détache presque aussitôt, reculant de plusieurs pas.

Il me considère, l'air de dire que c'est ma faute s'il doit s'en aller, passe les mains dans ses cheveux, pousse un soupir.

– Tu n'as pas dîné. Je te rapporterai de la pizza.

Il se rapproche, mais je me dérobe sans rien dire. Il ouvre la porte et disparaît.

Drôle de type.

Je me dirige vers la table, y étale tout ce dont je vais avoir besoin pour travailler. Je m'apprête à m'asseoir quand la porte de l'appartement s'ouvre de nouveau, et le voilà qui apporte une assiette dans la cuisine. Il dépose la pizza au micro-ondes, appuie sur quelques boutons et la met à chauffer, avant de revenir vers moi. Il recommence son manège intimidant qui sait si bien me faire reculer, mais cette table derrière moi m'empêche de m'éloigner.

Il a vite fait de me voler un baiser.

– Il faut que j'y retourne, annonce-t-il. Ça va ?

Je fais oui de la tête.

– Tu as besoin de quelque chose ?

Je fais non de la tête.

– Il y a du jus d'orange et de l'eau fraîche dans le frigo.

– Merci.

Il m'embrasse encore une fois, brièvement, avant de me lâcher et de ressortir.

Je tombe sur ma chaise.

Il est tellement chouette !

Je pourrais prendre goût à tout ça.

Je sors mes livres et me mets à travailler. Une heure et demie s'est écoulée quand je reçois un SMS.

Miles : Ça roule, les devoirs ?

Je lis le message et souris comme une idiote. Il s'en va neuf jours sans me donner de nouvelles et là, il me textote à sept mètres de distance.

Moi : Bien. Et le match ?

Miles : Mi-temps. On perd.

Moi : Pas de bol.

Miles : Tu savais que je n'avais pas le câble.

Moi : ???

Miles : Tout à l'heure, quand tu nous as engueulés, tu nous as dit d'aller chez moi pour regarder le match, mais tu savais bien que je n'ai pas le câble. J'ai peur que Ian ne se doute de quelque chose, maintenant.

Moi : Oh non ! Je n'avais pas réfléchi à ça.

Miles : C'est bon. Il me jette des regards en douce, l'air de se poser des questions. Franchement, je m'en fiche qu'il soit au courant. Il sait déjà tout sur moi.

Moi : Ça m'étonne que tu ne lui en aies encore pas parlé. Tous les mecs ne se racontent pas leurs aventures ?

Miles : Pas moi, Tate.

Moi : Tu dois être l'exception qui confirme la règle. Laisse-moi, maintenant, j'ai encore du travail.

Miles : Ne reviens pas jusqu'à ce que je vienne te dire que le match est terminé.

Je repose le téléphone sur la table, incapable d'effacer mon sourire idiot.

Une heure plus tard, la porte de l'appartement se rouvre. Je lève la tête pour voir Miles entrer, fermer derrière lui et m'annoncer :

– C'est fini.

Je pose mon stylo.

– Ça tombe à pic. Je viens de terminer mon travail.

Ses yeux tombent sur mes livres éparpillés sur la table.

– Corbin doit t'attendre.

Je ne sais pas si c'est une façon de me dire que je devrais m'en aller ou s'il meuble la conversation. Je me lève quand même, commence à ranger en tâchant de cacher ma déception.

Il se dirige droit sur moi, me prend les livres, les repose puis m'attrape par la taille et me pousse vers la table.

– Ça ne veut pas dire que je tiens à ce que tu t'en ailles.

Cette fois, je ne souris pas, parce qu'il m'a donné le trac. Chaque fois qu'il me regarde avec une telle intensité, j'ai le trac.

Il me hisse au bord de la table, se glisse entre mes jambes.

– J'ai réfléchi, m'annonce-t-il doucement dans le cou, à propos de ce soir, après ta longue journée de cours.

Il glisse les mains sous moi pour me soulever.

– Alors que tu travailles week-end après week-end après week-end.

Je l'enveloppe maintenant de mes jambes et il m'emporte dans sa chambre.

Maintenant, il m'allonge sur son lit.

Maintenant, il est sur moi, repousse mes cheveux de mon visage, me regarde dans les yeux.

– Et je me suis rendu compte que tu n'avais jamais un jour de congé.

Sa bouche est revenue contre ma joue et m'embrasse doucement entre chaque phrase.

– Tu n'as pas pris une seule journée depuis Thanksgiving, n'est-ce pas ?

Je fais non de la tête. Sa main se glisse sous mon chemisier, sa paume se pose sur mon estomac et remonte jusqu'à ma poitrine.

– Tu dois être très fatiguée, Tate.

– Pas vraiment.

Je mens.

Je suis épuisée.

Ses lèvres quittent mon cou et il me regarde de nouveau.

– Tu mens, décrète-t-il en promenant le pouce sur le fin tissu de mon soutien-gorge. Je vois bien que tu es fatiguée.

Il repose sa bouche sur la mienne, si délicatement que je la sens à peine.

– J'ai juste envie de t'embrasser quelques minutes, souffle-t-il, d'accord ? Après, tu pourras rentrer te reposer. Je ne veux pas que tu te croies obligée d'aller plus loin juste parce qu'on est tous les deux à la maison.

Sa bouche m'effleure à nouveau, mais ce sont bien ses paroles qui m'émeuvent le plus. Je n'aurais jamais cru qu'un peu de délicatesse puisse à ce point vous bouleverser.

Mais, *oh j'y crois pas* ! C'est torride.

Sa main glisse sous mon soutien-gorge et sa bouche m'envahit. Chaque fois que sa langue caresse la mienne, ça me donne le tournis. Je crois que je ne m'y habituerai jamais.

Je sais qu'il a dit ne vouloir que m'embrasser quelques minutes, mais sa définition du baiser et la mienne ne doivent pas avoir le même sens. Sa bouche est partout.

De même que ses mains.

Il soulève mon chemisier par-dessus mon soutien-gorge dont il abaisse une bretelle pour dénuder un de mes seins qu'il vient titiller de la langue. Sa bouche me caresse si doucement que j'en frémis et gémis de plaisir.

Sa main court sur mon ventre, arrive sur le jean puis se déplace entre mes cuisses, et là, il fait courir ses doigts sur le tissu, et je renverse la tête en arrière pour mieux goûter cet instant.

Ouf, que j'aime ce genre de baiser !

Maintenant, c'est tout mon corps qu'il caresse, jusqu'à ce que je me cambre en l'implorant silencieusement d'aller plus loin. Sa bouche n'est plus sur ma poitrine mais sur mon cou, qu'il embrasse, taquine, lèche tout à la fois, comme s'il voulait me marquer.

Je m'efforce de garder mon calme, mais c'est impossible. Lui non plus, d'ailleurs, ne paraît pas totalement se contrôler. Chaque fois que je geins, il grogne, ou soupire, ou murmure mon nom. C'est d'ailleurs pour ça que je ne retiens pas mes cris, j'aime trop l'entendre s'exprimer lui aussi.

J'adore.

Sa main descend soudain sur l'ouverture de mon jean qu'elle défait sans qu'il détache sa tête de mon cou. Il descend la fermeture Éclair et pose la paume sur ma culotte, puis reprend les mouvements de tout à l'heure, sauf que c'est un million de fois plus intense ; je peux dire tout de suite qu'il ne va pas avoir à répéter longtemps ce geste.

Mon corps se crispe, et je dois faire appel à toute ma volonté pour ne pas chercher à échapper à sa main. À croire qu'il connaît exactement les points les plus sensibles pour me faire réagir.

– Bon sang, Tate, tu es toute mouillée ! souffle-t-il. J'ai envie de te toucher.

Et c'est tout.

Je suis fichue.

Son doigt se glisse en moi, mais son pouce reste dehors, m'arrachant des plaintes, des *oh, arrête* ! et des *continue !* comme si j'étais un disque rayé. Il m'embrasse, avale tous mes cris tandis que mon corps frémit sous son contact.

Les sensations durent si longtemps et deviennent si intenses que je redoute le moment où il s'arrêtera. Je ne veux plus que sa main me quitte, j'ai envie de m'endormir comme ça.

Je suis complètement tranquille, mais on respire tous les deux si fort qu'on n'est plus capables de bouger. Il garde sa bouche sur la mienne et nous fermons les yeux, mais il ne m'embrasse pas. Puis il finit par sortir sa main de mon pantalon dont il remonte la fermeture et boucle les boutons. Quand je rouvre les paupières, il lèche ses doigts en souriant.

L'enfoiré !

Encore heureux que je ne sois pas debout à cet instant, parce que j'en serais tombée à la renverse.

– Ouah ! dis-je dans un soupir. Tu es doué !

Son sourire s'élargit.

– Merci, susurre-t-il en venant m'embrasser le front. Maintenant, rentre chez toi et va dormir, ma belle.

Alors qu'il va se lever du lit, je l'attrape par le bras et l'oblige à se recoucher.

– Attends ! dis-je en grimpant sur lui. Toi, tu n'as rien eu.

– Je ne tiens pas de comptes, rétorque-t-il en m'allongeant sur le dos. D'autant que Corbin doit se demander ce que tu fabriques encore ici.

Il se lève, me saisit les poignets pour m'attirer contre lui, assez près pour que je sente à quel point il n'est pas prêt à me voir partir.

– Si Corbin dit quelque chose, je lui expliquerai que je n'ai pas voulu partir avant d'avoir terminé mes révisions.

Il secoue la tête.

– Tu dois t'en aller, Tate. Tout à l'heure, il m'a remercié de t'avoir protégée de Dillon. D'après toi, qu'est-ce qu'il ressentirait s'il savait que je ne l'ai fait que par égoïsme, parce que je te voulais toute pour moi ?

– Je me fiche de ce qu'il ressent. Ça ne le regarde pas.

Miles me caresse la joue.

– Moi, je ne m'en fiche pas. C'est mon ami. Je ne veux pas qu'il découvre quel hypocrite je suis.

Encore un petit baiser sur le nez, et puis il m'entraîne hors de la chambre sans me laisser le temps de réagir. Il rassemble mes livres et me les tend quand j'arrive devant la porte d'entrée ; mais, avant de me laisser sortir, il m'immobilise en me saisissant le coude. Et là, je décèle une lueur encore inconnue dans son regard.

Quelque chose qui ne tient ni du désir ni de la déception ou de l'intimidation. Du non-dit. Comme s'il avait trop peur pour l'exprimer par des paroles.

Ses mains m'enveloppent les joues et il presse sa bouche si fort sur la mienne que j'en heurte la porte derrière moi.

Son baiser exprime un désespoir tellement possessif qu'il m'attristerait si je ne l'aimais pas autant. Il respire longuement avant de se détacher de moi, sans me quitter des yeux. Il laisse tomber sa main, recule, attend que je sorte sur le palier, avant de fermer sa porte.

Je ne sais pas ce qui vient de se passer, mais j'aimerais que ça recommence.

Sans trop savoir comment, j'arrive à me mettre en marche vers l'appartement de Corbin. Mon frère n'est pas dans le salon, alors je dépose mes livres sur le comptoir.

J'entends couler l'eau.

Corbin est sous la douche.

Aussitôt, je ressors, traverse le palier et frappe. Miles m'ouvre tout de suite, comme s'il n'avait pas bougé. Il jette un coup d'œil vers l'appartement.

– Corbin prend sa douche, dis-je.

Miles me regarde et, comme s'il avait saisi au quart de tour, il m'attire à l'intérieur de son appartement, claque la porte, me colle dessus et, de nouveau, sa bouche est partout.

Je ne perds pas de temps non plus, lui déboutonnant son pantalon que je commence à descendre sur ses cuisses, tandis que lui m'ôte totalement ma culotte et tout le reste de mes vêtements. Dès que mes pieds en sont sortis, il m'emmène vers la table, me retourne et m'allonge sur le ventre.

Il m'écarte les jambes tout en se libérant de son jean. Ses deux mains m'agrippent la taille et il se redresse avant d'entrer en moi, d'un seul coup.

– Mon Dieu ! grogne-t-il.

Les mains plaquées sur la table, je ne trouve rien à quoi m'agripper, malgré mes efforts.

Il se penche, pousse son torse vers mon dos, dans un souffle fort et chaud qui m'inonde la peau.

– Il faut que j'ailler chercher une capote.

– D'accord.

Pourtant, il n'est pas encore parti, et mon corps cherche désespérément à le conserver, l'aspire, le retient, au point qu'il plante ses doigts dans mes hanches.

– Arrête, Tate !

Ce ton sévère...

Ce défi.

Je recommence et, cette fois, il se retire en grognant. Il n'a pas bougé, reste contre moi, sauf qu'il n'est plus en moi.

Je parviens à murmurer :

– Je prends la pilule.

Il ne bouge pas.

Je ferme les yeux ; je voudrais qu'il fasse quelque chose, n'importe quoi. Sinon je meurs.

– Tate, murmure-t-il.

Et puis plus rien. On reste encore immobiles, dans la même position.

– Et merde !

Cette fois, il me lâche la taille pour poser les mains sur les miennes toujours à plat sur la table. Il glisse ses doigts entre les miens, les serre, enfouit le visage dans ma nuque.

– Accroche-toi.

Il rentre si violemment en moi que je pousse un cri. Il me pose une paume sur la bouche.

– Chut !

Un instant, il s'immobilise, me laissant le temps de m'habituer à sa présence.

Puis il ressort en geignant, revient, me faisant crier encore. Cette fois, il me bâillonne de ses mains.

Il reprend ses mouvements.

Plus fort. Plus vite.

À chaque coup, il pousse un grognement et moi, j'émets des sons dont je ne me croyais même pas capable. Je n'avais jamais vécu un moment pareil.

Je ne savais pas que ça pouvait devenir si intense. Si brutal. Si animal.

Baissant le visage, j'appuie la joue sur la table.

Et je ferme les yeux.

Je le laisse me sauter.

Tout est tranquille.

Si tranquille que je ne sais pas si c'est parce qu'on a fait tellement de bruit tout à l'heure ou si c'est parce qu'il a besoin d'une minute pour récupérer.

Il est toujours en moi, mais il ne bouge pas. Il me couvre toujours la bouche d'une main, me serre toujours les doigts de l'autre. Son visage reste enfoui dans ma nuque.

Pourtant, il demeure tellement immobile que j'ai peur de bouger. Je ne l'entends même pas respirer.

Et voilà enfin qu'il remue sa main, qu'il éloigne de ma bouche. Puis il détache ses doigts des miens, les tend, appuie les paumes sur la table et soulève le visage de mon cou. Il se retire de moi sans un bruit.

Dans la sourde pesanteur du moment, je ne bouge toujours pas.

Je l'entends remettre son jean, en remonter la fermeture.

Et puis ses pas qui s'éloignent.

Il s'en va.

La porte de sa chambre claque et me fait flancher. Ma joue, mes paumes, mon estomac restent plaqués contre la table, et mes larmes coulent dessus.

Mes larmes qui coulent.

Coulent et coulent encore, et je ne peux pas les arrêter.

Je suis morte de honte. Je ne sais plus où me mettre. J'ignore ce qui lui a pris, mais je suis trop fière et pas assez courageuse pour le lui demander.

Ça sent la fin. Je ne suis pas sûre de m'y être assez préparée. En fait, je ne l'étais *pas du tout*, et maintenant, je m'en veux de m'être à ce point laissé dominer par mes sentiments.

Et puis je suis furieuse parce que je me trouve encore ici, au beau milieu de son appartement, à chercher ma culotte, à essayer de sécher ces larmes idiotes, tout en sentant ce qu'il m'a laissé de lui s'écouler le long de ma jambe. Je ne vois vraiment pas pourquoi il a voulu soudain tout briser.

Me briser.

Je termine de m'habiller et je m'en vais.

♡

20

MILES

SIX ANS PLUS TÔT

– Tu as le nombril qui ressort, lui dis-je en parcourant son ventre des doigts. C'est mignon.

Je l'embrasse puis pose l'oreille sur sa peau nue, en fermant les yeux.

– Il doit se sentir bien seul là-dedans, dis-je encore. Hé, petit bonhomme, tu te sens pas trop seul ?

– Parce que pour toi, c'est un garçon, s'esclaffe Rachel. Et si c'est une fille ?

Je réponds que je l'aimerai de toute façon. Je l'aime *déjà*. *Lui ou elle.*

Les parents sont sortis. On a la maison pour nous tout seuls, on peut jouer au papa et à la maman. Sauf que, cette fois, on ne joue pas. C'est du sérieux.

– Comment ça va se passer s'il la demande en mariage ? s'enquiert-elle.

Je lui dis de ne pas s'inquiéter, qu'il ne demandera rien du tout. Il m'en aurait parlé d'abord. Je le connais.

Je peux donc affirmer :
– C'est à nous, maintenant, de leur parler.
Elle acquiesce. Elle sait à quoi je fais allusion. Voilà trois mois que ça dure. Encore deux mois et on termine le lycée.
Ça commence à se voir. Elle a le nombril qui pointe.
C'est mignon.
– Il faudrait leur parler demain, dis-je.
Elle est d'accord.
– Je t'aime, Rachel.
Elle a moins peur, maintenant.
Elle dit qu'elle m'aime, elle aussi.
– Tu fais du bon boulot.
Elle ne voit pas de quoi je veux parler,
alors je lui touche le ventre en souriant.
– Tu fais du bon boulot en le portant. Je suis sûr que tu vas mettre au monde le plus beau des bébés.
Ma candeur la fait rire.
Tu m'aimes tant, Rachel.
Je regarde cette fille à qui j'ai livré mon cœur en me demandant ce qui me donne droit à tant de chance.
Je me demande pourquoi elle m'aime autant que je l'aime.
Je me demande ce que mon père dira
quand il sera au courant pour nous.
Je me demande si Lisa ne va pas me détester.
Si elle ne va pas vouloir ramener Rachel à Phoenix.
Je me demande comment les convaincre
que c'est toujours ça.
– Comment on va l'appeler ? lui dis-je.
Elle aime bien que je lui pose cette question.
Elle aime parler de noms.
Elle dit que si c'est une fille, elle a envie de l'appeler Claire.
Comme sa grand-mère.
Je réponds que j'aimerais connaître sa grand-mère. J'ai envie de connaître la femme dont ma fille portera le prénom.

Rachel me dit que sa grand-mère m'aurait bien aimé.
Et je réponds que j'aime le prénom de Claire.
Avant de demander :
– Et si c'est un garçon ?
– Tu n'as qu'à choisir le prénom du garçon.
Je lui dis que c'est une sacrée responsabilité.
Qu'il va devoir vivre toute sa vie avec ce prénom.
– Alors choisis-en un bon, répond-elle.
Je dois en choisir un bon.
– Un prénom qui signifie quelque chose pour toi, ajoute-t-elle.
Un qui signifie quelque chose pour moi.
Je lui réponds que j'en ai un parfait.
Elle veut le connaître. Je rétorque que je ne le lui dirai pas.
Qu'elle ne le connaîtra qu'une fois que le bébé le portera.
Une fois qu'il sera né.
Elle me traite de fou. Assure qu'elle refuse de donner naissance à un bébé avant de connaître son nom.
Je ris. Elle n'a pas le choix.
Elle me traite de fou.
C'est ce que tu aimes en moi, Rachel.

21

TATE

J'ai travaillé tout le week-end, et n'ai donc pas vu Miles depuis jeudi soir. Je ne lui ai pas parlé non plus. Je me répète que ça va, mais je sais très bien que c'est faux, si je me fie à l'angoisse qui me ronge. Ce lundi soir, c'est le premier des trois jours d'absence de Corbin. Miles, lui, *sera là*. Il sait forcément que mon frère est parti, mais si je me base sur la façon dont on s'est quittés jeudi dernier, je doute qu'il y attache une grande importance. Je m'attendais plus ou moins à ce qu'il me dise si j'avais commis une erreur ou qu'il m'explique au moins ce qui l'avait mis dans cet état. Mais aux dernières nouvelles, j'en suis restée à cette porte qu'il m'a claquée au nez.

En tout cas, je comprends pourquoi il n'a pas eu de liaison depuis six ans. Il n'a visiblement aucune idée de la façon dont un garçon doit traiter une fille. Ce qui m'étonne, parce que j'avais senti en lui quelqu'un de plus respectueux. Pourtant, son attitude semble contredire l'idée que je me faisais de lui. À croire que des fragments de celui qu'il était ont imprégné celui qu'il essaie de devenir.

Si un autre homme m'avait traitée comme ça, ç'aurait été pour la première et dernière fois. Je ne tolérerai pas ce que j'ai vu de nombreuses amies supporter. Pourtant, je crois que je continue à lui trouver mille excuses, comme si quoi que ce soit pouvait justifier son attitude de la semaine dernière.

Je commence à craindre de n'être finalement pas si coriace que ça.

Cette crainte est immédiatement confirmée par mes battements de cœur dès que je sors de l'ascenseur. J'aperçois un mot collé à la porte de mon appartement, je me précipite pour l'enlever. Ce n est qu'un morceau de papier plié, sans destinataire écrit dessus. Je l'ouvre : *Je dois aller faire une course. Je passerai te prendre à dix-neuf heures si tu veux bien venir avec moi.* Je relis plusieurs fois le message. Ça provient évidemment de lui et c'est évidemment pour moi, mais le ton en est tellement désinvolte que j'en arrive à douter que ce fichu jeudi ait jamais existé.

Pourtant si. Et Miles sait très bien comment s'est achevée cette soirée. Il sait forcément que ça m'a rendue folle, de tristesse ou juste de colère. Mais cette note n'en laisse rien transparaître.

J'ouvre ma porte et entre chez moi de peur de me jeter sur la sienne en hurlant.

Je pose mes affaires et relis encore son mot, vérifiant chaque détail de l'écriture, chaque choix de mot. Furieuse, je finis par le chiffonner en boule et le jette à travers la cuisine.

Je suis furieuse parce que je sais déjà que je vais y aller.

Je ne vois pas comment je trouverais la force de refuser.

À dix-neuf heures pile, on frappe doucement à la porte. Sa ponctualité m'exaspère, alors que je n'ai aucune raison pour ça. Pourquoi m'en prendre à sa rigueur ? J'ai l'impression que tout ce que Miles va faire ce soir aura le don de me mettre en rogne.

Je vais lui ouvrir.

Il est là, sur le palier, à quelques pas de moi ; d'ailleurs peut-être un peu plus près de son appartement que du mien. Il regarde ses chaussures mais finit par lever les yeux vers moi. Il a les mains dans les poches, comme toujours, et il ne redresse pas complètement la tête. Je prends ça comme un signe de soumission, alors que ce n'est sûrement pas le cas.

– Tu veux venir ?

Sa voix m'envahit. M'affaiblit. Me liquéfie de nouveau. Je sors sur le palier en hochant la tête, ferme la porte derrière moi, me retourne vers lui. Il désigne l'ascenseur, comme pour dire qu'il va me suivre. Je tâche de déchiffrer l'expression de ses yeux, comme si j'en avais soudain le pouvoir.

J'appuie sur le bouton.

Miles est à côté de moi, mais ni l'un ni l'autre n'articulons un mot et l'ascenseur met des siècles à venir. Quand les portes s'ouvrent enfin, j'éprouve un véritable soulagement. Qui ne dure pas. Dès la fermeture des portes, on ne respire plus.

Je sens bien qu'il me regarde, mais je ne réagis pas.

Je ne peux pas.

Je dois être idiote. J'ai encore envie de pleurer. Je suis là, j'ignore totalement ce qui va se passer, je m'en veux de m'être ainsi laissé entraîner.

– Désolé.

Il a parlé d'une voix faible mais je n'en reviens tout de même pas d'avoir entendu ça.

Je ne le regarde pas. Je ne réponds même pas.

En trois pas, il se plante derrière moi et appuie sur le bouton pour arrêter la cabine. Je sens ses yeux posés sur moi. Mes mâchoires se crispent, mais je ne lève pas la tête.

Pas question.

– Tate, reprend-il, je suis désolé.

Il ne me touche pas, et pourtant il m'envahit. Il se tient si près de moi que je sens son souffle ; je le crois sincère, mais je ne vois même pas ce que je devrais lui pardonner. Il ne m'a jamais rien promis d'autre qu'une relation charnelle, et c'est exactement ce qu'il m'a donné.

Des rapports physiques. Ni plus ni moins.

– Désolé, dit-il encore. Tu ne méritais pas ça.

Cette fois, il me soulève le menton, mais ce contact ne me crispe que davantage. Je fais tout ce que je peux pour conserver mon calme, j'ai tant de mal à lutter contre mes larmes.

Revoilà l'étincelle qui illuminait son regard lorsqu'il m'a embrassée, jeudi, à sa porte. Ce non-dit qu'il aimerait pouvoir exprimer en paroles, mais les seuls mots qui franchissent ses lèvres sont des excuses.

Il frémit, comme s'il éprouvait une douleur physique, en posant son front sur le mien.

– Désolé.

Appuyant les paumes sur les parois de la cabine, il se penche vers moi, jusqu'à ce que nos poitrines se touchent. Les bras le long du corps, les yeux clos, j'ai maintenant envie de pleurer, mais je me l'interdis devant lui. Je ne suis pas sûre de savoir pourquoi il s'excuse. Pour avoir entamé avec moi une relation qui allait forcément mal se terminer ? Pour ne pas avoir pu s'ouvrir sur son passé ? Pour ne pas avoir pu s'exprimer sur son avenir ? Pour m'avoir détruite quand il m'a claqué au nez la porte de sa chambre ?

D'un geste, il m'attire contre lui, posant sa joue sur ma tête.

– Je ne sais pas ce qui se passe, Tate. Mais je jure que je ne voulais pas te faire de mal. Je ne sais pas ce qui m'a pris.

Cette fois, ces excuses me donnent envie de le serrer dans mes bras. Saisissant les manches de sa chemise, j'appuie le visage contre son torse. On reste ainsi plusieurs minutes, complètement perdus, l'un et l'autre, dans cette situation inconnue.

Complètement paumés.

Il finit par me lâcher et appuie sur le bouton du rez-de-chaussée. Je n'ai toujours pas ouvert la bouche, parce que je ne sais pas quoi dire dans une telle situation. Quand l'ascenseur s'arrête, Miles me prend par la main et m'entraîne jusqu'à sa voiture, m'ouvre la portière, attend que je sois assise pour la fermer puis contourne le véhicule pour venir s'installer derrière le volant.

C'est la première fois que j'entre dans sa voiture.

Sa simplicité me surprend. Je sais que Corbin gagne pas mal d'argent et aime le dépenser dans de belles choses.

Tandis que cette voiture est plutôt discrète. À son image.

Il sort du parking et on roule en silence. J'en ai marre de cette atmosphère, alors je lui sors la première phrase qui me vient à l'esprit.

– On va où ?

Ma voix semble le tirer de sa confusion, car il pousse un soupir, comme s'il était soulagé de l'entendre.

– À l'aéroport. Pas pour travailler, rassure-toi. Je m'y rends parfois pour regarder décoller les avions.

En même temps, il me prend la main. Ça me réconforte, mais ça me fait également peur. Sa paume tiède me donne envie de me réfugier contre son corps et c'est précisément cette idée qui me donne le trac.

On ne dit plus un mot jusqu'à l'arrivée. Il entre sans hésitation dans les zones réglementées, suivant un chemin qu'à l'évidence il connaît par cœur. Finalement, on se gare dans un parking qui donne sur la piste d'envol.

Plusieurs avions s'y suivent en file. Miles m'en indique un qui commence à accélérer et passe devant nous dans un tel bruit qu'il emplit la voiture. On le regarde tous deux décoller, jusqu'à ce que le train d'atterrissage disparaisse et que l'appareil soit avalé par la nuit.

La tête encore dehors, je demande à Miles :

– Tu viens souvent ici ?

Il éclate d'un rire si spontané que je me tourne vers lui.

– Tu me dragues, là ? demande-t-il en souriant. Oui, je viens souvent.

Je me rends alors compte que les choses ont changé entre nous. Quelque chose d'énorme. Et j'ignore si c'est bon ou mauvais. Il m'a amenée ici parce qu'il veut parler.

Sauf que je ne sais pas de quoi.

– Miles.

J'ai envie qu'il me regarde encore, mais il n'en fait rien.

– Ce n'est pas sympa, marmonne-t-il. Notre relation.

Je n'aime pas cette phrase. J'ai envie qu'il la ravale, parce que j'ai l'impression qu'il m'exclut d'office. Mais il a raison et j'acquiesce :

– Je sais.

– Si on n'arrête pas, ça sera encore pire.

Cette fois, je ne réponds pas. Bien sûr qu'il dit vrai, mais je n'ai pas envie d'arrêter. À l'idée de ne plus être avec lui, je sens mon cœur se briser. Je finis par demander :

– Qu'est-ce que j'ai fait pour te mettre dans cet état ?

Il me jette un regard tellement glacial que j'ai du mal à le reconnaître.

– C'est ma faute, Tate. Surtout ne va pas croire une seconde que tu sois pour quelque chose dans mes problèmes.

Je trouve un peu de réconfort dans cette réponse, même si je ne comprends toujours pas ce lui est arrivé. On reste les yeux dans les yeux, à attendre que l'autre rompe le silence.

Je ne sais pas quel malheur il a vécu, mais ça a dû être épouvantable s'il n'en est toujours pas remis six ans après.

– Tu te conduis comme si on avait tort de tenir l'un à l'autre.

– C'est peut-être le cas, réplique-t-il.

J'ai envie qu'il arrête de parler, maintenant, parce que tout ce qu'il dit m'attriste et m'embrouille encore plus.

– Alors, dis-je, tu m'as amenée ici pour rompre ?

Il pousse un énorme soupir.

– Je voulais juste qu'on passe de bons moments, mais... je crois que tu attends autre chose de moi. Je ne veux pas te faire de mal, et si on continue... je t'en ferai.

Il se détourne vers sa vitre.

J'ai envie de frapper quelque chose mais, à la place, je me passe les mains sur le visage et les laisse retomber lourdement contre mon dossier. Je n'ai jamais rencontré quelqu'un qui pouvait en dire si peu en tant de phrases. Il possède à fond l'art du faux-fuyant.

– Tu dois m'en donner plus que ça, Miles. Ne serait-ce qu'une explication. Qu'est-ce qui t'est arrivé, à la fin ?

Sa mâchoire se crispe, aussi fermement que son poing sur le volant.

– Je t'avais demandé deux choses : pas de question sur mon passé, ne pas espérer de futur. Là, tu fais les deux.

– Oui, Miles. Tu as raison. C'est parce que je tiens à toi, et je sais que tu tiens à moi et, quand on est ensemble, c'est phénoménal ; ça se passe comme ça chez les gens normaux. Quand ils trouvent quelqu'un avec qui ils sont compatibles, ils s'ouvrent à lui, ils ont envie de se réunir. Ils ne baisent pas sur la table de la cuisine pour ensuite se barrer comme une merde.

Rien.

Il ne me donne rien du tout.

Pas la moindre réaction.

Il redémarre la voiture.

– Tu avais raison, finit-il par dire en manœuvrant pour sortir du parking. Heureusement qu'on n'était pas amis avant. Ça aurait rendu les choses encore plus difficiles.

Je me détourne parce que ma propre colère en devient gênante. D'autant que j'en souffre, comme pour tout ce qui le concerne. Parce que je sais combien on peut passer de bons moments ensemble, au point que les mauvais devraient s'effacer d'eux-mêmes pour peu qu'on essaie de les combattre.

– Tate, lâche-t-il d'un ton plein de remords.

J'ai envie de lui arracher les mots de la gorge.

Sa main se pose sur mon épaule ; la voiture s'est arrêtée.

– Tate, ce n'est pas ce que je voulais.

Je le repousse.

– Arrête ! Soit tu reconnais que tu ne me désires pas juste physiquement, soit tu me ramènes à la maison.

Il ne dit rien. Il analyse peut-être mon ultimatum.

Reconnais-le, Miles. Reconnais-le, je t'en prie !

Il redémarre.

– À quoi t'attendais-tu, au juste ? me demande Cap'taine en me tendant un autre mouchoir.

Quand Miles et moi sommes arrivés à notre immeuble, je n'ai pas supporté l'idée d'entrer avec lui dans l'ascenseur. Alors, je me suis assise à côté de Cap'taine pour le laisser monter seul. Malgré mon attitude intraitable face à Miles, je m'effondre complètement en racontant à Cap'taine ce qui s'est passé. Qu'il ait envie de l'entendre ou non.

Je m'essuie encore le nez et envoie le mouchoir rejoindre la pile déjà entassée à mes pieds.

– Je délirais, dis-je. Je me disais que je saurais tenir le choc. Je croyais qu'en le laissant prendre son temps, je finirais par le convaincre.

Cap'taine va chercher une corbeille et la place entre nous pour que j'aie un endroit où jeter mes mouchoirs.

– Si se garçon ne voit pas ce qu'il pourrait partager de beau avec toi, maugrée-t-il, alors il ne vaut pas la peine que tu te donnes du mal pour lui.

Je suis bien d'accord. J'ai beaucoup mieux à faire de mon temps. Mais, pour des raisons obscures, j'ai l'impression que

Miles peut voir les bienfaits qu'il aurait à tirer de notre relation, seulement quelque chose qui nous dépasse tous les deux le retient. Et j'aimerais bien savoir ce que c'est.

– Je t'ai raconté ma blague préférée ? demande Cap.

Je fais non de la tête et sors un autre mouchoir de la boîte qu'il me présente, soulagée qu'il change de sujet.

– Toc, toc, lance-t-il.

Je ne m'attendais pas à ce que sa blague favorite soit une blague « toc-toc », mais je n'en réponds pas moins : « Qui est là ? »

– Une vache qui coupe la parole, dit-il.

– Qui coupe la...

– Meeeuuuh ! crie-t-il en me coupant la parole.

Je le regarde.

Et je ris.

Voilà longtemps que je n'avais pas ri si fort.

22

MILES

SIX ANS PLUS TÔT

Mon père dit qu'il veut nous parler.
Il me prie d'amener Rachel et de les retrouver, avec Lisa,
dans la salle à manger. Je m'empresse de répondre
que nous avons aussi quelque chose à leur dire.
Une lueur de curiosité lui éclaire brièvement le regard.
Il pense de nouveau à Lisa, le reste ne l'intéresse guère.
Lisa est son tout.
Je passe dans la chambre de Rachel pour prévenir
mon tout qu'ils veulent nous parler.
Nous nous installons à la table de la salle à manger.
Je sais ce qu'il va dire. Il va nous annoncer qu'il a fait
sa demande en mariage. J'aimerais que ça me soit égal,
mais ce n'est pas le cas. J'aurais préféré qu'il m'en parle
d'abord. Ça m'attriste un peu, mais pas trop. Peu importe,
une fois que nous les aurons mis au courant de notre situation...
– J'ai demandé Lisa en mariage, commence-t-il.

Lisa lui sourit. Il lui sourit.
Rachel et moi ne sourions pas du tout.
– Et voilà, c'est fait, conclut Lisa en montrant son alliance.
Voilà.
C'est.
Fait.
Rachel pousse un petit soupir.
Ils sont déjà mariés.
Ils ont l'air heureux.
Ils nous interrogent du regard, attendent notre réaction.
Lisa s'inquiète. Elle n'aime pas voir sa fille si bouleversée.
– Ma chérie, on s'est décidés à l'improviste.
On était à Las Vegas. On ne voulait pas d'un grand mariage.
Je t'en prie, ne le prends pas mal !
Rachel fond en larmes. Je lui passe un bras sur l'épaule
pour essayer de la consoler. J'ai envie de l'embrasser pour
la rassurer, mais mon père et Lisa ne comprendraient pas.
Il faut que je leur explique.
Mon père ne voit pas pourquoi Rachel se met dans cet état.
– Je ne pensais pas que ça vous poserait problème,
explique-t-il. Vous partez à l'université dans quelques mois.
Il croit qu'on lui en veut à mort.
– Papa ? dis-je sans lâcher Rachel. Lisa ?
Je les regarde tous les deux.
Je bousille leur journée.
Bousille.
– Rachel est enceinte.
Silence.
Silence.
Silence.
SILENCE DE MORT.
Lisa est en état de choc.
Mon père essaie de la réconforter,
lui passe une main dans le dos.

– Tu n'as même pas de petit ami, fait-elle remarquer à sa fille.
Rachel se tourne vers moi.
Mon père se lève. Furieux.
– Qui a fait ça ? hurle-t-il. Dis-moi qui est le coupable, Miles.
Quel genre de mec faut-il être pour engrosser une fille sans
avoir les couilles de l'accompagner quand elle l'avoue à sa
propre mère ? Quel genre de mec laisserait son frère
se charger de l'annoncer ?
– Je ne suis pas *son frère,* dis-je.
Absolument pas.
Sans tenir compte de mon commentaire,
il va et vient à travers la cuisine, bouillant de haine
contre celui qui a fait ça à Rachel.
– Papa, dis-je en me levant.
Il s'arrête. Se retourne vers moi.
– Papa...
Tout d'un coup, je me sens nettement
moins sûr de moi que quand je me suis assis ici.
C'est à nous.
– Papa, c'est moi. C'est moi qui l'ai mise enceinte.
Il a du mal à avaler ces paroles.
Lisa nous regarde l'un après l'autre, Rachel et moi.
Elle non plus n'avale pas ce que je viens de dire.
– C'est pas possible ! articule mon père.
J'attends qu'il digère.
Son expression passe de l'incompréhension à la colère.
Il me regarde comme si je n'étais plus son fils,
mais le type qui a engrossé sa nouvelle belle-fille.
Il me déteste.
Il me déteste.
Il me déteste *vraiment.*
– Dégage de cette maison !
Je regarde Rachel. Elle me prend la main en secouant la tête,
m'implorant silencieusement de ne pas partir.

– Va-t'en ! crie-t-il encore.
Il me déteste.
Je dis à Rachel que je vais partir.
– Juste pour un temps.
Elle me supplie de ne rien en faire. Mon père contourne
la table et me bouscule, me pousse vers la porte.
Je lâche la main de Rachel.
– Je serai chez Ian, lui dis-je. Je t'aime.
Paroles qui achèvent de mettre mon père en furie,
car son poing me tombe dessus. Il recule aussitôt le bras,
l'air aussi stupéfait que moi.
Je sors et il claque la porte.
Mon père me déteste.
Je gagne ma voiture, ouvre la portière, m'assieds au volant
mais ne démarre pas. Je me regarde dans le rétroviseur.
Ma lèvre saigne.
Je déteste mon père.
Je ressors, claque la portière, retourne vers la maison.
Mon père se précipite vers l'entrée. Je lève les mains.
Je ne veux pas le frapper mais je le ferai
s'il me touche encore, je le jure.
Rachel n'est plus assise à la table.
Elle est retournée dans sa chambre.
– Désolé, dis-je. On ne voulait pas que ça se passe comme ça,
mais c'est arrivé et, maintenant, on doit faire avec.
Lisa pleure. Mon père la serre dans ses bras. Je regarde Lisa.
– Je l'aime, lui dis-je encore. Je suis amoureux de votre fille.
Je m'occuperai d'eux.
C'est à nous.
Lisa n'arrive même pas à me regarder.
Ils me détestent tous les deux.
– C'est arrivé avant même que je vous connaisse, Lisa
Je l'ai rencontrée avant de savoir que vous sortiez
avec mon père, et on a bien essayé d'y mettre un terme.

Mensonge, mensonge.

Mon père s'avance vers moi.

– Depuis le début ?

Ça dure depuis qu'elle a commencé à vivre ici ?

– Et même avant.

Il ne m'en déteste que davantage. Il a encore envie de me frapper, mais Lisa le retient. Elle lui promet qu'ils vont trouver une solution. Que ça ira.

– C'est trop tard pour ça, dis-je à Lisa. Il est trop avancé.

Sans attendre que mon père me frappe de nouveau, je me précipite vers la chambre de Rachel et ferme la porte derrière moi. Elle s'est levée et, m'entourant de ses bras, se remet à pleurer dans ma chemise.

– Bon, dis-je. Le plus dur est fait.

Elle pleure et rit à la fois, m'assure que le plus dur n'est pas fait du tout. Que le plus dur sera de mettre cet enfant au monde.

Je ris.

Je t'aime tant, Rachel.

– Je t'aime tant, Miles, murmure-t-elle.

23

TATE

Tu me manques tant, Miles.

C'est ce genre de pensée que j'essaie de noyer dans le chocolat. Voilà trois semaines qu'il m'a ramenée chez moi. Voilà trois semaines que je n'ai plus posé les yeux sur lui. Noël est arrivé puis passé, mais je m'en suis à peine aperçue parce que j'étais constamment de garde. Depuis deux jeudis soir de match, Miles ne s'est plus manifesté. Le nouvel an est arrivé puis passé. Un nouveau semestre de cours a commencé.

Et Miles manque toujours à Tate.

Je porte en hâte à la cuisine mes pépites de chocolat et mon lait chocolaté pour les cacher à la personne qui vient de frapper à la porte.

Je sais déjà que ce n'est pas Miles. Il s'agit de Chad et Tarryn, les seuls amis que je me sois faits ici, parce que nous faisons partie du même groupe d'étude.

J'ouvre, pour trouver Chad qui m'attend, mais sans Tarryn.

– Où est Tarryn ?

– Elle a été convoquée pour une garde. Elle ne pourra pas venir ce soir.

Je le fais entrer. Au moment où il franchit le seuil, Miles ouvre la porte de son appartement. Il s'immobilise quand nos regards se croisent.

Quelques secondes durant, il me tient captive du sien, jusqu'à ce que son attention se porte sur Chad, derrière moi.

Celui-ci hausse un sourcil, l'air de comprendre qu'il se passe quelque chose, aussi recule-t-il discrètement.

– Je t'attends dans ta chambre, me dit-il.

Très élégant de sa part... il me laisse en tête à tête avec le gars d'en face. En revanche, annoncer qu'il m'attendait dans ma chambre ne pouvait que froisser un Miles qui se replie dans son appartement.

Les yeux baissés vers le sol.

Cette attitude suscite en moi quelques pointes de culpabilité et je dois me rappeler que c'est lui qui l'a voulu ainsi. Je n'y suis pour rien. Même s'il a mal interprété la situation en ouvrant la porte.

Je referme et rejoins Chad dans ma chambre. Le discours d'encouragement silencieux que je me tenais n'a rien fait pour écarter mes remords. Je m'assieds sur le lit tandis qu'il prend le fauteuil du bureau.

– C'était bizarre, dit-il. J'ai un peu peur de te laisser toute seule dans ton appartement, maintenant.

– Ne t'inquiète pas pour Miles. Il a des problèmes, mais ce ne sont plus les miens.

Il se contente de hocher la tête sans en dire davantage. Il ouvre le manuel sur ses genoux en posant les pieds sur le lit.

– Tarryn a déjà pris des notes pour le chapitre deux, alors si tu te charges du trois, je ferai le quatre.

– Ça marche.

Je m'adosse au coussin et passe l'heure suivante à préparer des notes pour le chapitre trois. Mais je me demande comment je parviens à me concentrer, car la seule chose qui m'occupe l'esprit, c'est le regard que m'a lancé Miles avant de fermer sa porte. Visiblement, je l'ai blessé.

Ce qui nous met à égalité, quelque part.

Une fois que Chad et moi avons échangé nos notes et répondu aux questions à la fin de chaque chapitre, je fais des copies sur mon imprimante. En nous partageant ainsi le travail à trois, on triche quelque peu, mais qui s'en soucie ? Et puis je n'ai jamais prétendu être parfaite.

Dès qu'on a terminé, je raccompagne Chad. Je le sens un rien nerveux au souvenir du regard que m'a jeté Miles, alors j'attends qu'il entre dans l'ascenseur avant de fermer ma porte. À vrai dire, j'étais moi-même un peu inquiète.

Je vais à la cuisine me préparer de quoi grignoter. Pas la peine de prévoir quelque chose d'élaboré, puisque Corbin ne va pas rentrer avant tard dans la nuit. J'en suis encore à remplir mon assiette quand j'entends quelqu'un frapper à la porte d'entrée et l'ouvrir dans la foulée.

Miles est le seul à frapper sur une porte tout en l'ouvrant.

Calme-toi.

Calme-toi, calme-toi, calme-toi.

Calme-toi, bon sang, Tate !

– C'était qui ? demande Miles derrière moi.

Je ne me retourne même pas. Je continue ma petite préparation comme si sa présence après des semaines de silence ne m'emplissait pas d'une tempête d'émotions. Où domine la colère.

– Il est dans ma classe, dis-je. On travaillait.

Je sens sa tension s'apaiser alors que je lui tourne toujours le dos.

– Pendant trois heures ?

Cette fois, je fais volte-face, mais les jurons que j'ai envie de hurler se bloquent dans ma gorge quand je le vois. Il se tient à l'entrée de la cuisine, agrippant le chambranle au-dessus de sa tête. Visiblement, il n'a pas travaillé depuis des jours, car il porte une barbe naissante. Il est pieds nus et sa chemise s'est soulevée avec ses bras, laissant apparaître la naissance de ses hanches.

Je commence par le dévisager.

Après quoi, je crie :

– Et puis si j'ai envie de m'envoyer un mec dans ma chambre pendant trois heures, ça ne regarde que moi ! Tu n'as strictement rien à dire sur ce qui se passe dans ma vie. Je n'ai rien à voir avec les abrutis de ton espèce qui se noient dans leurs problèmes.

Je mens, bien sûr. J'aimerais participer à tout ce qui le préoccupe. Je voudrais m'y immerger, devenir ses problèmes, alors que je joue les filles indépendantes, les fortes têtes qui ne vont pas chanceler dès qu'un garçon leur plaît.

Le souffle court, il fronce les sourcils, puis se précipite vers moi, me prend le visage entre ses paumes pour m'obliger à le regarder.

Il a l'air dans tous ses états à l'idée que je m'en tire finalement sans mal. Il m'observe, attend quelques secondes avant de parler. Ses pouces me caressent les pommettes, ses mains restent douces et protectrices, et je m'en veux de souhaiter aussitôt les sentir partout sur mon corps. Je déteste ce qu'il me fait devenir.

– Tu couches avec lui ? finit-il par me demander, les yeux dans les yeux.

Ça ne te regarde pas, Miles.

– Non, dis-je.

– Tu l'as embrassé.

Ça ne te regarde toujours pas, Miles.

– Non.

Il ferme les paupières, pousse un soupir de soulagement, abaisse les mains sur le bar, de chaque côté de moi, appuie le front sur mon épaule.

Il ne me pose pas d'autre question.

Il souffre, mais je ne sais vraiment pas quoi faire pour lui. Lui seul peut changer ce qui se passe entre nous et, pour autant que je sache, ça n'est pas dans ses intentions.

– Tate, murmure-t-il d'une voix cassée.

Son visage se loge dans mon cou, sa main me prend la taille.

– Bon sang, Tate !

Son autre main me soutient la tête tandis qu'il promène les lèvres sur ma peau.

– Qu'est-ce que je fais ? marmonne-t-il. Putain, qu'est-ce que je fais ?

À mon tour, je ferme les yeux, incapable de supporter la gêne et la douleur que j'entends dans sa voix. Je secoue la tête. Parce que je ne sais pas quoi répondre à une question dont je ne connais même pas l'énoncé. Et aussi parce que je ne sais pas comment le repousser physiquement.

Ses lèvres se posent juste au-dessous de mon oreille et j'ai à la fois envie de l'étreindre et de l'envoyer promener aussi loin que possible. Comme sa bouche continue de parcourir ma peau, je sens mon cou s'incliner pour mieux s'offrir à lui. Ses doigts se perdent dans mes cheveux, il me retient pour que je cesse de remuer sous ses baisers.

– Mets-moi dehors, demande-t-il contre ma gorge. Je ne veux pas te faire ça.

Et il remonte irrésistiblement sur mon cou, ne se permettant de respirer que quand il parle.

– Je ne peux pas m'empêcher de te désirer, Tate. Dis-moi de m'en aller et je m'en irai.

Je ne lui dis rien de tout cela.

– Je ne peux pas.

Je tourne le visage vers le sien alors qu'il arrive à hauteur de ma bouche, et là, je l'attrape par sa chemise, l'attire contre moi tout en sachant exactement ce que je m'inflige. Je sais que cette fois ne s'achèvera pas mieux que la précédente. Mais je désire quand même continuer.

Il marque une pause, me jette un regard sombre.

– Je ne peux pas te donner davantage que ça, souffle-t-il en guise d'avertissement. Je ne peux pas.

Je lui en veux de dire ça mais ne l'en respecte pas moins.

Je réponds en l'attirant plus près de moi, jusqu'à ce que nos lèvres se rejoignent. On ouvre la bouche exactement au même moment et on se dévore pratiquement l'un l'autre. Dans une sorte d'affolement, on se tiraille, on s'arrache la peau en gémissant.

Et je dois me rappeler qu'il ne s'agit que de sexe. Rien de plus. Il ne me donnera rien de lui.

J'aurai beau me dire que ça me suffit, je ne peux m'empêcher de prendre, d'en prendre autant que je peux. En déchiffrant chacun des sons qu'il émet, chacun de ses gestes, en essayant de me convaincre qu'il m'en donne déjà sans doute beaucoup plus qu'il ne voudrait.

Quelle idiote !

Au moins, je m'en rends compte.

Je déboutonne son jean et il détache mon soutien-gorge ; avant même d'atteindre ma chambre, j'ai perdu mon chemisier. Nos bouches ne se séparent pas un instant alors qu'il ferme la porte derrière nous puis achève de me dénuder en me couchant sur le lit pour m'ôter mon jean.

C'est la course.

Miles et moi qui courons contre tout le reste.

Nos consciences, notre fierté, notre respect, la vérité. Il veut revenir en moi avant que tout ceci ne nous rattrape.

Dès qu'il atteint le lit, il est sur moi, contre moi, en moi.

On a gagné.

Sa bouche retrouve la mienne, mais c'est tout. Il ne m'embrasse pas. Nos lèvres sont collées, nos respirations se heurtent et nos yeux se croisent, mais on ne s'embrasse pas.

Nos bouches font bien autre chose. À chacun de ses mouvements en moi, ses lèvres glissent sur les miennes et ses yeux s'écarquillent, voraces, mais pas une fois il ne m'embrasse.

Un baiser, c'est tellement plus facile que ce que nous faisons là. Quand on embrasse, on peut fermer les yeux. On peut faire un baiser d'adieu à toute pensée. On peut faire un baiser d'adieu à la tristesse, au doute, à la honte. Quand on ferme les yeux pour embrasser, on se protège de toute vulnérabilité.

Là, on ne cherche pas du tout à se protéger.

C'est un affrontement. Une altercation. Un combat les yeux dans les yeux. C'est un défi, que je lui jette et qu'il me jette. *Je te défie d'essayer d'arrêter ça,* voilà ce qu'on se crie silencieusement à la tête l'un de l'autre.

Il va et vient en moi sans me quitter un instant du regard. À chaque poussée, j'entends dans ma tête se répéter ses paroles d'il y a quelques semaines.

On a vite fait de prendre ses sensations, ses émotions, pour ce qu'elles ne sont pas, surtout quand on se regarde dans les yeux.

J'en saisis maintenant tout le sens. Au point que j'aimerais le voir fermer les paupières, car il ne ressent sûrement pas ce que me montre son regard en ce moment.

– Tu me fais tellement de bien, murmure-t-il.

Ces mots me tombent directement dans la bouche, me faisant répondre d'un gémissement. Il abaisse sa main entre nous, comme pour me forcer à renverser la tête en arrière, à clore les paupières.

Sauf que cette fois, je n'ai pas l'intention de reculer. Surtout pas quand il me regarde dans les yeux comme pour contredire ses propres déclarations.

En même temps, c'est une façon de lui déclarer que j'aime ce qu'il me fait. Je ne peux m'empêcher de le lui faire savoir, car je n'arrive plus à contrôler ma voix qui appartient à une fille prête à tout accepter de lui.

– N'arrête pas, dit ma voix de plus en plus sous son emprise.

– Je n'en avais pas l'intention.

Il augmente la pression tant en moi qu'en dehors de moi. Il attrape ma jambe qu'il plie et place entre nos poitrines, ce qui lui offre un angle légèrement différent pour rentrer en moi. L'épaule appuyée contre mon genou, il parvient à me pénétrer encore plus profondément.

– Miles ! Oh, mon Dieu !

Je commence à frémir sous lui et je ne sais pas trop qui des deux se libère le premier mais maintenant, nous nous embrassons. Avec autant de conviction et de vigueur que ses poussées en moi.

Il crie fort. *Je crie encore plus fort.*

Je tremble. *Il tremble encore plus fort.*

Il est à bout de souffle. *J'inhale assez d'air pour nous deux.*

Dans une dernière pression, il me plaque de tout son poids contre le matelas.

– Tate, halète-t-il tandis que son corps se remet peu à peu de ses spasmes. Putain, Tate !

Lentement, il se retire, pose la joue sur ma poitrine.

– Merde que c'était bon ! Ça. Nous. Trop bon.

– Je sais.

Il roule sur le côté en gardant le bras sur moi. On reste un moment allongés sans rien dire.

Moi – qui ne veux pas reconnaître que je l'ai encore laissé se servir de moi.

Lui – qui ne veut pas reconnaître que c'était plus qu'un simple rapport physique.

On se ment tous les deux l'un à l'autre.

– Où est Corbin ? demande-t-il.

– Il va rentrer dans la nuit.

Il soulève la tête, l'air soudain anxieux.

– Il faut que j'y aille.

Il descend du lit, enfile son jean.

– Tu passeras plus tard ?

À mon tour, je me lève et m'habille.

– Tu peux aller me chercher mon chemisier dans la cuisine ?

J'enfile mon soutien-gorge et le ferme.

Miles ouvre la porte de ma chambre mais il ne sort pas. Il s'arrête sur le seuil. Comme s'il faisait face à quelqu'un.

Merde.

Inutile de vérifier pour savoir que c'est Corbin. Je me précipite vers la porte et découvre en effet mon frère dans le couloir, qui fusille Miles du regard.

Je prends aussitôt l'initiative.

– Corbin, avant de dire quoi que ce soit...

Il lève une main pour me faire taire, pose les yeux sur mon soutien-gorge et frémit, comme s'il espérait encore s'être trompé sur ce qu'il avait entendu. Comme il se détourne, je me couvre des bras, gênée qu'il ait eu droit à de tels bruitages. Il contemple Miles d'un air aussi furieux que déçu.

– Depuis quand ?

– Ne réponds pas, Miles ! dis-je.

Je voudrais juste qu'il s'en aille. Mon frère n'a pas le droit de l'interroger ainsi. C'est ridicule.

– Longtemps, dit Miles d'un ton gêné.

Corbin déglutit, comme pour digérer la nouvelle.

– Tu aimes ma sœur ?

Miles et moi échangeons un regard. Puis il revient sur Corbin, l'air de chercher à qui des deux il tient à faire le plus plaisir.

En tout cas, le lent mouvement négatif de sa tête ne nous plaît ni à l'un ni à l'autre.

– Tu comptes au moins y arriver ? insiste Corbin.

J'observe toujours Miles qui a l'air aussi perplexe que si on l'interrogeait sur le sens de la vie. Et je crois que j'ai encore plus envie que mon frère d'entendre sa réponse.

Dans un soupir, Miles fait encore non de la tête.

– Non, murmure-t-il.

Non.

Il n'a aucune intention de m'aimer.

Je connaissais la réponse. Je m'y attendais. Pourtant, elle me fait encore un mal atroce. Le fait qu'il ne puisse mentir, ne serait-ce que pour plaire à Corbin, prouve qu'il n'est pas en train de jouer la comédie.

Miles est ainsi. Incapable d'amour. Du moins plus capable...

Corbin pousse un profond soupir avant de poser sur Miles un regard chargé de mille flèches. Jamais je ne l'avais vu dans un tel état de colère.

– Alors, tu viens juste de sauter ma sœur ?

Je m'attends à voir Miles flancher sous le coup, mais, au contraire, il s'avance vers Corbin.

– C'est une grande fille.

À son tour, Corbin se rapproche de lui :

– Fous le camp.

Miles me jette un coup d'œil rempli d'excuses et de regret. Je ne sais trop s'il s'adresse à moi, en tout cas il obéit à Corbin.

Il s'en va.

Je n'ai pas quitté le seuil de ma chambre, dévisageant mon frère comme si je pouvais foncer vers lui pour le tabasser.

Ce qui n'a pas l'air de le démonter.

– Ne t'avise pas de me dire que je n'ai pas le droit d'être énervé Tate.

Là-dessus, il entre dans sa chambre et claque la porte derrière lui.

Je cligne des yeux pour chasser mes larmes de rage envers Corbin, mes larmes de chagrin envers Miles. Mes larmes de honte envers mes choix stupides. Je refuse de pleurer à cause d'eux.

Je vais chercher mon chemisier dans la cuisine, l'enfile, sors de l'appartement pour aller chez Miles qui m'ouvre aussitôt.

Il jette un coup d'œil derrière moi comme pour vérifier que Corbin ne m'a pas suivie, puis recule et me laisse passer.

– Il s'en remettra, lui dis-je quand il a refermé la porte.

– Je sais. Mais ce ne sera plus pareil.

Il va s'asseoir dans le canapé du salon, alors je le suis. Je ne réponds pas, car il a raison. Ses relations avec Corbin ne seront plus jamais ce qu'elles étaient. Je me sens nulle d'en être la cause.

Dans un soupir, il me prend la main, la pose sur ses genoux, emmêle nos doigts.

– Tate, je suis désolé.

– Pourquoi, au juste ?

J'ignore pourquoi je fais comme si je ne voyais pas ce qu'il a voulu dire. Forcément, je le sais très bien.

– Quand Corbin a demandé si je comptais t'aimer. Désolé de ne pas avoir dit oui. Mais je ne voulais pas vous mentir, ni à toi ni à lui.

– Tu as toujours été honnête sur ce que tu attendais de moi, je ne peux pas te le reprocher.

Dans un soupir, il se lève et se met à faire les cent pas. Et moi je reste assise, à le regarder rassembler ses idées. Finalement, il s'arrête, croise les mains derrière la tête.

– Je n'avais pas le droit de t'interroger sur ce type, non plus. Je ne veux pas que tu me poses des questions sur ma vie, alors je n'ai pas le droit de t'en poser sur la tienne.

Comment réfuter une telle logique ?

– Seulement, je ne sais pas vraiment ce qui se passe entre nous.

Il revient vers moi et je me lève. Il me prend les épaules en me serrant contre lui.

– Je ne connais aucune manière facile ni même polie de te dire ça, Tate, mais je n'ai répondu que la vérité à Corbin. Jamais plus je n'aimerai quelqu'un. Je trouve que ça n'en vaut pas la peine. Sauf que ça me rend injuste envers toi. Je sais que je te blesse, et je le regrette. Parce que j'aime être avec toi ; seulement, chaque fois, j'ai peur que tu y attaches trop d'importance.

Je sais que je devrais réagir à tout ce qu'il vient de dire, mais j'en suis encore à essayer d'assimiler le sens profond de ses paroles. Je devrais y voir partout un drapeau rouge, pourtant, ce drapeau ne se lève pas.

Je ne vois qu'un feu vert.

– C'est moi, particulièrement, que tu ne veux pas aimer, ou est-ce juste que tu ne veux plus éprouver d'amour en général ?

Il me détache de lui afin de me répondre les yeux dans les yeux.

– Je refuse de retomber amoureux, Tate. À jamais. Tout ce que je veux, particulièrement, c'est toi.

Je tombe amoureuse de cette réponse, je la déteste, je l'adore.

Je suis sens dessus dessous. Tout ce qu'il dit devrait me faire fuir, alors que ça me donne envie de le serrer dans mes bras et de lui offrir tout ce qu'il voudra. Je lui mens, je me mens, je nous fais du mal, mais je ne peux retenir les mots qui me coulent de la bouche.

– Je suis d'accord tant que ça restera simple, lui dis-je. Quand tu as déconné l'autre semaine en me claquant la porte au nez, ça n'avait rien de simple, Miles. Tu ne faisais alors que compliquer les choses.

L'air de réfléchir à ce que je viens de dire, il hoche la tête.

– Si tu veux de la simplicité, je peux faire simple, conclut-il.

– Bon. Et quand ça deviendra trop dur pour l'un de nous, on s'en tiendra là.

– Je ne crois pas que ça deviendra jamais trop dur pour moi. J'ai surtout peur que ça ne le devienne pour toi.

Moi aussi j'ai peur, Miles.

Mais je veux pouvoir rester avec toi, à mes yeux c'est plus important que la façon dont ça se terminera.

Tout d'un coup, je vois se dessiner ce qui pourrait être ma propre loi. On a toujours suivi ses limites à lui, pour le protéger de ma propre faiblesse.

– Je crois que j'ai trouvé la règle que j'aimerais nous fixer, dis-je. Ne me donne aucun espoir d'avenir. D'autant que tu sais, au fond de toi, qu'il n'en existe pas.

Il se crispe aussitôt.

– J'ai fait ça ? demande-t-il d'un ton perturbé. Je t'ai donné de faux espoirs ?

Oui. Il y a encore une demi-heure, quand tu me regardais avec une telle intensité tout le temps que tu es resté en moi.

– Non, dis-je vivement. Mais assure-toi de ne rien faire ou dire qui me fasse croire le contraire. Tant qu'on sait où on va, ça ira.

Il réfléchit encore à ce que je viens de dire.

– Je n'arrive pas à discerner si tu es plutôt mûre pour ton âge ou si, tout simplement, tu ne délires pas un peu.

Je hausse les épaules, préférant garder mes délires pour moi, et réponds :

– Un mauvais mélange des deux, je crois.

Il m'embrasse sur la tempe.

– Ça peut paraître dingue de dire ça tout haut, mais je promets de ne pas te donner de fausses espérances d'avenir, Tate.

Mon cœur se serre, pourtant je parviens à m'arracher un sourire.

– Bon. Parce que tu as quelques problèmes qui font flipper, et qu'un jour, je préférerai tomber amoureuse d'un homme émotionnellement stable.

Il rit. Sans doute parce qu'il sait combien il est difficile de tomber sur quelqu'un capable d'entretenir ce genre de relation, si on peut l'appeler ainsi. Pourtant, en quelque sorte, la fille qui en est capable vient de passer le seuil de son appartement. Et elle lui plaît.

Je te plais, Miles Archer.

– Corbin est au courant, dis-je en prenant ce qui est devenu ma place auprès de Cap'taine.

– Hou là ! lance-t-il. Et le garçon est toujours vivant ?

– Pour le moment, oui. Mais je ne sais pas si ça va durer longtemps.

Les portes de l'entrée s'ouvrent sur Dillon qui entre et ôte son chapeau plein de pluie pour l'agiter tout en se dirigeant vers l'ascenseur.

– Parfois, je rêve que certains avions s'écrasent, marmonne Cap'taine.

Apparemment, il n'aime pas Dillon lui non plus. Au point que je commence à plaindre un peu ce pauvre type.

Celui-ci nous aperçoit au moment où Cap'taine se lève pour lui appeler l'ascenseur, mais Dillon appuie sur le bouton avant lui.

– Je saurai me débrouiller tout seul, mon vieux, lance-t-il.

Il me semble que j'ai eu un moment d'apitoiement tout à l'heure envers Dillon. J'efface immédiatement cette pensée de mon esprit.

Il m'adresse un clin d'œil.

– Qu'est-ce que tu fais là, Tate ?

– Je donne un bain aux éléphants.

Il n'a pas l'air de comprendre cette réponse. Une idée qui me passait par la tête.

– Ne posez pas de questions idiotes si vous n'aimez pas les répliques sarcastiques, lui balance Cap'taine.

Les postes de l'ascenseur s'ouvrent et Dillon lève les yeux au ciel avant d'entrer dans la cabine.

Cap'taine me décoche un large sourire puis lève une paume, et je lui en tape cinq.

♡

24

MILES

SIX ANS PLUS TÔT

– Pourquoi tout est jaune ?

Mon père se tient sur le seuil de la chambre de Rachel, examinant les quelques objets que nous avons récoltés depuis qu'il est au courant de sa grossesse.

– On dirait que Casimir a vomi partout.

Rachel se met à rire. Elle achève de se maquiller devant la glace de la salle de bains. Et moi je la regarde depuis son lit.

– On ne veut pas savoir si c'est une fille ou un garçon, alors on achète des trucs ni roses ni bleus.

Elle répond à sa question comme si elle trouvait ça tout naturel. Ce qui n'est pas le cas, car il n'a jamais parlé du bébé jusque-là. Il ne nous a pas demandé ce qu'on comptait faire. D'habitude, il s'éloigne de la chambre dès qu'il voit que Rachel et moi nous y trouvons.

Lisa ne se conduit pas différemment. Elle n'a pas encore surmonté sa déception ni sa tristesse, donc nous n'insistons pas.

Ça prendra du temps, alors, avec Rachel, nous leur en donnons.
Ces temps-ci, elle n'a que moi pour parler du bébé,
et je n'ai qu'elle ; même si ça semble peu, pour nous,
c'est largement suffisant.
– Combien de temps durera la cérémonie ?
demande mon père.
C'est moi qui lui réponds :
– Pas plus de deux heures.
Il dit qu'on doit y aller.
Je réponds qu'on partira dès que Rachel sera prête.
Elle dit qu'elle est prête.
On part.

– Félicitations, dis-je à Rachel.
– Félicitations, me répond-elle.
Nous avons tous les deux obtenu notre diplôme
il y a trois heures. Maintenant, nous sommes allongés
sur mon lit, à envisager l'étape suivante. Du moins, moi.
– Installons-nous ensemble, dis-je.
Elle rit.
– On vit déjà ensemble, Miles.
– Non, tu vois ce que je veux dire. Je sais qu'on a décidé de s'y
mettre une fois qu'on aura commencé l'université, en août.
Mais je crois qu'on devrait le faire maintenant.
Elle se soulève sur son coude, me regarde comme
si elle tentait de vérifier si je suis sérieux ou non.
– Comment ? Où on irait ?
J'ouvre le tiroir de ma table de nuit.
En tire la lettre que je lui tends.
Elle commence à la lire à haute voix.
Cher Monsieur Archer,
Elle lève de grands yeux vers moi.

Félicitations pour votre inscription de cet été.
Nous avons le plaisir de vous informer que votre demande
de logement familial a été acceptée.
Rachel sourit.
Vous trouverez ci-joint une enveloppe préaffranchie
et les derniers formulaires à remplir à la date indiquée.
Rachel regarde l'enveloppe puis feuillette rapidement
les papiers. Elle reprend la lettre.
Nous attendons la réception de ces formulaires dûment
remplis. Ci-dessous nos coordonnées si vous avez
des questions. Veuillez agréer…
Paige Donahue, Service des inscriptions.
Rachel cache son sourire derrière une main
et repose la lettre avant de se pencher vers moi
et de me prendre dans ses bras.
– Il va falloir déménager maintenant ? demande-t-elle.
J'adore l'excitation que je ressens dans sa voix.
Je lui dis oui. Elle semble soulagée. Elle sait aussi bien que
moi combien les prochaines semaines auraient été pesantes
si on les avait passées dans la maison de nos parents.
– Tu as déjà demandé à ton père ?
Je réponds qu'elle oublie que nous sommes adultes,
maintenant. On n'a plus besoin de demander
leur permission.
On doit juste les informer.
Rachel dit qu'elle veut les informer tout de suite.
Je lui prends la main et nous entrons ensemble dans le salon
pour annoncer à nos parents que nous déménageons.
Tous les deux ensemble.

♡

25

TATE

Voilà plusieurs semaines que Corbin est au courant. Il ne l'a toujours pas accepté, n'en a jamais parlé avec Miles, mais il commence à s'adapter. Il sait ce que je fais, les soirs où je m'en vais sans donner d'explications, pour ne rentrer que des heures plus tard. Il ne me pose pas de questions.

En ce qui concerne Miles, c'est moi qui m'adapte. J'ai dû accepter sa règle, parce qu'il n'admettra jamais qu'on puisse l'enfreindre. Je ne cherche plus à le comprendre et je ne laisse plus les choses se tendre entre nous. On fait exactement ce qu'on a décidé au début, à savoir échanger des rapports charnels.

Beaucoup.

Sous la douche. Dans la chambre. Par terre. Sur la table de la cuisine.

Pourtant, je n'ai jamais passé la nuit avec lui et je souffre parfois encore de voir à quel point il se ferme quand on a fini, mais je n'ai toujours pas trouvé le moyen de lui dire non.

Je sais que j'attends de lui infiniment plus que ce qu'il me donne et qu'il attend de moi beaucoup moins que ce que j'ai envie de lui donner, mais pour le moment, on s'en tient à ce qu'on a dit. J'essaie de ne pas penser à ce qui arrivera le jour où je ne le supporterai plus. J'essaie de ne pas penser à tout ce que je sacrifie en restant avec lui.

J'essaie de ne pas y penser du tout, cependant les idées se succèdent en moi. J'y pense tous les soirs, au lit. J'y pense sous la douche. Pendant les cours, dans le salon, à la cuisine, au travail... Je pense à ce qui va se produire quand l'un de nous deux recouvrera la raison.

– Tate, c'est un surnom, n'est-ce pas ? me demande Miles.

On est au lit. Il vient de rentrer de quatre jours de navigation et, malgré notre accord pour nous en tenir aux rapports charnels, on est encore tout habillés. On ne fait pas l'amour. Il est juste là, à côté de moi, il me pose des questions sur mon nom, et ça me plaît plus que tout.

C'est la première fois qu'il me pose une question un tant soit peu personnelle. Et ça me met mal à l'aise car je sens monter en moi un élan d'espoir, alors qu'il n'a fait que me demander si Tate était un surnom.

– C'est mon deuxième prénom, le nom de jeune fille de ma grand-mère.

– Alors quel est ton prénom ?

– Elizabeth.

– Elizabeth Tate Collins, articule-t-il.

Il fait l'amour à mon nom avec sa voix. Mon nom qui n'a jamais résonné aussi magnifiquement que maintenant, caressé par sa bouche.

– Presque deux fois plus de syllabes que mon nom à moi, observe-t-il. Ça fait beaucoup.

– Quel est ton deuxième prénom ?

– Mikel. Mais les gens se trompent souvent et disent Michael. Ça devient énervant.

– Miles Mikel Archer. Puissant.

Miles se soulève sur un coude en me contemplant d'un air paisible, et il me passe une mèche derrière l'oreille.

– Il s'est passé quelque chose d'intéressant en mon absence, Elizabeth Tate Collins ? s'enquiert-il d'un ton amusé.

Ça ne lui ressemble pas, mais j'aime bien. J'aime beaucoup, même.

– Pas vraiment, Miles Mikel Archer. J'ai surtout fait pas mal d'heures sup.

– Tu aimes toujours ton boulot ?

Ses doigts me parcourent le visage, glissent sur mes lèvres, descendent sur mon cou.

– Oui, beaucoup. Et toi, ça te plaît d'être commandant ?

Je ne fais que lui retourner ses questions. Ainsi, je ne pense pas prendre trop de risques, parce que je sais qu'il ne donnera que ce qu'il veut prendre.

Tout en suivant sa main du regard, il entreprend de déboutonner mon chemisier.

– J'aime mon métier, Tate. Seulement, je n'aime pas partir si souvent, surtout quand je pense que tu te trouves dans l'appartement en face du mien. Ça me donne envie de rester à la maison toute la journée.

J'essaie de me contenir, mais je n'y arrive pas. Ces mots m'arrachent un soupir, même si c'est le soupir le plus paisible du monde.

Il s'en aperçoit quand même.

Nos yeux se croisent en un éclair et je vois qu'il a envie de rétropédaler, de reprendre les paroles qu'il vient de prononcer, parce qu'elles étaient remplies d'espoir. Ça ne lui ressemble pas de dire des choses pareilles. Je sais qu'il va vouloir s'excuser, me rappeler qu'il ne peut m'aimer, qu'il n'avait pas l'intention de me donner ce début de faux espoir.

Ne te reprends pas, Miles. Je t'en prie, laisse-moi ça.

Nos regards se fixent quelques longues secondes. Je ne me détourne pas, guettant l'instant où il va se reprendre. Il a gardé les doigts sur le deuxième bouton de mon chemisier, mais ne les remue plus du tout.

Il se concentre sur ma bouche, puis revient sur mes yeux, puis encore sur ma bouche.

– Tate.

Il murmure mon nom si doucement que je ne suis même pas sûre de l'avoir vu remuer les lèvres.

Je n'ai pas le temps de répondre. Ses mains quittent les boutons de mon chemisier pour parcourir mes cheveux alors qu'il m'embrasse fiévreusement. Il glisse son corps sur le mien et se montre plus intense. Dominateur. Jamais je n'avais rien ressenti de tel dans ses baisers. Cette impression de sentiments. *D'espoir.*

Jusque-là, je ne me doutais pas qu'un baiser pouvait exprimer différentes émotions, au point de devenir parfois l'opposé du précédent. Il m'est arrivé d'éprouver de la passion, du désir, de l'appétit... mais, cette fois, c'est différent.

Ce baiser provient d'un Miles différent, et je sais, au fond de moi, que c'est là *le vrai* Miles. Celui qu'il était avant. Le Miles sur lequel je n'ai pas le droit de l'interroger.

Quand il a terminé, il roule à côté de moi.

Je regarde le plafond.

Tant de questions me défilent dans la tête. Mon cœur s'embrouille. Notre relation n'a jamais été facile. On pourrait croire qu'il n'existait rien de plus facile que de se limiter au sexe, mais, du coup, je m'interroge sur chaque mouvement, chaque parole qui sort de ma bouche. J'en viens à analyser le sens caché du moindre de ses coups d'œil.

Je ne sais même pas ce que je dois faire maintenant. Dois-je rester allongée ici jusqu'à ce qu'il me demande de partir ? Jusqu'ici, je ne suis jamais restée toute la nuit. Dois-je rouler à ses côtés et le prendre dans mes bras en espérant qu'il me retiendra en retour, jusqu'à ce que nous soyons endormis ? J'ai trop peur qu'il me rejette.

Je suis idiote.

Complètement idiote.

Pourquoi ne pas me contenter de sexe, moi aussi ? Pourquoi ne pas juste venir ici, lui donner ce qu'il veut, obtenir ce que je veux, et ciao ?

Je roule sur le côté, m'assieds lentement, reprends mes vêtements, me lève, m'habille. Il me regarde. Tranquille.

J'évite de me retourner vers lui tant que je n'ai pas terminé ni enfilé mes chaussures. Malgré mon envie de revenir au lit avec lui, je me dirige vers la porte et lance :

– À demain, Miles !

J'arrive devant l'entrée de l'appartement. Il ne dit rien. Ne répond pas qu'on se verra demain, ne me dit pas au revoir.

J'espère que son silence signifie qu'il est contrarié de me voir ainsi le quitter.

Je sors, traverse le couloir, rentre chez moi. Corbin regarde la télé. Il tourne la tête en m'entendant entrer, puis me jette un regard méprisant.

– Détends-toi, lui dis-je en ôtant mes chaussures devant la porte. Il va bien falloir que tu t'y fasses.

– Il te baisait en douce, lance Corbin. Il ment comme il respire, ce n'est pas le genre de chose que je laisse passer.

– Tu t'attendais à ce qu'il t'en parle, peut-être ? Arrête ! Tu as viré Dillon de ton appart parce qu'il me regardait d'un peu trop près !

– Exactement ! crie-t-il en se levant. Je croyais que Miles te protégeait de Dillon, alors qu'il revendiquait ses droits sur toi. C'est qu'un sale hypocrite et je n'ai pas fini de le traiter d'enfoiré. À toi de t'y faire.

Ce qui me fait éclater de rire.

– Quoi encore ? grogne-t-il.

– Miles m'a prévenue avec franchise dès le début. Il ne m'a jamais raconté le moindre craque. Je sais qu'il n'était pas sorti avec une fille depuis six ans, et toi tu le traites d'hypocrite ?

D'un seul coup, je m'emporte et, maintenant, je crie :

– Tu ferais mieux de te regarder d'abord, Corbin ! Tu as rencontré combien de filles depuis que je vis ici ? D'après toi, combien ont des frères qui te botteraient volontiers les fesses s'ils étaient au courant ? S'il y a un hypocrite, ici, c'est toi !

Il me dévisage, mais comme il reste silencieux, je retourne vers ma chambre. C'est là qu'on frappe à la porte d'entrée et qu'elle s'ouvre.

Miles.

Il passe d'abord la tête :

– Tout va bien ?

Alors qu'il entre, mon frère et moi nous fusillons du regard. J'attends qu'il dise à son ami ce qui se passe.

– Ça va, Tate ? insiste celui-ci.

– Oui. C'est pas à moi qu'il faut demander ça.

Dans un grondement furieux, Corbin envoie un coup de pied vers le canapé.

– Tu ne pouvais vraiment pas être gay ? soupire-t-il à l'adresse de Miles.

Celui-ci le contemple d'un air perplexe. J'attends que l'un d'eux réagisse, afin de savoir si je peux respirer ou non.

Miles secoue la tête mais un léger sourire lui éclaire le visage.

Corbin se met à rire, non sans continuer de grogner en même temps, laissant ainsi entendre qu'il a digéré la nouvelle, bien qu'il ne soit sans doute toujours pas d'accord.

Du coup, je sors tranquillement de l'appartement en espérant qu'il vont se réconcilier et récupérer leur relation d'avant mon arrivée dans le décor.

Les portes de l'ascenseur s'ouvrent au rez-de-chaussée, et je m'apprête à sortir quand j'aperçois Cap'taine, prêt à monter.

– Tu venais pour moi ? demande-t-il.

– Oui. Corbin et Miles sont en train de se réconcilier. Alors, je voulais leur accorder une minute.

Il entre dans la cabine, appuie sur le bouton du vingtième étage.

– Bon, accompagne-moi jusque chez moi.

Il s'agrippe à la barre sous la glace pour tenir debout, et moi, je m'adosse contre la paroi.

– Je peux vous poser une question, Cap'taine ?

– Bien sûr ! J'aime autant qu'on m'en pose que d'en poser moi-même.

Je regarde mes pieds croisés.

– D'après vous, qu'est-ce qui inciterait un homme à ne plus jamais vouloir tomber amoureux ?

Il met au moins cinq étages à ouvrir la bouche. Je finis par lever les yeux vers lui, le vois plisser le front.

– Je dirais que s'il a connu les plus horribles côtés de l'amour, il pourrait ne pas souhaiter y revenir.

Je réfléchis à cette réponse, mais ça ne m'aide pas beaucoup. Je ne vois pas comment l'amour pourrait devenir assez horrible pour en dégoûter complètement quelqu'un.

Les portes de l'ascenseur s'ouvrent au vingtième étage, et je laisse Cap'taine sortir le premier. Je le suis vers son appartement, attends qu'il glisse sa clé dans la serrure.

– Tate, dit-il le dos encore tourné vers moi. Parfois, certains hommes n'ont pas la force d'affronter les fantômes du passé.

Il ouvre, entre.

– Peut-être que ce garçon a perdu son âme quelque part en chemin.

Là-dessus, il ferme la porte, me laissant perplexe sur le palier, à essayer de déchiffrer l'interprétation qu'il vient de me donner.

♡

26

MILES

SIX ANS PLUS TÔT

Ma chambre est désormais celle de Rachel.
La chambre de Rachel est ma chambre.
On a terminé le lycée.
On s'est installés ensemble.
On est à l'université, maintenant.
Voilà. C'est à nous.
Ian apporte les derniers cartons de la voiture.
– Où est-ce que je les mets ? demande-t-il.
– C'est quoi ? s'enquiert Rachel.
D'après lui, ce doit être ses soutiens-gorge et autres sous-vêtements. Elle se met à rire, lui dit de les poser devant mon placard. Ce qu'il fait. Il aime bien Rachel. Il est content
qu'elle ne cherche pas à m'empêcher d'avancer,
qu'elle accepte de me laisser passer mes diplômes
de l'école de pilotage.
Elle veut que je sois heureux.
Et moi je lui dis que je serai heureux tant qu'elle sera là.

– Alors tu seras toujours heureux, me répond-elle.
Mon père me déteste encore. Pourtant, il ne veut pas qu'on se déteste. Tous deux font leur possible pour accepter la situation, mais c'est difficile. Difficile pour tout le monde.
Quant à Rachel, elle ne s'occupe pas de ce que pensent les autres. Tout ce qui l'intéresse, c'est ce que je pense, moi ; et moi, je ne pense qu'à elle.
Je me rends compte qu'on peut toujours s'adapter aux situations les plus difficiles. Mon père et Lisa n'approuvent sans doute pas, mais ils s'adapteront.
Rachel n'est peut-être pas prête à devenir maman,
je ne suis peut-être pas prêt à devenir papa,
mais on s'adapte.
Ainsi vont les choses. C'est important
quand on cherche la paix intérieure.
Vital, même.

– Miles.
J'aime mon nom quand c'est elle qui le prononce.
Elle ne le gaspille pas. Elle ne le dit que quand elle a besoin de quelque chose. Que quand il faut le dire.
– Miles.
Elle l'a dit deux fois.
Elle doit avoir vraiment besoin de quelque chose.
Je me retourne, la vois assise sur le lit, qui me regarde, les yeux écarquillés.
– Miles.
Trois fois.
– Miles.
Quatre.
– J'ai mal.
Merde.

Je saute à terre, attrape notre sac,
aide Rachel à s'habiller, à grimper dans la voiture.
Elle a peur.
Et moi sans doute encore plus qu'elle.
Je lui tiens la main tout en conduisant. Je lui dis de respirer.
Je ne sais pas pourquoi je lui dis ça.
Elle sait comment respirer, bien sûr.
Je ne vois pas que lui dire d'autre.
Je me sens impuissant.
Elle voudrait peut-être sa maman.
– Tu veux que je les appelle ?
– Non, pas maintenant. Plus tard.
Elle veut que ça se passe entre nous, et moi aussi.
Une infirmière l'aide à sortir. On nous emmène
vers une chambre. Je suis prêt à lui donner
tout ce dont elle aura besoin.
– Tu veux de la glace ?
Je vais lui en chercher.
– Tu veux une serviette humide ?
Je vais lui en chercher une.
– Tu veux que j'éteigne la télé ?
Je l'éteins.
– Tu veux une autre couverture, Rachel ?
On dirait que tu as froid.
Je ne lui donne pas de couverture. Elle n'a pas froid.
– Tu veux encore de la glace ?
Elle ne veut plus de glace.
Elle veut que je la ferme.
Je la ferme.
– Donne-moi la main, Miles.
Je la lui donne.
J'ai envie de la retirer.
Elle me fait mal.
Je la lui laisse quand même.

Elle se tait. Elle n'émet pas un son.
Elle respire. Elle est incroyable.
Je pleure. Je ne sais pas pourquoi.
Bon sang, je t'aime tellement, Rachel !
Le médecin lui dit que c'est presque fini.
J'embrasse Rachel sur le front.
Et voilà.
Je suis père.
Elle est mère.
– C'est un garçon, annonce le médecin.
Elle prend le bébé dans ses bras. Elle tient aussi mon cœur.
Il arrête de pleurer. Il essaie d'ouvrir les yeux.
Rachel pleure.
Rachel rit.
Rachel me dit merci.
Rachel me dit merci. Comme si c'était moi qui avais créé ça.
Rachel est folle.
– Je l'aime tellement, Miles ! sanglote-t-elle.
– Moi aussi, je l'aime, lui dis-je.
Je le caresse. J'ai envie de le tenir dans mes bras,
mais je voudrais qu'elle continue à le serrer.
Elle est si belle avec son bébé dans les bras !
– Alors, me demande-t-elle. Tu vas me dire son nom,
maintenant ?
J'espérais que ce serait un garçon pour vivre de tels moments.
J'espérais pouvoir lui dire quel nom porterait
son fils, parce que je sais qu'elle va l'aimer.
J'espère qu'elle se rappelle le moment
où
elle
est
devenue
mon
tout.

Miles va vous conduire à la classe de M. Clayton, Rachel.
– Il s'appelle Clayton.
Elle se remet à pleurer.
Elle se rappelle.
– C'est parfait, dit-elle d'une voix baignée de larmes.
Elle pleure trop fort, maintenant.
Elle veut que je le prenne dans mes bras.
Je m'assieds sur le lit et le prends.
Je le tiens.
Je tiens mon fils.
Rachel pose la tête sur mon bras
et nous contemplons le bébé.
Trop longtemps.
Je dis à Rachel qu'il a ses cheveux roux.
Elle dit qu'il a ma bouche. Je dis à Rachel espérer
qu'il aura sa personnalité. Elle n'est pas d'accord.
Elle espère qu'il aura la mienne.
– Il nous rend la vie si belle ! observe-t-elle.
– C'est sûr.
– Nous avons tant de chance, Miles !
– C'est sûr.
Elle me serre la main.
– C'est à nous, murmure-t-elle.
– C'est à nous, lui dis-je.
Clayton bâille, et ça nous fait rire.
Je lui caresse ses petits doigts de bébé.
Nous t'aimons tellement, Clayton.

♡

27

TATE

Encore dans ma tenue d'infirmière, je me laisse tomber dans le fauteuil à côté de Cap'taine. Aussitôt rentrée du travail, je me suis tapé deux heures d'étude. Il est maintenant vingt-deux heures passées et je n'ai pas encore dîné ; c'est d'ailleurs pour ça que je suis assise avec Cap'taine, maintenant. Il commence à connaître mes habitudes et a commandé une pizza pour nous deux.

Je lui tends une part, en prends une puis ferme le couvercle et pose la boîte par terre à mes pieds. Je mords un énorme morceau, mais Cap'taine ne mange pas.

– C'est vraiment triste quand on pense que les pizzas arrivent plus vite que la police, marmonne-t-il. Je l'ai commandée il y a dix minutes.

Il croque une bouchée, ferme les yeux comme s'il n'avait jamais rien mangé de meilleur.

Quand on a terminé, je reprends la boîte pour nous resservir, mais Cap'taine fait non de la tête, alors je continue mon dîner toute seule.

– Au fait ? demande-t-il. Ça s'arrange entre le garçon et son ami ?

J'aime bien qu'il appelle Miles *le garçon*. Je réponds la bouche pleine.

– Pas mal, oui. Ils ont repris leurs traditionnelles soirées de match hebdomadaires, mais je ne suis pas sûre que ça soit exactement comme avant.

Il hoche la tête, comme s'il comprenait. Je ne suis pas certaine que ce soit le cas, mais j'apprécie qu'il m'écoute aussi attentivement.

– Et puis, certaines semaines, comme en ce moment, il quitte l'État, si ce n'est le pays, et c'est comme si je n'existais plus. Pas un texto. Pas un coup de fil. On dirait qu'il ne pense à moi qu'à partir du moment où je me trouve à moins de trois mètres de lui.

– J'en doute, rétorque Cap'taine. Je parie que ce garçon pense à toi beaucoup plus qu'il ne veut bien l'admettre.

J'aimerais tant le croire...

– Et si ce n'est pas le cas, ajoute-t-il, tu ne peux lui en vouloir. Ça faisait bien partie de votre accord, je crois ?

Je lève les yeux au ciel. Je déteste qu'il me ramène toujours à la démonstration que ce n'est pas Miles qui enfreint notre règle. C'est bien à moi que ça pose des problèmes et moi seule en suis coupable.

– Comment ai-je pu me fourrer dans un tel pétrin ?

Pas besoin de réponse. Je sais très bien comment tout est arrivé. Et je sais aussi comment m'en sortir... sauf que je ne veux pas.

– Tu connais l'expression « Quand la vie te donne des citrons... » ?

– « ... fais-en de la limonade. »

– En réalité, ça ne marche pas comme ça. Quand la vie te donne des citrons, cherche dans les yeux de qui tu iras les presser.

J'attrape une autre part de pizza en riant, et me demande comment ce vieux monsieur de quatre-vingts ans est devenu mon ami.

Le téléphone fixe de l'appartement ne sonne jamais. Surtout pas après minuit. Je rejette mes couvertures, enfile un t-shirt, sans trop savoir pourquoi je me donne la peine de m'habiller. Corbin n'est pas là et Miles ne doit pas rentrer avant demain.

J'arrive devant la cuisine à la cinquième sonnerie, à l'instant où le répondeur va se mettre en marche. Je l'éteins, pose le récepteur sur mon oreille.

– Allô ?

– Tate ! dit ma mère. Oh Seigneur, Tate !

Elle paraît complètement paniquée, ce qui m'affole immédiatement.

– Qu'est-ce qu'il y a ?

– Un avion. Un avion s'est écrasé il y a une demi-heure et je n'arrive pas à joindre la compagnie. Tu as eu ton frère ?

Mes jambes flageolent.

– Tu es sûre que c'était sa compagnie ?

Je ne reconnais même pas ma voix tant elle est terrifiée. Ça me rappelle la sienne la dernière fois que ce genre de chose est arrivé.

Je n'avais que six ans, mais j'ai gardé chaque détail imprimé dans mon esprit comme si c'était arrivé la veille, à commencer par le pyjama décoré de lunes et d'étoiles que je portais alors. Mon père pilotait un vol intérieur et on regardait les informations après le dîner, quand on a reconnu un avion écrasé suite à une panne de moteur. Il n'y avait pas de survivants. Je vois encore ma mère hystérique au téléphone, qui essayait d'appeler la compagnie pour savoir le nom du pilote. Au bout d'une heure, on a appris que ce n'était pas mon père, mais cette heure-là a été l'une des plus terribles de notre vie.

Jusqu'à maintenant.

Je me précipite dans ma chambre, saisis mon portable sur la table de nuit et compose immédiatement le numéro de Miles.

Tout en revenant dans le salon, je demande à ma mère :

– Tu as essayé de l'appeler ?

J'essaie de m'asseoir dans le canapé mais, sans trop savoir pourquoi, je trouve le sol beaucoup plus rassurant. Je m'agenouille, comme si je priais.

C'est ça.

– Oui, je n'arrête pas. Mais je tombe sur son répondeur.

Aussi, pourquoi lui poser cette question idiote ? Bien sûr qu'elle a essayé de l'appeler. Je tente encore le coup, mais tombe moi aussi sur le répondeur.

J'essaie de la rassurer, mais je sais que ça ne sert à rien. Tant qu'on n'entendra pas la voix de Corbin, ça ne servira à rien.

– J'essaie de joindre la compagnie, lui dis-je. Je te rappelle si j'ai du nouveau.

J'utilise le fixe pour la compagnie et mon portable pour Miles. C'est la première fois que je compose son numéro.

Je prie pour qu'il me réponde, parce que, bien sûr, j'ai atrocement peur pour mon frère, mais je ne peux m'empêcher de penser que Miles aussi travaille dans cette compagnie.

J'ai mal au cœur.

– Allô ? répond Miles dès la deuxième sonnerie.

Sa voix semble hésitante, comme s'il ne comprenait pas ce qui m'amène.

– Miles ! dis-je aussi rassurée qu'affolée. Il va bien ? Corbin, ça va ?

Pause.

Pourquoi hésite-t-il ?

– Qu'est-ce qui t'arrive ?

– Un avion... Ma mère vient de téléphoner. Un avion s'est écrasé. Corbin ne répond pas.

– Où es-tu ?

– À la maison.

– J'arrive.

Je vais lui ouvrir la porte et le trouve son portable collé à l'oreille. En me voyant, il le range, se précipite vers le canapé, attrape la télécommande et allume la télé.

Il zappe entre plusieurs chaînes avant de tomber sur les news. En même temps, il appelle plusieurs numéros puis revient en hâte vers moi. Il me prend par la main.

– Je suis sûr qu'il va bien.

Je me blottis contre lui, mais ses paroles ne me rassurent en rien.

– Gary ? lance-t-il à un correspondant qui vient de décrocher. C'est Miles. Oui, oui. J'ai entendu. Quel était l'équipage ?

Un long moment s'écoule. Je suis terrorisée à la seule idée de le regarder. Terrorisée.

– Merci.

Il raccroche.

– Ton frère va bien, Tate. Et Ian aussi.

Je fonds en larmes de soulagement.

Miles m'entraîne vers le canapé, me prend mon téléphone des mains et appuie sur plusieurs touches avant de le porter à son oreille.

– Bonsoir, c'est Miles. Corbin va bien.

Il marque une pause, puis :

– Oui, elle va bien. Je lui dis de vous appeler dans la matinée.

Quelques secondes passent encore et il dit bonsoir. Puis il repose l'appareil à côté de lui.

– Ta maman.

Je fais oui de la tête. Je savais déjà.

Et ce simple geste d'appeler ma mère ne m'en a que davantage attachée à lui.

À présent, il m'embrasse sur le front, me frotte le bras pour mieux me rassurer.

– Merci, Miles.

Il répond *de rien*, parce qu'il estime effectivement n'avoir rien fait d'extraordinaire.

Je lui demande :

– Tu les connais ? L'équipage qui a été touché.

– Non. On ne faisait pas partie des mêmes groupes. Leurs noms ne me disent rien du tout.

Mon téléphone vibre, alors Miles me le tend. Je lis sur l'écran un texto de Corbin.

Corbin · Au cas où tu aurais entendu parler de l'avion, je voulais juste t'avertir que j'allais bien. J'ai appelé la direction, et Miles va bien aussi. Préviens maman, s'il te plaît. Bisous.

Ce message achève de me rassurer, maintenant au moins, j'ai la preuve à cent pour cent qu'il va bien.

– C'est un texto de Corbin, dis-je à Miles. Il dit que tu vas bien. Au cas où je m'inquièterais.

Il se met à rire.

– Je savais qu'il ne me détesterait pas jusqu'à la fin de ses jours.

Je souris. Moi aussi, j'apprécie que Corbin ait voulu me prévenir que Miles allait bien.

Celui-ci me tient toujours dans ses bras et j'en savoure chaque seconde.

– Quand est-ce qu'il doit rentrer ?

– Pas avant deux jours, dis-je. Et toi, tu es là depuis combien de temps ?

– À peu près deux minutes. Je venais de remettre mon téléphone en charge quand tu as appelé.

– Je suis contente que tu sois là.

Il ne répond pas. Il ne dit pas s'il est content d'être rentré.

Au lieu de me raconter un truc qui me donnerait de faux espoirs, il m'embrasse.

– Tu sais, ajoute-t-il en m'attirant sur ses genoux, si je déteste les raisons pour lesquelles tu n'as sans doute pas eu le temps d'enfiler un pantalon, j'adore te voir jambes nues.

Ses mains remontent le long de mes cuisses et il me serre contre lui, m'embrasse le bout du nez puis le menton.

– Miles ?

Je lui passe les mains dans les cheveux puis le cou, les pose sur ses épaules.

– J'ai eu aussi très peur que ce soit toi, dans l'avion. C'est pour ça que je suis contente de te voir.

Son regard s'adoucit, son expression se détend. Même si je ne sais rien de sa vie, j'ai bien remarqué qu'il n'avait appelé personne pour dire qu'il allait bien. Ça m'attriste pour lui.

Ses yeux descendent sur ma poitrine. Il passe les doigts sous mon t-shirt qu'il m'enlève. Maintenant, je suis en culotte.

Il se penche, m'enveloppe de ses bras, m'attire vers sa bouche. Ses lèvres se ferment sur mon mamelon et mes paupières se crispent, involontairement. J'en ai la chair de poule quand ses mains se mettent à explorer mon dos nu et mes cuisses. Sa bouche se porte sur mon autre sein tandis qu'une main s'introduit dans ma culotte.

– Je vais devoir te l'arracher, annonce-t-il, parce que je ne veux surtout pas que tu bouges.

– Ça me va. J'en ai d'autres.

Je le sens sourire contre ma peau tandis que ses mains tirent sur l'élastique. Il tire d'un côté, mais sans le déchirer, alors il essaie de l'autre, sans plus de résultat.

– La prochaine fois, je mettrai un string, dis-je en riant.

Il pousse un soupir agacé.

– C'est toujours beaucoup plus sexy à la télé.

Je rajuste ma tenue, me redresse.

– Essaie encore, lui dis-je. Tu vas y arriver, Miles.

Il attrape le côté gauche de l'élastique et tire vigoureusement. Ça devient si serré que ça me fait mal.

– Ouille !

Il rit encore, pose le visage dans mon cou.

– Pardon. Tu n'as pas des ciseaux ?

Je grince des dents à l'idée de le voir s'approcher de moi avec des ciseaux. Alors je saute à terre, ôte ma culotte et l'envoie promener.

– Ça valait tellement la peine de voir ça, observe-t-il, que j'oublie mes tentatives de jouer les héros sexy.

– Rassure-toi, même comme ça, tu es très sexy.

Mon commentaire le fait encore rire et je reviens sur ses genoux. Il m'aide à reprendre ma position à califourchon sur lui.

– Tu aimes me voir échouer ? demande-t-il.

– Oh oui ! C'est trop chaud.

Ses mains sont à nouveau sur moi, à me parcourir le dos, les bras.

– Tu aurais adoré me connaître quand j'avais treize ans. Je ratais tout ce que je faisais, surtout en football.

– Raconte.

– En base-ball aussi, ajoute-t-il en m'embrassant sous l'oreille.

– Trop sexy...

Il m'embrasse maintenant sur les lèvres, d'un baiser tout léger, à peine effleuré.

– J'étais aussi nul en flirt. Effroyable. Une fois, j'ai failli étouffer une fille avec ma langue.

Je ris.

– Tu veux que je te montre ?

À peine ai-je acquiescé qu'il nous repositionne sur le canapé jusqu'à ce que je me retrouve allongée et lui sur moi.

– Ouvre la bouche.

Je l'ouvre. Il y glisse la langue qu'il promène à l'intérieur, me donnant effectivement le pire des baisers. J'essaie de le repousser, mais il ne bouge pas. Je tourne le visage sur la gauche et il se met à m'embrasser la joue, me faisant rire encore plus fort.

– Oh la vache, c'était nul, Miles !

Il descend un peu le long de mon corps.

– J'ai mieux à t'offrir, propose-t-il.

– Tu m'étonnes.

On sourit tous les deux. Son expression détendue m'attendrit tellement que je ne sais plus comment réagir. Je suis heureuse, parce qu'on est si bien ensemble. Je suis malheureuse, parce qu'on est si bien ensemble. Je suis furieuse, parce qu'on est si bien ensemble et que j'aimerais que ça nous arrive beaucoup plus souvent.

On se regarde paisiblement, jusqu'à ce qu'il se penche lentement, me dépose un baiser sur les lèvres, deux baisers, et encore d'autres, de plus en plus intenses. Sa langue finit par m'ouvrir les lèvres et on ne joue plus du tout.

On est passés aux choses sérieuses, alors que nos baisers s'enflamment et que les vêtements de Miles rejoignent les miens au sol, un à un.

– Le canapé ou ton lit ? murmure-t-il.

– Les deux.

Il ne se fait pas prier.

Je m'endors dans mon lit.

À côté de Miles.

Ni lui ni moi ne nous étions encore jamais endormis après l'amour. Jusque-là, il y en toujours eu un des deux qui s'en allait. J'ai beau essayer de me convaincre que ça ne signifie rien, je sais que c'est faux. Chaque fois que nous nous retrouvons, je le cerne davantage. Qu'il s'agisse de son passé, de ses années privées d'amour ou juste de son temps de sommeil, il me révèle petit à petit un peu plus de lui-même. Et je trouve ça à la fois bon et mauvais. Bon, parce que je n'aspire qu'à en apprendre le plus possible sur lui. Mais également mauvais, parce que, chaque fois que j'en apprends davantage, une autre partie de lui s'éloigne encore plus. Je le vois dans ses yeux. Il ne veut pas susciter le moindre espoir en moi et j'ai peur qu'il ne finisse par complètement se détacher.

Tout ce qui existe entre nous finira par s'effondrer.

C'est inévitable. Pourtant, même si je cherche à tout prix à me blinder, je sais qu'il finira par me briser le cœur. Chaque fois que je suis avec lui, il l'emplit davantage d'émotions Alors tant pis, je le laisse faire, quitte à souffrir un maximum quand il me l'arrachera de la poitrine.

Son téléphone vibre et Miles tend le bras pour l'attraper de la table de nuit. Il me croit endormie et je ne fais rien pour l'en dissuader.

– Bonsoir, murmure-t-il.

S'ensuit un long silence et voilà que je commence à m'affoler intérieurement, car je me demande qui peut bien l'appeler à cette heure.

– Oui, reprend-il. Désolé. J'aurais dû t'avertir. Je croyais que tu dormais.

Le cœur au bord des lèvres, je me rends bien compte que ce coup de fil n'apporte que de mauvais signaux. C'est la lutte ou la fuite et, là, je me sens plutôt en mode évasion.

– Moi aussi, je t'embrasse, papa.

Mon cœur redescend par ma gorge pour s'en aller retrouver sa place attitrée. Je suis contente. Contente de savoir que Miles a dans la vie une personne qui s'inquiète pour lui.

En même temps, je prends un peu plus conscience que, décidément, je le connais bien mal. Il ne me montre rien de lui Il se cache ; le jour où je me briserai, ce ne sera pas sa faute.

Et ce ne sera pas une simple rupture. Tout se passera lentement, douloureusement, empli de ces moments qui me déchirent de l'intérieur. De ces moments où, me croyant endormie, il se glisse hors du lit. De ces moments où je garde les yeux clos tout en l'écoutant s'habiller. De ces moments où je m'efforce de garder une respiration régulière au cas où il se pencherait sur moi pour m'embrasser sur le front.

Ces moments où il s'en va.

Parce qu'il finit toujours par s'en aller.

28

MILES

SIX ANS PLUS TÔT

– Et si on découvre un jour qu'il est gay ? me demande Rachel. Ça t'ennuierait ?

Elle tient Clayton sur ses genoux. Nous sommes tous les deux assis sur le lit de la maternité, moi en face d'elle. Elle me pose d'étranges questions, elle joue l'avocat du diable. Elle insiste pour que nous envisagions toutes sortes de possibilités, afin de ne pas nous laisser surprendre.

– Ce qui m'ennuierait, c'est qu'il n'ose pas nous en parler. Je veux qu'il nous sache ouverts à tout.

Elle sourit à Clayton, mais je sais que ce sourire s'adresse à moi. Parce qu'elle apprécie ma réponse.

– Et s'il ne croit pas en Dieu ?

– Il pourra croire en ce qu'il voudra. Je veux juste que ses croyances – ou son scepticisme – le rendent heureux.

Elle sourit encore.

– Et s'il commettait un crime abominable, cruel, haineux, qui l'enverrait en prison à vie ?

– Je me demanderais où j'ai failli en tant que père.

Cette fois, elle me regarde.

– Bon, en fonction de tes réponses, je suis au moins sûre qu'il ne commettra jamais de crime, parce que tu es déjà le meilleur père que je connaisse.

Là, c'est moi qui souris.

Nous levons tous les deux la tête vers la porte quand elle s'ouvre sur une infirmière, un sourire navré aux lèvres.

– C'est l'heure, dit-elle.

Rachel pousse un soupir, alors que je ne vois pas de quoi il est question. Rachel devine que je n'ai pas compris.

– Sa circoncision, précise-t-elle.

Mon cœur se serre. Je sais que nous en avons discuté quand elle était encore enceinte, mais je ne suis plus du tout d'accord pour faire subir ça au bébé.

– Ne vous inquiétez pas, dit l'infirmière. Ça se fait sous une légère anesthésie locale.

Elle s'approche, soulève le petit des bras de Rachel, mais j'interviens.

– Attendez. Laissez-le moi une minute.

L'infirmière recule et Rachel me tend le bébé.

– Pardon, Clayton. Je sais que ça va faire mal, et je sais que c'est une forme d'émasculation, mais...

– Il a un jour ! s'esclaffe Rachel. Je ne vois pas ce qui pourrait déjà l'émasculer.

Je lui dis de se taire, de ne pas interrompre cet instant entre père et fils, et je reprends :

– Je disais, je sais que c'est une forme d'émasculation, mais tu me remercieras plus tard. Surtout quand tu seras assez grand pour fréquenter des filles, j'espère pas avant dix-huit ans, mais ça risque d'être plutôt vers seize. Comme pour moi.

Rachel tend les bras pour que je le lui rende.

– Ça suffit ! lance-t-elle en riant. Il va falloir qu'on révise les bases du dialogue père-fils pendant qu'il se fera émasculer.

J'embrasse le bébé sur le front et le rends à sa mère. Elle en fait autant avant de le passer à l'infirmière qui l'emporte aussitôt. Je ferme la porte derrière eux, me retourne vers Rachel, viens m'allonger auprès d'elle.

– On est tranquilles maintenant, dis-je. Si on en profitait ?

– Je ne me sens pas vraiment prête à faire l'amour, grimace-t-elle. J'ai le ventre distendu, les seins gonflés et bien envie de prendre une douche, mais j'ai encore trop mal pour ça.

Je tire sur le col de sa chemise d'hôpital pour jeter un œil sur sa poitrine.

– Tu rigoles ? Ils vont rester combien de temps aussi magnifiques ?

Elle écarte ma main en riant. Mais j'insiste :

– Et ta bouche ? Comment va-t-elle ?

Rachel paraît ne pas saisir le sens de ma question, alors j'explique :

– Je voudrais savoir si ta bouche te fait aussi mal que le reste, parce que sinon, je t'embrasserais bien.

– Ma bouche va très bien.

Je me soulève sur un coude pour qu'elle n'ait pas besoin de bouger. Je la regarde et ressens tout d'un coup les choses différemment. *Réelles.*

Jusqu'à hier, j'avais plutôt l'impression de jouer au papa et à la maman. Bien sûr, nous nous aimons d'un amour authentique mais, avant de la voir donner le jour à notre fils, hier, tout cela ressemblait à un jeu d'enfant, comparé à ce que je ressens pour elle aujourd'hui.

– Je t'aime, Rachel. Plus qu'hier.

Elle me contemple comme si elle voyait très bien ce que je veux dire.

– Si tu m'aimes plus aujourd'hui qu'hier, j'ai hâte de voir demain, répond-elle.

Mes lèvres tombent sur les siennes et je l'embrasse. Pas parce que c'est permis mais parce que j'en ai vraiment besoin.

Je sors de la chambre où Rachel et Clayton dorment à présent. L'infirmière a dit qu'il avait à peine pleuré. Je suis sûr que c'est ce qu'elle raconte à tous les parents, mais je la crois.

Je sors mon téléphone pour envoyer un texto à Ian.

Moi : Ça y est, il a eu droit au ciseau il y a quelques heures. Il a réagi comme un héros.

Ian : Ouille ! Je vais le voir ce soir, après dix-neuf heures.

Moi : On s'y retrouvera.

Mon père arrive, armé de deux cafés, alors je range le téléphone dans ma poche. Il me tend un gobelet en marmonnant :

– Il te ressemble.

Comme s'il essayait d'accepter la chose.

– Et moi je te ressemble, dis-je. Question de gènes.

Je lève mon gobelet et mon père y cogne le sien en souriant.

Il fait de son mieux.

Il s'adosse au mur, regarde son café. Il voudrait dire quelque chose mais n'y arrive pas. Alors je l'interroge :

– Qu'est-ce qu'il y a ?

Lentement, il relève les yeux vers les miens.

– Je suis fier de toi, lâche-t-il en toute sincérité.

Juste une petite déclaration.

Cinq mots.

Cinq des mots les plus puissants que j'aie entendus de ma vie.

– Bien sûr, ce n'était pas ce que j'aurais souhaité pour toi,

ajoute-t-il. Personne ne veut voir son fils devenir père à l'âge
de dix-huit ans, mais... mais je suis fier de toi. De la façon
dont tu as assuré. De la façon dont tu as traité Rachel.
Tu as tiré le meilleur d'une situation difficile, et,
franchement, tu t'en es sorti mieux que bien des adultes.
Je souris, lui dis merci.
Je crois que la conversation va s'arrêter là,
mais ce n'est pas le cas.
– Miles. Au sujet de Lisa... et de ta mère ?
Je lève une main pour l'arrêter.
Je n'ai aucune envie de parler de ça ce soir.
Je ne voudrais pas qu'il se serve de cette journée
pour se disculper de ce qu'il a fait à ma mère.
– Ça va, papa. On en discutera une autre fois.
Il me répond que non.
Qu'il faut en discuter maintenant.
Que c'est important.
J'ai envie de répondre que ce n'est pas important.
J'ai envie de répondre que c'est Clayton l'important.
J'ai envie de me concentrer sur Clayton et Rachel,
d'oublier que mon père n'est qu'un être humain
qui peut commettre des erreurs, comme nous tous.
Mais je n'en dis rien.
J'écoute.
Parce que c'est mon père.

♡

29

TATE

Miles : Qu'est-ce que tu fais ?

Moi : Mes devoirs.

Miles : Un petit tour à la piscine, ça te dirait ?

Moi : ??? On est en février !

Miles : Celle du toit est chauffée. Elle ne ferme que dans une heure.

Je relis le texto, lève les yeux sur Corbin.

– Il y a une piscine sur le toit ?

Sans détourner les yeux de la télé, mon frère hoche la tête.

– Ouais.

Je me redresse sur mon siège.

– Tu te fiches de moi ? Depuis le temps que je vis ici, tu n'aurais pas pu m'en parler ?

– Bof, j'ai horreur des piscines.

J'ai envie de le gifler.

Moi : Corbin ne m'a jamais dit qu'il y avait une piscine. Je me change et j'arrive.

Miles : ;)

Je me rends compte que j'ai oublié de frapper en entrant dans son appartement. D'habitude, je frappe toujours. Bon, je suppose qu'il n'est pas vraiment surpris que je sois là après notre échange de textos ; pourtant, le regard que me jette Miles sur le seuil de sa chambre laisse bien entendre qu'il n'apprécie pas.

Je m'arrête dans le salon.

– Tu es en bikini, observe-t-il.

Je me hâte de rectifier :

– Et en short. Pourquoi ? Il faut une tenue spéciale pour monter se baigner en plein mois de février ?

Il reste immobile à me dévisager. Je relève devant mon ventre la serviette que je porte sur le bras et me sens tout d'un coup très déshabillée.

Secouant la tête, il finit par s'approcher.

– J'espère qu'il n'y a personne là-haut, parce que, avec ce bikini, c'est mon short qui risque de paraître indécent.

Je ne peux m'empêcher de jeter un coup d'œil vers la bosse qui enfle sous son ventre.

Je ris. Ainsi, il *aime bien* mon bikini.

Il se rapproche encore, glisse une main sur mes reins, m'attire contre lui.

– J'ai changé d'avis, dit-il en souriant. Je préférerais rester ici.

Là, je fais non de la tête.

– Moi, je monte me baigner. Tu restes si tu veux, mais tu seras tout seul.

Il m'embrasse puis m'entraîne vers la porte d'entrée.

– Bon, je t'accompagne, conclut-il.

Miles tape le code, puis me tient la porte pour me laisser entrer. Je constate, non sans un certain soulagement, qu'il n'y a personne d'autre dans les parages, et reste sidérée par la beauté des lieux. C'est une piscine à débordement, avec vue panoramique sur la ville, entourée de fauteuils et de transats jusqu'au bord du jacuzzi adjacent.

– Quand je pense que personne ne m'en avait parlé ! dis-je. J'en aurais profité bien avant !

Miles prend ma serviette qu'il dépose sur une table, revient vers moi, entreprend de déboutonner mon short.

– Pour tout dire, avoue-t-il, c'est la première fois que je viens ici

Il glisse le short le long de mes jambes, tout en murmurant contre mes lèvres :

– Viens. On va se mouiller.

J'envoie promener mon short en même temps qu'il se débarrasse de sa chemise. La température ambiante me semble très fraîche, mais la vapeur qui s'élève de la piscine me rassure. Je me dirige vers le petit escalier pour y descendre mais, en voyant Miles plonger, je m'arrête un instant. Puis reprends mon chemin, marche par marche, avant de me laisser happer par l'eau tiède. Je pose mes bras sur le rebord afin de regarder la ville en contrebas.

Miles arrive à la nage derrière moi et me bloque de sa poitrine contre mon dos, en plaçant les mains de chaque côté de moi. Il pose la tête contre la mienne et nous admirons ensemble le paysage.

– C'est beau, dis-je.

Il ne répond pas.

Nous admirons la ville en silence durant une petite éternité. De temps à autre, il fait couler un peu d'eau sur mes épaules pour me réchauffer quand je frissonne.

– Tu as toujours vécu à San Francisco ? finis-je par demander en me retournant.

Je lui fais face, maintenant, ce qui ne l'empêche pas de m'encadrer encore de ses mains.

– Presque, répond-il sans cesser de regarder la ville.

J'ai envie de lui demander où, au juste, mais je n'en fais rien. À sa seule attitude, je vois qu'il n'a pas envie d'en parler. Il ne veut jamais parler de lui.

J'essaie encore de tirer quelques informations.

– Tu es fils unique ? Ou tu as des frères et sœurs ?

Cette fois, il plante ses yeux dans les miens. Les lèvres serrées.

– Tu joues à quoi, Tate ?

– Je fais la conversation, dis-je vexée.

– Il existe beaucoup d'autres sujets dont on pourrait parler, en dehors de moi.

Mais c'est tout ce qui m'intéresse, Miles.

Je hoche la tête, comprenant que, même si techniquement je n'enfreins pas la règle, je joue avec le feu. Ça le met mal à l'aise.

Je me retourne vers la baie vitrée. Miles n'a pas changé de position, il reste serré contre moi, mais je n'éprouve plus les mêmes sensations. Il semble figé. Sur ses gardes. Sur la défensive.

Je ne sais strictement rien de lui. Je ne sais rien de sa famille, alors qu'il connaît la mienne. Je ne sais rien de son passé, alors qu'il a dormi dans mon lit d'enfant. Je ne sais rien des sujets que je peux aborder avec lui ni quelle attitude adopter pour le mettre à l'aise, mais je n'ai rien à lui cacher.

Il me voit exactement telle que je suis.

Je ne le vois pas du tout.

Vivement, je lève la main pour essuyer une larme qui vient de me couler sur la joue. La dernière chose que je veuille, c'est qu'il me voie pleurer. En ce qui me concerne, je suis allée beaucoup trop loin pour continuer à considérer notre relation comme un simple rapport charnel, ou pour y mettre un terme. Je tremble à l'idée de perdre Miles pour de bon, alors je me résigne à ce qu'il demande et prends ce que je peux, bien que je vaille mieux que ça.

Posant une main sur mon épaule, Miles me retourne vers lui, mais je préfère regarder l'eau, alors il promène un doigt sous mon menton pour m'obliger à relever les yeux. Je le laisse faire mais détourne mon attention vers la droite, en m'efforçant de ravaler mes larmes.

– Excuse-moi.

Je ne vois même pas pourquoi il s'excuse, et il ne le sait peut-être pas lui-même. Mais nous savons l'un et l'autre qu'il est la seule cause de mes larmes, alors c'est sans doute ce qui me vaut ces justifications. Parce qu'il se sait incapable de me donner ce que je veux.

Il n'insiste donc pas et préfère me serrer contre lui. Je pose l'oreille contre son cœur, et lui appuie son menton sur ma tête.

– Tu crois qu'on devrait arrêter ? demande-t-il paisiblement.

Son intonation marque une certaine frayeur, comme s'il espérait que je lui réponde non, cependant il se sent tenu de me poser la question.

– Non, je murmure.

Il pousse un grand soupir, mais je ne saurais dire si c'est de soulagement ou d'autre chose.

– Si je te demande quelque chose, reprend-il, tu promets de me répondre franchement ?

Je hausse les épaules, parce que je n'ai pas l'intention de répondre oui tant que je n'aurai pas entendu la question.

– Tu continues avec moi parce que tu crois encore pouvoir me faire changer d'avis ? Parce que tu crois avoir une chance de me voir tomber amoureux de toi ?

C'est l'unique raison pour laquelle je m'impose ça, Miles.

Néanmoins, je ne le dis pas à haute voix. En fait, je ne dis rien du tout.

– Je ne peux pas, Tate. Je ne...

Il s'interrompt là, sans achever sa phrase. Et moi j'analyse ses paroles. Il a dit *je ne peux pas* et non *je ne veux pas*. J'ai envie de lui demander pourquoi. Il a peur ? Ou est-ce parce que je ne lui conviens pas ? A-t-il peur de me briser le cœur ? Pourtant, je me tais, car aucune de ses réponses ne saurait me rassurer. Aucune de ces éventualités ne saurait expliquer son refus catégorique du bonheur.

À vrai dire, je ne suis pas sûre d'être prête à entendre la vérité. Je dois sous-estimer l'importance de ce qui lui est arrivé. Parce qu'il lui est arrivé quelque chose et, même si je découvre quoi, je risque de ne rien y comprendre. En tout cas, cette chose lui a fait perdre son âme, comme l'a dit Cap'taine.

Ses bras m'enlacent, et ce mouvement en dit plus que bien des paroles. Plus qu'une étreinte. Il s'accroche comme s'il craignait que je me noie s'il me lâchait.

– Tate, je sais que je vais regretter de te dire ça, mais je veux que tu l'entendes.

Il recule juste assez pour que ses lèvres m'effleurent les cheveux et me serre encore plus fort.

– Si j'étais capable d'aimer quelqu'un, murmure-t-il... ce serait toi.

Mon cœur se déchire à ces paroles et je sens l'espoir revenir, s'emparer encore de moi.

– Mais je n'en suis pas capable. Alors, si c'est trop dur...

Cette fois, je l'interromps sans mal.

– Non, dis-je en cherchant ses yeux pour lui décocher le pire mensonge de ma vie. Non, j'apprécie cette situation telle qu'elle est

Il sait que je mens. Je lis le doute dans ses prunelles, pourtant il hoche la tête. Dans l'espoir de distraire son esprit avant qu'il ne lise toutes mes arrière-pensées, j'enroule les bras autour de son cou, mais le bruit de la porte qui s'ouvre attire son attention. Je me retourne et vois Cap'taine se glisser silencieusement dans la salle pour aller fermer les robinets qui alimentent le jacuzzi. Après quoi, il regagne la porte sans un mot, mais non sans nous avoir jeté un regard en coin. Tout d'un coup, il s'arrête à quelques pas de nous.

– C'est toi, Tate ? demande-t-il en plissant les paupières.

– Oui, dis-je sans changer de posture.

– Personne ne vous a dit que vous formiez un couple magnifique ?

Je frémis à l'idée que cette remarque ne refroidisse Miles, surtout après la conversation que nous venons d'avoir. Je ne sais que trop ce que Cap'taine voulait sous-entendre.

– Nous éteindrons après notre départ, lui dit Miles pour changer aussitôt de sujet.

Cap'taine fronce les sourcils, secoue la tête l'air déçu, et reprend son chemin vers la porte.

– C'était juste une question, marmonne-t-il.

Portant la main à son front, il salue dans le vide.

– Bonne nuit, Tate ! lance-t-il.

– Bonne nuit, Cap'taine.

On le suit des yeux jusqu'à ce qu'il referme la porte derrière lui. Alors, je détache mes mains du cou de Miles puis le repousse doucement afin de me dégager. Je nage lentement à l'autre bout de la piscine.

– Pourquoi tu es toujours aussi agressif avec lui ?

Sans me répondre, Miles se plonge dans l'eau et part en crawl dans ma direction. Je nage à reculons jusqu'à heurter la paroi derrière moi. Il fonce droit devant, comme s'il allait s'écraser sur moi, mais s'arrête en agrippant le rebord des deux mains, juste autour de ma tête, m'envoyant des vagues sur la poitrine.

– Je ne suis pas agressif, souffle-t-il dans mon cou en m'embrassant. Seulement, je n'aime pas qu'on me pose des questions.

J'avais cru comprendre.

Je m'écarte un peu de sa bouche pour voir son visage, mais j'ai du mal à détacher mon attention des gouttes d'eau qui lui maculent les lèvres.

Miles part d'un petit rire.

– Tu l'aimes bien, hein ?

– Oui, beaucoup. Parfois, il me plaît davantage que toi.

Dans un éclat de rire, il me dépose un baiser sur la joue. Sa paume m'attrape la nuque.

– Je suis content de l'entendre. Je te promets de ne plus me montrer brutal avec lui.

Je me mords les lèvres pour qu'il ne voie pas combien j'ai envie de sourire à l'idée qu'il vient de me faire une promesse. Une simple promesse. Mais qui fait du bien.

Ramenant sa paume vers ma joue, il me caresse les lèvres du pouce.

– Je crois t'avoir déjà dit de ne pas bloquer tes sourires, observe-t-il en me prenant la lèvre du bout des dents.

Et moi, j'ai l'impression que la température de la piscine vient d'augmenter de vingt degrés.

Sa bouche se pose sur ma gorge ; il pousse un énorme soupir. Renversant la tête en arrière, je la repose sur le rebord pour m'offrir davantage à ses baisers.

– Je n'ai plus envie de nager, dit-il en remontant vers ma bouche.

– Et alors ? Qu'est-ce que tu as envie de faire ?

– Toi. Sous la douche. Par-derrière.

Je ne peux m'empêcher de déglutir, le cœur serré.

– C'est précis !

– Et aussi dans mon lit, ajoute-t-il. Avec toi sur moi, encore trempée après la douche.

J'inhale une grande goulée d'air et on entend très bien mon souffle qui s'exhale en tremblant.

– D'accord...

J'ai bien essayé de répondre, mais sa bouche est sur la mienne avant que ce mot ne parvienne à franchir mes lèvres.

Et, une fois encore, ce qui n'aurait dû être qu'une conversation révélatrice pour moi s'efface derrière l'unique chose qu'il accepte de me donner.

30

MILES

SIX ANS PLUS TÔT

Nous nous rendons silencieusement vers une salle
d'attente déserte. Mon père s'assied le premier et,
à contrecœur, je m'installe face à lui.
J'attends ses aveux, mais il ignore que ça m'est égal.
Je suis au courant pour lui et Lisa. Je sais depuis
combien de temps il entretient une relation avec elle.
– Ta mère et moi...
Il baisse les yeux, incapable de soutenir mon regard.
– Nous avions décidé de nous séparer quand tu avais seize
ans. Mais je voyageais tout le temps, alors il nous a semblé
plus réaliste, d'un point de vue financier, d'attendre que
tu achèves tes études secondaires avant de divorcer.
Seize ans ?
Elle est tombée malade quand j'avais seize ans.
– Nous étions séparés depuis près d'un an
quand j'ai rencontré Lisa.

Cette fois, il me regarde. Il ne ment pas.

– Quand elle a découvert qu'elle était malade, il nous a semblé que c'était la chose à faire, Miles. C'était ta mère. Je n'allais pas l'abandonner au moment où elle avait le plus besoin de moi.

J'ai du mal à respirer.

– Je sais que tu as compris, poursuit-il. Je sais que tu as fait le calcul. Je sais que tu m'en as voulu, que tu as cru que je la trompais quand elle était malade. Et je m'en voulais de te laisser croire ça.

– Alors, pourquoi tu l'as fait ? Pourquoi tu m'as laissé le croire ?

Il baisse encore les yeux.

– Je ne sais pas. J'espérais sans doute que tu n'avais pas saisi ; je sortais avec Lisa depuis plus longtemps que je ne l'avais laissé entendre, car je pensais que ça te ferait plutôt du mal de l'apprendre. Je n'avais pas envie que tu saches que notre mariage était un échec. Je ne voulais pas que tu croies qu'elle était morte malheureuse.

– Ce n'était pas le cas. Tu étais auprès d'elle, papa. On y était tous les deux.

Il apprécie que je dise ça, parce que c'est vrai. Ma mère a vécu une vie heureuse.

Du coup, je me demande si elle ne serait pas déçue de voir comment les choses ont tourné.

– Elle serait fière de toi, ajoute mon père. Tu as remarquablement mené ta vie.

Je le serre dans mes bras.

Je ne me rendais pas compte du bien que ça me ferait d'entendre ça.

♡

31

TATE

J'essaie d'écouter Corbin poursuivre sa conversation avec maman mais je ne songe vraiment qu'à une chose : Miles doit rentrer d'une minute à l'autre. Voilà dix jours qu'il est parti, sa plus longue absence depuis les semaines que nous avions passées à ne plus nous parler.

– Tu l'as dit à Miles ? demande Corbin.

– Dit quoi ?

Mon frère se tourne vers moi.

– Que tu déménages ?

Il désigne les gants de cuisine sur le comptoir, près de moi.

Je lui balance le gant à la figure.

– Je ne lui ai pas parlé depuis la semaine dernière. Je lui dirai sans doute ce soir.

À vrai dire, j'avais envie de lui annoncer depuis des jours que je m'étais trouvé un appartement, mais il aurait fallu pour cela que je l'appelle ou que je lui envoie un SMS, deux choses que nous ne faisons pas. Les seules fois où on se textote, c'est quand on est tous les deux à la maison. Sans doute que ça nous aide à tenir nos distances.

Non pas que ce déménagement représente un grand changement. Je m'en vais à deux rues d'ici. J'ai trouvé une adresse qui me rapproche autant de mon travail que de l'université.

En même temps, je me demande comment ça pourrait affecter nos relations avec Miles. Ce doit être une des raisons qui m'ont empêchée de l'avertir que je cherchais autre chose. Au fond, je redoute plus ou moins que si je n'habite plus sur le même palier, il ne trouve la situation trop compliquée et ne laisse tout tomber.

Je lève la tête quand on entend frapper à la porte d'entrée et que celle-ci s'ouvre dans la foulée. Corbin lève les yeux au ciel.

Il ne s'y est toujours pas fait.

Miles entre dans la cuisine ; je devine le sourire qui commence à se dessiner sur son visage quand il m'aperçoit, mais il le réprime en voyant Corbin.

– Qu'est-ce que tu prépares ? lui demande-t-il.

Il s'adosse au mur les bras croisés, tout en contemplant mes jambes. En constatant que je porte une jupe, il me sourit. Heureusement que Corbin s'affaire devant la cuisinière.

– Le dîner, répond-il d'un ton sec.

Il lui en faut du temps !

Miles me jette un autre regard puis lance :

– Ça va, Tate ?

– Ça va.

– Les examens se sont bien passés ?

Il me regarde partout sauf dans les yeux.

– Bien.

Il articule à voix basse : *Tu es jolie.*

Je souris en regrettant plus que jamais que Corbin soit là, parce que je dois faire appel à toute ma volonté pour ne pas me jeter dans les bras de Miles et l'embrasser à pleine bouche.

Mais on s'efforce de respecter l'idée que mon frère n'aime pas beaucoup ce qui se passe entre nous.

Miles se mordille la joue, comme s'il essayait de résoudre un problème insoluble. Tout est calme autour de nous et Corbin ne s'est toujours pas retourné pour accueillir son ami. Miles paraît sur le point d'exploser.

– Et merde ! lance-t-il soudain en fonçant vers moi.

Face à Corbin, il prend mon visage entre ses mains et m'embrasse.

Il m'embrasse.

Devant Corbin.

N'essaie pas d'analyser, Tate.

Il m'entraîne hors de la cuisine et j'ai juste l'impression que mon frère fait comme s'il n'avait rien vu.

Il ne s'y est toujours pas fait.

Ce n'est qu'arrivé dans le salon que Miles détache sa bouche de la mienne.

– Je n'ai pensé qu'à ça toute la journée, m'avoue-t-il.

– Moi aussi.

Maintenant, c'est vers la porte d'entrée qu'il m'entraîne. Je le suis. Il l'ouvre, file vers son appartement, tire la clé de sa poche. Ses bagages sont encore sur le palier. Je m'étonne :

– Tu as laissé tout ça là ?

Il les pousse du pied à l'intérieur puis me laisse passer.

– Je n'étais pas encore entré, explique-t-il.

– Tu es venu d'abord chez moi ?

Hochant la tête, il plaque la valise contre le mur, dépose son sac sur le canapé.

– Oui. Comme je t'ai dit, Tate, je ne pensais qu'à ça.

Dans un grand sourire, il se penche pour m'embrasser.

Ça me fait rire.

– Alors, je t'ai manqué.

Dans un mouvement de recul, il se crispe, comme si je venais de lui avouer que je l'aimais.

– Détends-toi, Miles, tu as le droit de penser à moi. Sans enfreindre le règlement.

Il recule encore.

– Tu as soif ? demande-t-il pour changer de sujet, comme toujours dans ces cas-là.

Il se dirige vers la cuisine, mais son attitude a changé du tout au tout, jusqu'à sa joie de me revoir, dirait-on.

Je reste plantée au milieu du salon, à voir ainsi s'effondrer mes illusions.

Ce mec n'est même pas capable d'admettre que je lui ai manqué.

Je m'accrochais à l'espoir qu'en y allant doucement je le verrais bientôt surmonter ce qui pouvait le retenir. J'ai passé les derniers mois à me dire qu'il assumait sans doute mal l'évolution de notre relation, qu'il lui fallait encore du temps. Mais la vérité est tout autre. Ce n'est pas lui qui assume mal.

C'est moi.

Moi qui n'arrive pas à suivre l'évolution de notre relation.

– Ça va ? me lance-t-il de la cuisine.

Sortant la tête du placard où il cherchait des verres, il m'aperçoit et semble attendre ma réponse, mais je ne peux m'empêcher d'insister :

– Je t'ai manqué, Miles ?

Le voilà qui disparaît de nouveau derrière la porte du placard.

– On ne parle pas de ce genre de chose, Tate, lâche-t-il d'une voix dure.

Il plaisante, là ?

– Ah bon ? Miles, c'est une des questions les plus répandues entre amis. Tu ne t'engages pas pour la vie si tu y réponds.

Il vient s'adosser au bar, me regarde calmement.

– On n'a jamais été amis, Tate, et je ne veux pas rompre ta seule et unique règle en te donnant de faux espoirs, donc, non, je ne répondrai pas.

J'ignore ce qui m'arrive alors, mais c'est comme si tout ce qu'il m'a fait et dit de négatif me revenait soudain en pleine figure. J'ai envie de hurler, de le haïr, de savoir ce qui a pu lui arriver pour le rendre capable de sortir des phrases susceptibles de me faire souffrir plus que jamais.

J'en ai assez de faire du sur-place.

J'en ai assez de faire comme si je ne bouillais pas de tout savoir sur lui.

J'en ai assez de faire comme s'il n'était pas partout. Mon tout.

– Qu'est-ce qu'elle t'a fait, Miles ?

– Arrête !

C'est plus qu'un avertissement. Une menace.

J'en ai assez de voir la douleur dans son regard sans savoir d'où elle provient. J'en ai assez d'ignorer quels mots il ne faut pas prononcer devant lui.

– Dis-le moi, Miles.

Il se détourne.

– Rentre chez toi, marmonne-t-il en se retournant vers le bar.

Il l'agrippe des deux mains, baisse la tête entre les épaules.

– Va te faire foutre !

Sur ces bonnes paroles, je sors de la cuisine mais, au milieu du salon, je l'entends qui me rejoint, alors je presse le pas. J'arrive à la porte d'entrée, l'ouvre, cependant ses paumes se plaquent dessus avant que je n'aie pu sortir, et il la claque.

Les yeux fermés, prête à tout, je guette les mots qui vont achever de me détruire.

Il approche le visage de mon oreille et se presse contre mon dos.

—Tate. J'ai été clair dès le début.

J'éclate d'un rire nerveux. Parce que je ne sais quoi faire d'autre. Il ne recule pas pour autant et sa présence m'impressionne plus que jamais.

– Tu crois ça ? dis-je. Tu n'es qu'un connard, Miles.

– Ah bon ? D'après toi, je n'ai donc pas été clair ? Elle n'était pas claire, la règle de départ ?

Incrédule, je ris de plus belle avant de lâcher d'un seul coup tout ce que j'ai sur le cœur :

– Il y a une énorme différence entre baiser quelqu'un et lui faire l'amour. Chaque fois que tu es en moi, tu me fais l'amour. Je le vois à ta façon de me regarder. Je te manque quand on n'est pas ensemble. Tu ne fais que penser à moi. Tu n'arrives même pas à attendre deux secondes, le temps d'ouvrir ta porte, avant de venir me voir. Alors ne viens pas me raconter que tu as été clair dès le premier jour, parce que tu es l'enfoiré le plus obscur que je connaisse.

Je respire.

Je respire pour la première fois depuis près d'un mois.

Qu'il fasse ce qu'il veut maintenant, moi j'en ai marre.

Tout en s'éloignant de moi, il laisse échapper un long soupir bien régulier. Il frémit et se retourne, comme s'il ne voulait pas que je lise les émotions qui l'habitent en profondeur. Les mains sur la nuque, il demeure immobile une bonne minute puis se remet à soupirer, plusieurs fois, comme s'il faisait son possible pour s'empêcher de pleurer. Mon cœur se serre quand je me rends compte de ce qui se passe.

Il craque.

– Oh, mon Dieu ! murmure-t-il d'une voix douloureuse. Qu'est-ce que je t'ai fait, Tate ?

Il se dirige vers le mur, s'y adosse, se laisse glisser par terre, remonte les genoux sous son menton, les entoure de ses bras, se couvre le visage de ses mains comme pour en écarter un trop-plein d'émotions. Mais ses épaules se mettent à trembler, bien qu'il ne laisse plus échapper aucun son.

Il pleure.

Miles Archer qui pleure.

Exactement comme le soir où j'ai fait sa connaissance, avec ces mêmes larmes déchirantes.

Cet homme accompli, impressionnant derrière son rempart d'indifférence, est en train de complètement s'écrouler sous mes yeux.

– Miles ?

Ma voix semble bien faible dans cet impressionnant silence. Je m'approche de lui, m'agenouille, lui entoure les épaules de mes bras, pose la tête sur la sienne.

Je ne lui demande pas ce qui lui arrive, parce que là, j'ai trop peur de le savoir.

32

MILES

SIX ANS PLUS TÔT

Lisa aime Clayton.

Mon père aime Clayton.

Clayton réconcilie nos deux familles.

C'est déjà mon héros, alors qu'il n'a que deux jours.

Peu après le départ de mon père et Lisa, Ian arrive.

Il dit ne pas vouloir prendre Clayton dans ses bras, seulement Rachel insiste. Ça le met mal à l'aise, parce qu'il n'a jamais porté de bébé. Mais tout se passe bien.

– Heureusement qu'il ressemble à Rachel ! observe-t-il.

Là, je suis d'accord avec lui.

Il demande à Rachel si je lui ai fait part de mes observations sur elle après notre rencontre.

Je ne vois pas de quoi il veut parler.

Ian se met à rire.

– Quand il t'a accompagnée au cours, le premier jour, il a pris une photo de toi discrètement. Il me l'a envoyée par SMS en ajoutant ce message :

« C'est elle qui portera mes enfants. »
Rachel me regarde.
Je hausse les épaules.
Trop gêné.
Pourtant, elle a l'air contente. Alors je suis content que
Ian le lui ait raconté. Le médecin entre et nous dit que je
peux ramener Rachel à la maison, maintenant. Ian m'aide
à tout emporter dans la voiture. Avant de regagner la
chambre de Rachel, il me touche l'épaule. Je me retourne.
Je crois qu'il va me féliciter mais, à la place,
il me serre dans ses bras.
C'est à la fois bizarre et normal.
J'aime qu'il soit fier de moi.
Je me sens bien dans ma peau.
Ian s'en va.
Et nous aussi.
Moi, Rachel et Clayton.
Ma famille.
J'aimerais qu'elle s'asseye à l'avant avec moi,
mais j'accepte qu'elle se mette à l'arrière pour porter le bébé.
J'aime comme elle l'aime. J'aime qu'elle m'attire encore plus
maintenant qu'elle est maman. J'ai envie de l'embrasser.
De lui dire encore que je l'aime, mais je crois que je le lui
dis beaucoup trop. Je ne veux pas qu'elle en ait marre
de l'entendre.
– Merci pour ce bébé, me lance-t-elle de sa place.
Il est si beau !
Je ris.
– C'est de toi que vient sa beauté, Rachel.
Tout ce que je lui ai transmis, ce sont ses couilles.
Elle éclate de rire.
– Oh là, oui ! Ça je sais. Elles sont impressionnantes !
Nous rions ensemble des burnes de notre fils.
Elle pousse un soupir.

– Repose-toi, lui dis-je.
Tu n'as pas dormi depuis deux jours.
Je la vois sourire dans le rétroviseur.
– Mais je ne peux pas m'empêcher de le regarder,
souffle-t-elle.
Je ne peux pas m'empêcher de te regarder, Rachel.
Pourtant, j'arrête, parce que les véhicules en sens inverse
m'éblouissent trop.
Mes mains agrippent le volant.
M'éblouissent beaucoup trop.
J'ai toujours entendu dire que toute notre vie se déroulait
devant nos yeux à l'instant de la mort.
Dans un sens, c'est vrai.
Encore que ça n'arrive pas par périodes, ni dans l'ordre.
C'est juste une image qui vous
ENVAHIT
la tête et devient tout ce qu'on sent, tout ce qu'on voit.
Ce n'est pas votre vie qui passe devant vos yeux.
Mais les gens qui occupent votre vie.
Rachel et Clayton.
Je ne vois qu'eux – *toute ma vie* –
qui scintillent devant mes yeux.
Le son prend toute la place.
Tout.
En moi, dehors, à travers moi, sous moi, sur moi.
RACHEL, RACHEL, **RACHEL.**
Je ne la trouve pas.
CLAYTON, CLAYTON, **CLAYTON.**
Je suis mouillé. J'ai froid. J'ai mal au crâne. Aux bras.
Je ne la vois pas, je ne la vois pas, je ne la vois pas,
je ne le vois pas.
Silence.
Silence.
Silence.

SILENCE ASSOURDISSANT.
– Miles !
J'ouvre les yeux.
C'est mouillé, c'est mouillé, il y a de l'eau, c'est mouillé.
De l'eau dans la voiture.
Je défais ma ceinture, me retourne.
Elle a les mains posées sur le berceau du bébé.
– Miles, aide-moi ! Il est coincé.
J'essaie.
J'essaie encore.
Mais il faut qu'elle sorte, elle aussi.
Il faut qu'elle sorte, elle aussi.
D'un coup de pied, je brise ma vitre.
J'ai vu ça dans un film, une fois.
Dépêche-toi de dégager une sortie avant qu'il n'y ait trop de pression contre les fenêtres.
– Rachel, sors ! Je m'occupe de lui !
Elle me dit non. Elle ne veut pas sortir sans lui.
Je m'occupe de lui, Rachel.
Elle ne peut pas sortir. Sa ceinture est bloquée, trop serrée.
Je me retourne sur mon siège, attrape sa ceinture,
la trouve sous l'eau.
– Sors-le d'abord ! crie-t-elle. Sors-le d'abord !
Je ne peux pas.
Ils sont tous les deux coincés.
Tu es coincée, Rachel.
Oh, mon Dieu !
J'ai peur.
Rachel a peur.
L'eau est partout. Je ne vois plus le bébé.
Je ne vois pas Rachel.
Je n'entends pas le bébé.
Je parviens à détacher la ceinture.
Je prends Rachel par les mains. Sa vitre n'est pas cassée.

La mienne si.
J'attire Rachel vers l'avant. Elle se débat.
Elle cesse de se débattre.
Débats-toi, Rachel.
Débats-toi.
Bouge.
Quelqu'un arrive derrière ma vitre. Je l'entends crier :
– Donnez-moi sa main !
L'eau entre maintenant par ma vitre.
Tout l'arrière est inondé.
Tout est inondé.
Je tends à l'homme la main de Rachel. Il m'aide à la sortir.
Tout est inondé.
J'essaie de trouver le bébé.
Je ne peux pas respirer.
J'essaie de trouver le bébé.
Je ne peux pas respirer.
J'essaie de sauver le bébé.
Je veux être son héros.
Je ne peux pas respirer.
Alors j'arrête.
Silence.
Silence.
Silence.
Silence.
Silence.
Silence.
Silence.
Silence.
Silence.
CRI ASSOURDISSANT.
Je me couvre les oreilles de mes mains.
Je me blinde le cœur d'une armure.
Je tousse jusqu'à pouvoir respirer de nouveau.

J'ouvre les yeux. *On est dans un bateau.*
Je regarde autour de moi. *On est sur un lac.*
Je porte une main à ma mâchoire.
Ma main est rouge.
Couverte d'un sang rouge comme les cheveux de Rachel.
Rachel.
Je trouve Rachel.
Clayton.
Je ne trouve pas Clayton.
Je me soulève sur les mains, m'approche du bord du bateau.
Il faut que je le trouve.
Quelqu'un m'arrête. Quelqu'un m'en empêche.
Quelqu'un me retient.
Quelqu'un me dit qu'il est trop tard.
Quelqu'un me dit qu'il est désolé.
Quelqu'un me dit qu'on ne le retrouvera pas.
Quelqu'un me dit qu'on est tombés du pont après l'impact.
Quelqu'un me dit qu'il est désolé.
Alors, je m'approche de Rachel.
J'essaie de la prendre dans mes bras,
mais elle m'en empêche. Elle crie.
Elle sanglote. ELLE PLEURE. ELLE GÉMIT.
Elle me frappe.
Elle me gifle.
Elle dit que j'aurais dû le sauver, lui.
Mais j'ai essayé de vous sauver tous les deux, Rachel.
– Tu aurais dû le sauver, lui, Miles ! pleure-t-elle.
Tu aurais dû *le sauver.*
Tu aurais dû *le sauver.*
J'aurais dû le sauver, *LUI.*
Elle hurle.
Elle sanglote. ELLE PLEURE. **ELLE GÉMIT.**
Je l'étreins quand même.
Je la laisse me frapper.

Je la laisse me haïr.

Rachel me hait.

Je l'étreins quand même. Rachel pleure, mais sans plus faire de bruit. Elle pleure tant que sa gorge n'émet plus un son. Son corps pleure, mais pas sa voix.

Brisée.

Brisée.

BRISÉE.

Je pleure avec elle. Je pleure et pleure et pleure et pleure et nous pleurons et nous pleurons et nous pleurons.

Brisés.

Tout est inondé.

Je regarde Rachel. *Je ne vois que de l'eau.*

Je ferme les yeux. *Je ne vois que de l'eau.*

Je lève yeux au ciel. *Je ne vois que de l'eau.*

C'est tellement douloureux. Je n'aurais jamais cru qu'un cœur pouvait supporter tout le poids du monde.

Je t'ai brisée, Rachel.

Ma famille.

Moi et toi et Clayton.

BRISÉS.

Tu ne pourras plus jamais m'aimer, Rachel.

33

TATE

Mes mains sont sur lui, je lui frotte le dos et lui caresse les cheveux. Il pleure, et je ne peux rien lui dire d'autre que ce n'est rien, qu'il peut oublier tout ce que j'ai raconté ce soir. Je serais prête à tout pour apaiser un peu son chagrin, parce que, quoi qu'il ait pu lui arriver, ça ne devrait plus compter, maintenant. Quoi qu'il ait pu lui arriver, ça ne devrait pas le bouleverser encore à ce point.

J'écarte ses bras de son visage puis m'assieds sur ses genoux, lui prends les joues entre mes paumes, l'attire contre moi. Il garde les yeux clos.

– Je n'ai pas besoin de savoir, Miles.

Il m'enveloppe le dos, appuie la tête contre ma poitrine. Son souffle s'accélère encore alors qu'il tente de refouler ses émotions. Je lui embrasse les cheveux, lui couvre la tempe puis la joue de baisers, jusqu'à ce qu'il se redresse et me regarde.

Aucune cuirasse au monde, aucun rempart ne sauraient cacher la détresse de son expression. Je suis tellement saisie que je dois retenir mon souffle pour ne pas pleurer avec lui.

Que t'est-il arrivé, Miles ?

– Je n'ai pas besoin de savoir, redis-je en secouant la tête.

Ses mains se posent sur ma nuque et il appuie ses lèvres sur les miennes, d'un mouvement si brusque qu'il en devient pénible. Il me pousse à m'allonger sur le sol, tire sur mon t-shirt tout en m'embrassant désespérément, furieusement, m'emplissant la bouche de ses larmes.

Je le laisse se servir de moi pour colmater son chagrin.

Je suis prête à tout pourvu que cela l'aide à souffrir un peu moins.

Il glisse la main sous ma jupe, entreprend de m'ôter ma culotte tandis que je commence à détacher son jean. Quand ma culotte arrive sur mes chevilles, je m'en débarrasse d'un seul mouvement, et il s'empare de mes mains pour me les bloquer au-dessus de la tête, à même le parquet.

Il pose le front sur le mien mais ne m'embrasse pas. Il ferme les yeux ; je garde les miens ouverts. Il ne perd pas de temps à s'introduire entre mes jambes, tout en les écartant d'un geste violent, afin d'entrer en moi, mais doucement, sans me brusquer. Alors, seulement, il pousse un profond soupir plus ou moins soulagé. Son esprit semble enfin s'alléger quelque peu de l'horreur qu'il vient de traverser.

Il se retire, revient, cette fois de toutes ses forces.

Ça fait mal.

Donne-moi ta douleur, Miles.

– Mon Dieu, Rachel, murmure-t-il.

Mon Dieu, Rachel...

Rachel, Rachel, Rachel.

Ces mots se répercutent à travers mon cerveau.

Mon.

Dieu.

Rachel.

Je détourne la tête de la sienne. C'est la pire douleur que j'aie jamais ressentie. La pire de toutes.

Son corps s'immobilise en moi dès qu'il se rend compte de ce qu'il a dit. Plus rien ne bouge entre nous, que les larmes qui coulent de mes yeux.

– Tate, murmure-t-il en rompant le silence, Tate, pardonne-moi.

Je secoue la tête, mais les larmes ne veulent pas s'arrêter. Quelque chose en moi s'est pétrifié ; quelque chose de liquide qui s'est figé sous la glace de cette révélation.

De ce nom.

Il suffit à tout expliquer. Jamais je n'accéderai au passé de Miles, parce que c'est *elle* qui le détient.

Jamais je n'accéderai à l'avenir de Miles, parce qu'il refuse de l'accorder à quiconque n'est pas elle.

Et je ne saurai jamais pourquoi, parce qu'il ne me le dira jamais.

Il commence à se retirer de moi, mais je serre les jambes autour des siennes. Il pousse un profond soupir contre ma joue.

– Je te jure, Tate, je ne pensais pas à...

– Arrête ! dis-je dans un souffle.

Je ne veux pas l'entendre nier ce qui vient d'arriver.

Soulevant la tête, il me regarde. Je devine les excuses, claires comme le jour, naître sous de nouvelles larmes. J'ignore si ce sont mes paroles qui l'ont encore anéanti ou le fait que son cœur, et nous le savons tous deux, vient à nouveau de se briser.

Comme si c'était encore possible.

Une larme lui coule des yeux et atterrit sur ma joue. Je la sens rouler sur le côté, où elle rejoint les miennes.

Il faut que ça s'arrête, maintenant.

À mon tour d'attirer sa tête contre la mienne pour l'embrasser. Il ne bouge plus en moi, alors je me cambre en appuyant mes hanches plus fort contre les siennes. Il geint dans ma bouche, se remet à remuer, s'arrête encore.

– Tate, articule-t-il encore contre ma bouche.

– Termine, Miles.

Il pose une paume sur ma joue, m'embrasse sous l'oreille. On pleure tous les deux à chaudes larmes et je vois que je suis en bonne partie la cause des siennes. Je le sais. Je sens combien il voudrait pouvoir m'aimer, mais ce qui l'arrête semble plus puissant que tout ce que je pourrais entreprendre. Je lui enveloppe le cou de mes mains, le supplie :

– *S'il te plaît,* Miles !

Je pleure, l'implore sans même plus savoir pourquoi.

Il rentre en moi si brusquement que j'ai un mouvement d'écart, alors il m'enveloppe les épaules de ses mains et me retient pour s'enfoncer de plus en plus en moi. Ses longues poussées profondes nous arrachent à tous deux de nouveaux gémissements.

– Plus fort ! dis-je.

Il pousse plus fort.

– Plus vite.

Il bouge plus vite.

On cherche tous les deux notre respiration entre nos larmes. C'est intense, déchirant, bouleversant.

C'est atroce.

C'est fini.

Dès que son corps s'arrête au-dessus du mien, je repousse ses épaules. Il roule sur le côté. Je m'assieds, m'essuie les yeux de la main, puis me lève, récupère ma culotte. Ses doigts s'enroulent autour de ma cheville. Ces mêmes doigts qui ont saisi ma cheville le premier soir.

– Tate, articule-t-il d'une voix criblée de toutes sortes de sentiments.

Des sentiments qui s'enroulent autour de chacune des lettres de mon nom quand elles sortent de sa bouche.

Je me dégage de son emprise.

Je me dirige vers la porte, alors que je le sens encore en moi. Alors que je goûte encore ses lèvres sur les miennes. Alors que ses larmes me coulent encore sur les joues.

J'ouvre la porte et sors.

Je la referme derrière moi, le geste le plus difficile que j'ai accompli de ma vie.

Je n'arrive même pas à franchir les quelques pas qui me séparent de mon appartement.

Je m'effondre sur le palier.

Je suis liquide.

Rien que des larmes.

34

MILES

SIX ANS PLUS TÔT

Nous sommes rentrés à la maison. Pas chez nous. Rachel voulait voir Lisa. Rachel a besoin de sa mère.

Et moi, j'aurais bien besoin de mon père.

Tous les soirs, je la serre contre moi. Tous les soirs, je lui dis combien je suis désolé. Tous les soirs, on pleure.

Je ne comprends pas comment les choses peuvent être aussi parfaites. Comment la vie, l'amour, les gens peuvent être aussi parfaits.

Parce que ça ne l'est pas.

La vie, l'amour, les gens sont devenus immondes.

Tout est inondé.

Ce soir, c'est différent. Ce soir, pour la première fois depuis trois semaines, elle ne pleure pas. Je la serre néanmoins contre moi. J'aimerais pouvoir me réjouir qu'elle ne pleure plus, mais ça me fait peur. Ses larmes signifient qu'elle ressent quelque chose, quand bien même ce ne serait que de la détresse. Tandis que là, ses yeux sont secs.

Je l'étreins néanmoins. Je lui dis combien je suis désolé.

Elle ne dit jamais que c'est bon.

Elle ne dit jamais que je n'y suis pour rien.

Elle ne dit jamais qu'elle me pardonne.

Cependant, elle m'embrasse, ce soir. Elle m'embrasse et enlève sa chemise. Elle me dit de lui faire l'amour. Je sais qu'on ne devrait pas. Je lui dis qu'on devrait attendre encore quelques semaines. Elle m'embrasse, alors j'arrête de parler.

Je l'embrasse à mon tour.

Rachel m'aime de nouveau.

Je crois.

Elle m'embrasse comme si elle m'aimait.

Je suis tendre avec elle.

J'y vais doucement.

Elle me caresse la peau comme si elle m'aimait.

Je ne veux pas lui faire mal.

Elle pleure.

Je t'en prie, ne pleure pas, Rachel.

J'arrête.

Elle me dit de ne pas arrêter.

Elle me dit d'achever.

Achever.

Je n'aime pas ces mots.

Comme si je remplissais un contrat.

Je l'embrasse encore.

J'achève.

Miles,

Rachel m'a écrit une lettre.

Je suis désolée.

Non.

Je ne peux pas continuer. Ça fait trop mal.

Non, non, non.

Ma mère me remmène à Phoenix. On va y habiter ensemble. C'est devenu très compliqué, même entre eux deux. Ton père est déjà au courant.

Clayton réconcilie nos deux familles.

Miles les déchire.

J'ai essayé de rester. J'ai essayé de t'aimer. Chaque fois que je te regarde, je le vois. Je le vois partout. Si je reste, tout sera toujours lui. Tu le sais. Je sais que tu le comprends. Je ne devrais rien te reprocher.

Pourtant, tu le fais.

Je suis désolée.

Tu renonces à notre amour avec une lettre, Rachel ?

Amour,

Je le ressens. Tous ses aspects atroces. Par tous les pores de ma peau. Dans mes veines. Dans mes souvenirs. Dans mon avenir.

Rachel.

La différence entre l'atrocité de l'amour et sa beauté, c'est que sa beauté pèse beaucoup moins. Elle vous donne l'impression de flotter. Elle vous soutient. Vous transporte.

Le beau côté de l'amour vous soulève au-dessus du reste du monde, si haut qu'on n'en voit plus la laideur, et, en le contemplant d'en haut, on se dit *je suis bien heureux de me trouver au-dessus de tout ça.*

Parfois, le beau côté de l'amour s'en retourne à Phoenix.

Son atrocité pèse trop lourd pour retourner à Phoenix. Son atrocité ne vous transporte pas.

Elle vous fait

T
  O
    M
      B
        E
          R.

Vous maintient la tête en bas.
Vous *noie.*
On relève la tête en se disant *qu'on aimerait se trouver là-haut.*
Mais ce n'est pas le cas.
L'amour atroce *devient* une part de vous-même.
Vous *consume.*
Vous fait *tout haïr.*
Vous fait comprendre que son beau côté n'en vaut seulement pas la peine. Loin de toute beauté, on ne risque pas de ressentir *cela.*
D'en ressentir l'atrocité.
Alors, on laisse tomber. On lâche tout. On ne veut plus entendre parler d'amour, beau ou atroce, parce qu'aucune forme d'amour ne vaudra jamais la peine de subir à nouveau l'amour atroce.
Jamais je ne me laisserai plus aller à aimer quelqu'un, Rachel. Jamais.

35

TATE

– Dernier chargement ! lance Corbin en ramassant les deux cartons qui restaient.

Je lui tends les clés de mon nouveau chez-moi.

– Je jette un dernier coup d'œil et je te rejoins, dis-je en lui ouvrant la porte.

Il sort de l'appartement et je reste sur le seuil, à examiner l'autre bout du palier.

Je ne l'ai plus vu, je ne lui ai plus parlé depuis la semaine dernière. Égoïstement, j'espérais qu'il allait se manifester, s'excuser, mais là encore, en quel honneur devrait-il s'excuser ? Il ne m'a jamais menti. Il n'a jamais rompu aucune promesse.

Les seules fois où il ne s'est pas montré d'une franchise trop crue envers moi, c'était quand il ne disait rien. Ces moments où il me regardait et me laissait deviner les sentiments que je lisais dans ses yeux, qu'il ne saurait jamais exprimer verbalement.

Désormais, il m'apparaît clairement que j'ai inventé tous ces sentiments que je lui attribuais, afin de les faire correspondre aux miens. Ces quelques émotions que je pensais capter quand on se trouvait ensemble ne provenaient que de mon imagination. Fabriquées par de vaines espérances.

J'examine l'appartement une dernière fois pour m'assurer que j'ai bien tout emballé. Alors que je sors et ferme la porte de Corbin, mes mouvements sont soudain guidés par une pulsion inattendue.

Je ne saurais dire si c'est de la bravoure ou du désespoir, mais voilà que je frappe chez Miles à grands coups de poing.

S'il ne répond pas dans les dix secondes, je pourrai toujours m'échapper vers l'ascenseur.

Sauf que la porte s'ouvre au bout de sept.

La raison voudrait que je prenne mes jambes à mon cou, mais toutes mes pensées se figent en découvrant Ian sur le seuil. Son expression vire de la méfiance à la sympathie quand il voit que c'est moi.

– Tate !

Je remarque son bref coup d'œil vers la chambre de Miles, cependant il revient aussitôt sur moi.

– Je vais le chercher, annonce-t-il.

Je ne peux m'empêcher de faire oui de la tête, tandis que mon cœur dégringole dans ma poitrine, me traverse le ventre et s'écrase au sol.

J'entends encore la voix de Ian :

– C'est Tate qui a frappé.

J'examine chaque mot, chaque syllabe, comme si j'allais pouvoir y trouver une indication. Je voudrais savoir s'il a levé les yeux au ciel en disant ça ou s'il était plutôt content. Car si quelqu'un sait à quoi s'attendre avec Miles, c'est bien Ian. Malheureusement, sa voix ne laisse rien transparaître de ce que Miles ressent en apprenant ma présence.

J'entends des pas. Je dissèque chacun des sons qui me parviennent du salon. Pourrait-on qualifier sa démarche de vive ? Ou d'hésitante ? Ou de furieuse ?

Quand il arrive devant la porte, je ne vois d'abord que ses pieds.

Rien, aucun indice. Impossible d'y trouver le moindre encouragement dont j'aurais tant besoin en ce moment.

Je sens déjà que ma voix sera hésitante, râpeuse, pourtant, je me force à parler :

– Je m'en vais. Je voulais te dire au revoir.

Il ne réagit pas immédiatement, ni physiquement ni même verbalement. Je parviens enfin à lever les yeux vers les siens. En découvrant son regard stoïque, j'ai envie de reculer mais j'ai peur de trébucher sur mon cœur.

Je ne veux pas que Miles me voie tomber.

Mes regrets d'avoir cédé à la tentation de frapper chez lui n'en sont que plus forts quand je reçois cette brève réponse :

– Au revoir, Tate.

36

MILES

AUJOURD'HUI

Ses yeux trouvent enfin le courage de soutenir mon regard, mais moi, j'essaie de ne pas la voir. Parce que je ne supporte plus de la regarder. Chaque fois que je suis avec elle, son visage, sa bouche, sa voix, son sourire piquent mes points faibles. S'en emparent. Les conquièrent. Chaque fois que je suis auprès d'elle, il faut que je résiste, alors, là, je m'efforce de ne la voir qu'avec mes yeux.

Elle vient me dire au revoir, mais ce n'est pas du tout pour ça qu'elle est là et elle le sait. Elle est là parce qu'elle est amoureuse de moi, alors que je le lui ai interdit. Elle est là parce qu'elle espère toujours que je pourrai lui rendre son amour.

Je voudrais t'aimer, Tate. J'en ai tellement envie que ça me fait un mal de chien.

Je ne reconnais même pas ma voix quand je lui dis au revoir. Mon manque d'émotion pourrait être interprété comme une marque de haine. Bien loin de l'apathie que j'essayais de traduire et encore plus loin de la pulsion qui me prend de la supplier de ne pas partir.

Aussitôt, elle regarde ses pieds. Je vois bien que ma réponse la tue, mais je lui ai déjà donné trop de faux espoirs. Chaque fois que je la laisse entrer, elle n'en souffre que davantage quand je dois la faire partir.

En même temps, j'ai du mal à la plaindre, parce qu'une telle souffrance n'a rien à voir avec la vraie douleur. Elle ne la connaît pas comme je la connais. Moi j'entretiens ma douleur. J'en fais ma principale activité. Je la laisse prospérer et me harceler autant que possible.

Dans un gros soupir, Tate relève vers moi ses yeux rougis, trop brillants.

– Tu mérites infiniment plus que tu ne te le permets, observe-t-elle.

Elle se hisse sur la pointe des pieds, pose les mains sur mes épaules, m'embrasse sur la joue.

– Au revoir, Miles.

Là-dessus, elle s'en va vers l'ascenseur, à l'instant même où Corbin en sort. Je la vois essuyer une larme de la main.

Je la suis des yeux.

Puis je referme ma porte, guettant le moindre soulagement à l'idée que j'ai eu le courage de la laisser partir. À la place, je suis envahi par l'unique sensation familière dont mon cœur soit capable : la douleur.

– Quel crétin ! me lance Ian derrière moi.

Je me retourne pour le trouver assis sur le bras du canapé.

– Qu'est-ce que tu attends pour lui courir après, maintenant ? ajoute-t-il.

Tu ne comprends pas, Ian. Je déteste cette sensation. Je déteste tout ce qu'elle provoque en moi, parce que ça me remplit de ces choses auxquelles j'ai renoncé depuis six ans.

– Pourquoi je ferais ça ? dis-je en me dirigeant vers ma chambre.

Au passage, je m'arrête devant la porte d'entrée, pousse un soupir frustré parce que je n'ai pas envie de redonner de faux espoirs à Tate. Car ça finira forcément ainsi et il faudra bien qu'elle accepte qu'il n'y a rien entre nous. J'ai déjà laissé les choses aller trop loin. En fait, je n'aurais jamais dû commencer, quand on savait tous les deux que ça ne pouvait que se terminer ainsi.

J'ouvre la porte, mais pour tomber sur Corbin. Quelque part, je devrais être content de le voir lui plutôt qu'elle, toutefois son regard furibond m'empêche de me réjouir.

Sans me laisser le temps de réagir, il me balance un coup de poing et je trébuche en arrière vers le canapé. Ian me rattrape au passage et je me redresse vite.

– Qu'est-ce qui te prend, Corbin ? crie Ian.

Il me retient, comme s'il craignait une baston.

Mais je ne réagis pas. Je l'ai bien mérité.

Corbin nous regarde l'un après l'autre puis revient vers moi, tout en frottant son poing endolori.

– J'aurais dû faire ça depuis longtemps, marmonne-t-il.

Là-dessus, il saisit la porte par la poignée, la claque et nous laisse tous les deux en tête à tête.

Je me dégage, me frotte la lèvre et m'aperçois que j'ai les doigts pleins de sang.

– Et maintenant ? s'enquiert Ian. Tu vas la chercher, cette fois oui ou non ?

Je lui jette un regard mauvais et vais m'enfermer dans ma chambre.

Ian éclate de rire. De ce genre de rire qui clame *Non mais quel crétin !* Sauf qu'il l'a déjà dit. Il se répète, en quelque sorte.

Il vient me rejoindre dans ma chambre.

Franchement, je n'ai aucune envie de faire la conversation. Heureusement que je sais regarder les gens sans vraiment les voir.

Je m'assieds sur mon lit tandis qu'il s'adosse à la porte.

– J'en ai marre, Miles. Ça fait six ans que j'ai l'impression de voir un zombie.

– Je ne suis pas un zombie. Ça ne vole pas, les zombies.

Il prend un air excédé, visiblement pas impressionné par la plaisanterie. Tant mieux, parce que je n'ai aucune envie d'en faire d'autres.

Comme il ne me quitte pas des yeux, je sors mon téléphone et m'allonge en faisant comme s'il n'était pas là.

– C'est la première personne qui t'ait renvoyé un souffle de vie depuis le soir où tu as plongé dans ce putain de lac.

Je vais lui casser la gueule. S'il ne part pas dans la seconde, je lui casse la gueule.

– Va-t'en.

– Non.

Je le regarde et, cette fois, je le vois.

– Fous le camp, Ian !

Il se dirige vers mon bureau et tire la chaise pour s'y asseoir.

– Boucle-la, Miles. J'ai pas fini.

– Fous le camp !

– Non !

Puisque c'est comme ça, je me lève et m'en vais.

Il me suit.

– J'ai une question à te poser, lance-t-il derrière moi dans le salon.

– Et après tu t'en iras ?

– Et après je m'en irai.

– Bon.

Il me dévisage sans rien dire pendant un moment.

J'attends patiemment sa question pour le laisser partir sans lui taper dessus.

– Et si on te disait qu'il serait possible d'effacer cette nuit de ta mémoire à condition d'en effacer en même temps toutes les bonnes choses ? Tous les bons moments avec Rachel. Toutes les paroles, tous les baisers, tous les *je t'aime*. Tous les bons moments avec ton fils, même s'ils ont été trop courts. La première fois où tu as vu Rachel le tenir dans ses bras. La première fois où tu as porté ce bébé, toi aussi. La première fois où tu l'as entendu pleurer, où tu l'as regardé dormir. Tout, quoi. Disparu. À jamais. Si on te disait qu'on pourrait te débarrasser de l'horreur, mais également du reste... tu accepterais ?

S'il croit me poser une question qui ne m'est jamais venue à l'esprit... S'il croit que je ne ressasse pas toutes ces saloperies d'idées chaque jour de ma putain de vie...

– Tu n'as pas dit que je devrais te répondre, Ian. Tu as juste demandé si tu pouvais me poser une question. Tu peux partir, maintenant.

Je suis le dernier des enfoirés.

– *Tu ne peux pas* répondre, rectifie-t-il. Tu ne peux pas dire oui.

– Pas plus que non. Félicitations, Ian. Tu m'as collé. Salut.

Alors que je retourne dans ma chambre, il m'interpelle de nouveau. Je m'arrête, pose mes mains sur les hanches, baisse la tête. Il ne va donc jamais s'arrêter ? Ça fait six ans, merde ! Il devrait savoir maintenant. Il devrait savoir que je ne changerai plus.

– Si je t'avais demandé ça il y a quelques mois, poursuit-il, tu aurais dit oui sans me laisser terminer ma phrase. Tu as toujours répondu oui. Tu aurais renoncé à tout ton passé pour ne pas avoir à revivre cette nuit-là.

Je me retourne, juste pour le voir se diriger vers la porte d'entrée ; il l'ouvre, mais me fait de nouveau face avant de sortir.

– Si ta relation avec Tate depuis quelques mois t'a déjà rendu ce chagrin plus supportable, au point de me répondre plutôt par un *peut-être*, imagine ce que toute une vie avec elle pourrait arranger en toi.

Il ferme la porte.

Je ferme les yeux.

Quelque chose se passe en moi. Comme si ces paroles avaient créé une avalanche sur le glacier qui emprisonne mon cœur. Je sens des masses gelées se briser et tomber non loin des autres morceaux qui se sont détachés depuis que j'ai rencontré Tate.

Je sors de l'ascenseur et me dirige vers le fauteuil vide voisin de celui de Cap'taine. Il ne m'adresse pas un seul regard. Il ne quitte pas le hall d'entrée des yeux.

– Tu viens de la perdre, marmonne-t-il sans cacher sa désapprobation.

Je ne réponds pas.

S'appuyant sur ses bras, il change de position.

– Il y a des gens... qui deviennent plus raisonnables avec l'âge. Malheureusement, la plupart ne font que vieillir.

Il se tourne pour me faire face :

– Tu fais partie du deuxième groupe, tu es aussi bête qu'au jour de ta naissance.

Cap'taine me connaît assez pour savoir que ça devait finir ainsi. Il me connaît depuis ma plus tendre enfance puisqu'il travaillait déjà dans les immeubles de mon père avant ma naissance. Auparavant, il avait travaillé pour mon grand-père. En fait, il doit mieux connaître ma famille que moi-même.

– Il fallait bien que ça arrive, Cap'taine.

Comme si ça pouvait m'excuser d'avoir laissé partir l'unique fille qui m'ait ému depuis six ans.

– Ça devait arriver ? grommelle-t-il.

Depuis le temps que je le connais, durant toutes ces soirées passées à bavarder avec lui, il ne m'avait encore jamais donné son avis sur les décisions que je pouvais prendre. Il sait très bien quelles ont été mes options après Rachel. Il lâche parfois des miettes de sagacité çà et là mais ne laisse aucunement paraître son opinion. Patiemment, il a écouté pendant des mois mes confidences sur notre situation avec Tate, toujours assis à sa place, sans faire de commentaires. C'est ce que j'aime en lui.

Et là, j'ai l'impression que tout ça va changer.

– Avant de me faire la morale, Cap'taine, vous savez qu'il valait mieux pour elle que je la laisse partir. Vous le savez très bien.

– Ça c'est certain, ricane-t-il.

Je n'en reviens pas. *Alors, il est d'accord avec moi ?*

– J'ai donc bien fait, selon vous ?

Il ne réagit pas tout de suite mais finit par pousser un grand soupir. Son expression se crispe, l'air de ne pas vouloir en dire davantage. Mais bientôt, il se détend, croise tranquillement les bras.

– Je m'étais pourtant promis de ne jamais me mêler de tes histoires, mon garçon ; parce que, avant de donner son avis, il vaut mieux savoir de quoi on parle. Et Dieu sait qu'au cours de mes quatre-vingts années de vie, je n'ai jamais enduré ce qui t'est arrivé. J'ignore ce que tu as pu ressentir, mais le seul fait d'y penser me tord les boyaux et je sais que c'est pareil pour toi. Dans ton cœur. Dans tes os. Et dans ton âme.

Je ferme les yeux en regrettant de ne pouvoir en faire autant de mes oreilles. Je n'ai pas envie d'entendre ça.

– Personne dans ta vie ne peut seulement se douter de ce que c'est. Pas moi. Ni ton père. Ni tes amis. Pas même Tate. Il n'existe qu'une personne au monde capable d'éprouver ce que tu éprouves, de souffrir autant que toi. C'est l'autre parent du bébé, à qui il manque autant qu'à toi.

Maintenant, je crispe mes paupières tout en faisant mon possible pour le laisser achever, mais j'ai un mal fou à ne pas me lever et m'en aller. Il n'a pas le droit d'introduire Rachel dans cette conversation.

– Miles, continue-t-il doucement mais avec une détermination qui m'empêche de protester. Tu crois avoir privé cette femme de son droit au bonheur et, tant que tu devras affronter un tel passé, tu ne progresseras pas. Tu revivras ces instants chaque jour de ta vie, jusqu'à ta mort, à moins d'aller vérifier de tes yeux qu'elle se porte bien. Alors seulement tu comprendras que tu as droit toi aussi au bonheur.

Je me penche en avant, me passe les mains sur le visage, repose les coudes sur mes genoux et ne vois plus que ce qui se passe à mes pieds. Cette larme qui me tombe des yeux.

Je murmure :

– Et qu'est-ce qui arrivera si elle ne se porte pas bien ?

Cap'taine se penche comme moi mais bloque ses mains entre ses jambes. Je me tourne alors vers lui, juste pour découvrir des larmes dans ses yeux à lui. C'est bien la première fois, depuis vingt-quatre ans que je le connais.

– Dans ce cas, soupire-t-il, ça ne changera rien du tout. Tu pourras continuer à croire que tu ne mérites pas de vivre après avoir brisé son existence. Tu pourras continuer à esquiver tout ce qui pourrait te permettre *d'éprouver* de nouveau des sentiments.

Il s'incline un peu vers moi, baisse la voix :

– Je sais que tu es terrifié à l'idée d'affronter ton passé. Comme n'importe qui le serait à ta place. Pourtant, il faut parfois en passer par là, non pas pour soi mais pour ceux qu'on aime encore plus que soi-même.

37

RACHEL

– Brad ! On a sonné !

Tout en criant cela, j'ai attrapé une serviette pour m'essuyer les mains.

– J'y vais, lance-t-il en traversant la cuisine.

Je regarde autour de moi pour m'assurer que ma mère ne pourra rien critiquer. Les comptoirs sont propres, le sol aussi.

Amène-toi, maman.

– Attendez ici, lance Brad à la personne qui vient d'entrer.

Attendez ici ?

Il ne dirait jamais ça à ma mère.

– Rachel, lance-t-il devant la cuisine.

Aussitôt, mes pensées se reportent sur ma mère et je suis prise d'anxiété.

– Brad, qu'est-ce qu'il y a ?

Je m'agrippe au comptoir, saisie de cette peur familière qui a si longtemps vécu et respiré en moi mais ne me prend plus désormais que de temps à autre.

Comme en ce moment, alors que mon mari appréhende de me dire une chose que je n'ai pas forcément envie d'entendre.

– Il y a quelqu'un pour toi, annonce-t-il.

J'ignore qui pourrait bien mettre Brad dans un tel état.

– Qui ?

Il se rapproche lentement de moi, me prend le visage entre ses mains, me regarde dans les yeux comme s'il voulait m'empêcher de m'effondrer.

– C'est Miles.

Je ne bouge pas.

Je ne m'effondre pas, mais Brad me retient quand même, m'enveloppe de ses bras, m'attire contre lui.

– Qu'est-ce qu'il vient faire ici ?

Ma voix tremble tellement qu'il secoue la tête.

– Je ne sais pas, dit-il en se détachant doucement. Je vais lui demander de partir si tu veux.

Je refuse aussitôt. Je ne ferais pas ça à Miles, alors qu'il a dû venir spécialement à Phoenix pour me voir.

Pas au bout de presque sept ans.

– Tu veux prendre quelques minutes ? Je peux le conduire dans le salon.

Je ne mérite pas un tel homme. J'ignore ce que je deviendrais sans lui. Il connaît mon histoire avec Miles. Il sait ce qui nous est arrivé. J'ai mis un certain temps avant de pouvoir le lui raconter, mais maintenant il est au courant et le voilà qui me propose de faire entrer le seul autre homme que j'aie jamais aimé.

– Ça va, lui dis-je, même si c'est faux.

J'ignore si j'ai envie de voir Miles. Je n'ai aucune idée de ce qui l'amène ici.

– Et toi, Brad, ça va ?

– Oui. Mais lui, il a l'air plutôt bouleversé. Je crois que tu devrais lui parler.

Il se penche, m'embrasse sur le front.

– Il attend dans l'entrée. Je serai dans mon bureau si tu as besoin de moi.

J'acquiesce et puis l'embrasse. De tout mon cœur.

Il s'en va et je reste là, dans la cuisine, le cœur battant à tout rompre. Je prends une longue inspiration mais cela ne me calme en rien. Je passe les mains sur mon t-shirt puis me dirige vers l'entrée.

Miles me tourne le dos, mais il m'entend arriver et jette un regard par-dessus son épaule, comme s'il appréhendait cette rencontre autant que moi.

Il le fait lentement, prudemment ; soudain, ses yeux se fixent sur les miens.

Je sais que ça remonte à six ans, mais le voilà complètement transformé, tout en restant le même. C'est toujours Miles, mais en même temps, il est devenu un homme. Du coup, je me demande comment il me voit, me revoit pour la première fois depuis que je l'ai quitté.

– Bonjour, lance-t-il d'un ton mesuré.

Sa voix aussi a changé. Ce n'est plus la voix d'un ado.

– Bonjour.

Il parcourt l'entrée d'un regard circulaire. Il examine ma maison. Jamais je n'aurais cru le voir ici. Nous gardons un moment le silence, au moins deux bonnes minutes.

– Rachel, je...

Il repose les yeux sur moi.

– Je ne sais pas ce que je viens faire chez toi.

Moi, je sais.

Je le vois dans ses prunelles. J'ai appris à lire en lui. Je sais tout ce qu'il pense. Je connais toutes ses émotions. Il n'a jamais su me cacher ses sentiments, car il les ressentait trop fort. Et c'est toujours le cas.

Il est là parce qu'il a besoin de quelque chose. J'ignore quoi. De réponses sans doute ? De ma bénédiction ? Je suis contente qu'il ait attendu tout ce temps pour l'obtenir, parce que je crois que je suis maintenant prête à la lui donner.

– Ça me fait plaisir de te voir, lui dis-je.

Nos voix restent faibles, timides. C'est bizarre de revoir quelqu'un dans des circonstances tellement différentes de celles qui vous ont séparés.

J'ai aimé cet homme. De tout mon cœur, de toute mon âme. Autant que j'aime Brad aujourd'hui.

Autant que je l'ai détesté.

– Entre, dis-je en lui montrant le salon. On va bavarder.

Comme il semble hésiter, je passe devant lui et l'invite à me suivre.

On s'assied sur le canapé. Il semble si mal à l'aise qu'il reste au bord, se penche en avant, les coudes sur les genoux. Il regarde autour de lui, examinant de nouveau mon appartement. Ma vie.

– Tu en as du courage !

Il se tourne vers moi, attend la suite.

– Voilà longtemps que j'y pense, Miles. À l'idée de te revoir. Sauf que je... je ne pouvais pas.

– Pourquoi ? demande-t-il presque aussitôt.

– Pour la même raison que toi. On n'avait rien à se dire.

Il sourit, mais pas de ce sourire que j'aimais tant en lui. Celui-ci est plus réservé, et je me demande si c'est à cause de ce que je lui ai fait. Je suis responsable des moments les plus tristes de sa vie. Il y a tant de tristesse en lui, aujourd'hui.

Il attrape sur la table basse un portrait de Brad et moi, l'examine attentivement.

– Tu l'aimes ? me demande-t-il sans le quitter des yeux. Autant que tu m'as aimé ?

Je ne perçois pas la moindre jalousie dans son intonation, plutôt de la curiosité.

– Oui, autant.

Il repose le cadre à sa place mais ne cesse de le regarder.

– Comment ? murmure-t-il. Comment as-tu fait ça ?

Cette fois, je ne peux plus retenir mes larmes, parce que je sais exactement ce qu'il me demande. Je me suis posé la même question des années durant, jusqu'à ce que je rencontre

Brad. Je ne croyais plus pouvoir aimer personne. Je ne croyais plus le vouloir. Qui voudrait se remettre dans une situation susceptible de vous mener au bord du suicide ?

– Je vais te montrer quelque chose, Miles.

Je me lève, lui prends la main. Il examine longuement la mienne, avant d'y croiser les doigts et de la serrer, tout en se levant. Je l'emmène vers la chambre.

Alors que je m'apprête à ouvrir la porte, j'ai le cœur trop lourd, soudain habité des émotions et de tout ce que nous avons traversé ensemble ; mais je sais qu'il faut les laisser revenir à la surface si je veux l'aider à les surmonter, lui aussi. Je tourne la poignée et entre, suivie de Miles.

Dès que nous sommes à l'intérieur, je sens ses doigts se resserrer autour des miens.

– Rachel, murmure-t-il.

Comme s'il m'implorait de ne pas faire ça. Je le sens qui essaie de reculer, mais je ne le lâche pas, l'amène vers le berceau.

Et lui semble se débattre, comme s'il refusait d'en voir davantage.

Il me tient la main si fort que je ressens toute la peine de son cœur. Il laisse échapper un rapide soupir, avant de se pencher pour regarder. Je le vois déglutir, puis souffler bruyamment.

Sa main libre accroche le bord du berceau avec la même vigueur qu'il met à tenir la mienne.

– Comment elle s'appelle ?

– Claire.

Tout son corps réagit à ma réponse. Ses épaules vibrent et il tâche de retenir sa respiration, mais rien ne saurait la ralentir. Rien ne saurait empêcher Miles de ressentir ce qu'il ressent, alors je le laisse un peu tranquille. Il me lâche, pour plaquer une paume sur sa bouche, étouffant ainsi un énorme soupir, avant de sortir de la chambre à grands pas. Je me dépêche de le suivre, juste à temps pour le voir s'adosser au mur du couloir et se laisser glisser au sol, s'effondrer en larmes.

Sans chercher à les cacher, il se passe une main dans les cheveux puis s'adosse au mur, me regarde.

– C'est...

Il désigne la chambre de Claire, doit s'y reprendre à plusieurs fois pour commencer à formuler la phrase qu'il voulait dire.

– C'est sa sœur, finit-il par balbutier. Rachel, tu lui as donné une petite sœur.

Je m'assieds près de lui, le prends entre mes bras, lui caresse la tête. Le front dans les mains, il ferme les yeux et pleure doucement.

– Miles, dis-je sans cacher les miennes. Regarde-moi.

Il finit par appuyer la tête contre le mur, mais il ne parvient pas à poser ses yeux dans les miens. Cela ne m'empêche pas de poursuivre :

– Pardon de t'avoir accusé. Toi aussi, tu as perdu ce bébé. Je ne savais plus comment réagir, à cette époque.

Mes paroles achèvent de le détruire et je me sens atrocement coupable d'avoir laissé passer six années sans jamais le lui avouer. À son tour, il me prend dans ses bras, m'attire contre lui. Je ne résiste pas.

Il m'étreint un long moment, le temps pour nous d'absorber nos excuses, nos pardons, de redevenir nous-mêmes. Sans plus de pleurs.

Je mentirais si je disais que je ne pense jamais à ce que je lui ai fait. J'y pense tous les jours. Mais j'avais dix-huit ans, j'étais brisée et rien n'existait plus pour moi, après cette nuit-là.

Rien.

Je voulais juste oublier, pourtant, en m'éveillant chaque matin sans plus sentir Clayton à côté de moi, j'accusais Miles. Je lui reprochais de m'avoir sauvée alors que je n'avais plus aucune raison de vivre. Je savais au fond de moi qu'il avait fait son possible. Je savais aussi qu'il n'y était pour rien mais, à cette époque de ma vie, je n'étais plus capable de jugements rationnels ni de pardon. À cette époque, j'étais certaine de ne plus rien pouvoir faire que souffrir, souffrir encore.

Et cela a duré trois ans.

Jusqu'au jour où j'ai rencontré Brad.

J'ignore avec qui sort Miles, cependant l'expression de ses yeux prouve qu'il y a quelqu'un. Je voyais la même quand je me regardais dans la glace en me demandant si je serais un jour capable d'aimer de nouveau. Alors je me lance :

– Tu l'aimes ?

Pas besoin de savoir comment elle s'appelle. Nous n'en sommes plus là. Je me doute qu'il n'est plus amoureux de moi. C'est juste *qu'il ne sait plus* comment aimer.

Dans un nouveau soupir, il pose sa tête sur la mienne.

– J'ai peur d'en être incapable.

Il m'embrasse les cheveux, et je ferme les yeux. J'écoute son cœur battre dans sa poitrine. Un cœur qu'il prétend incapable d'amour, alors qu'au contraire c'est un cœur qui aime trop. Miles m'aimait à la folie, pourtant cette nuit-là a déchiré notre amour, ravagé notre monde. Et son cœur.

– Je pleurais tout le temps, lui dis-je. Tout le temps. Sous la douche. Dans la voiture. Dans mon lit. Chaque fois que j'étais seule, je pleurais. Les premières années, ma vie n'a été que chagrin ; rien ne pouvait plus m'atteindre. Même pas les bons moments.

Je sens ses bras se serrer davantage autour de moi, comme pour me dire silencieusement qu'il sait de quoi je parle.

– Et puis j'ai rencontré Brad, et là j'ai commencé à retrouver de brefs moments de détente, où ma vie ne me semblait plus toujours aussi triste. Un jour, j'ai accepté de monter dans sa voiture, et je me suis rendu compte que je ne pleurais plus en roulant. Les nuits que je passais avec lui, je parvenais à m'endormir autrement qu'à force de sangloter. Pour la première fois, cette impénétrable douleur qui m'habitait jour et nuit, s'annihilait au cours des bons moments que je vivais avec Brad.

Je marque une pause, il me faut un peu de temps pour récupérer. Voilà un moment que je n'ai pas eu l'occasion d'y réfléchir mais les sensations, les émotions restent très aiguës. Parfaitement réelles. Je me détache de Miles, m'adosse au mur et appuie ma tête sur son épaule. À son tour, il pose son front sur ma tempe, me prend la main, entrecroise nos doigts.

– Au bout d'un certain temps, je me suis aperçue que ces bons moments en compagnie de Brad l'emportaient sur mon chagrin. Chagrin qui devenait de plus en plus épisodique, tandis que mon bonheur avec Brad devenait ma vie.

Je le sens soupirer et je comprends qu'il saisit la portée de mes paroles. Quelle que soit la personne qu'il fréquente, il passe d'extraordinaires moments avec elle.

– Durant les neuf mois où j'ai attendu Claire, j'ai eu terriblement peur de ne pouvoir pleurer de joie à son arrivée. Mais, dès sa naissance, on l'a déposée dans mes bras, comme cela m'était arrivé pour Clayton, et j'ai trouvé qu'elle lui ressemblait, Miles. Elle était *comme lui*. Je la regardais, je la tenais dans mes bras, et les larmes me coulaient sur les joues. Sauf que c'étaient des larmes de bonheur ; les premières que je versais depuis que j'avais tenu Clayton dans mes bras.

Je m'essuie les yeux, lui lâche la main, relève la tête de son épaule.

– Tu en mérites au moins autant, lui dis-je. Toi aussi, tu mérites de ressentir ça.

– J'ai tellement envie d'aimer cette fille, Rachel ! lâche-t-il comme si c'était une délivrance. Je ne demande qu'à vivre de tels moments avec elle. Mais j'ai peur que le reste ne me lâche plus.

– Le chagrin ne disparaîtra pas, Miles. Jamais. Mais si tu t'autorises à aimer cette fille, tu ne le ressentiras plus que par moments, au lieu d'y consumer ta vie entière.

Il me reprend dans ses bras, m'attire encore contre lui, m'embrasse, longuement, ardemment, avant de me lâcher.

Puis il hoche la tête, comme pour me signifier qu'il a compris.

– C'est à nous, Miles, dis-je en répétant les mots qu'il aimait à me dire autrefois. C'est à nous.

Il rit, et j'ai l'impression de le sentir allégé d'un poids.

– Tu sais de quoi j'avais peur, ce soir ? me demande-t-il. J'avais peur de te trouver dans le même état que moi. Tu ne peux pas savoir comme je suis content que ce ne soit pas le cas.

Il me serre encore contre lui.

– Merci, Rachel, murmure-t-il.

Il m'embrasse tendrement sur la joue avant de se relever.

– Je devrais y aller, maintenant, ajoute-t-il. J'ai un million de choses à lui dire.

Il se dirige vers le salon, se retourne une dernière fois. Je ne vois plus de tristesse en lui, mais un calme infini dans son regard.

– Rachel ?

Il me dévisage un long moment et un sourire paisible lui éclaire l'expression.

– Je suis content pour toi.

Il disparaît dans le couloir, et je reste assise par terre, jusqu'à ce que j'entende la porte d'entrée se fermer derrière lui.

Je suis contente pour toi aussi, Miles.

38

TATE

Je ferme la porte de ma voiture et me dirige vers l'escalier qui mène au deuxième étage de mon immeuble, soulagée de ne plus avoir à prendre l'ascenseur, même si Cap'taine me manque un peu. C'était agréable d'avoir quelqu'un à qui se confier. Mais heureusement, j'ai largement de quoi m'occuper avec mes cours.

Ça fait deux semaines que je suis installée dans mon nouvel appartement et, malgré mon désir de me retrouver seule, ça ne m'arrive presque jamais. Quand j'entre chez moi, Miles est encore partout, en tout, et je guette le moment où ce ne sera plus le cas, le jour où je souffrirai moins. Où il ne me manquera plus autant.

Je dirais bien que j'ai le cœur brisé, sauf que ce n'est pas le cas. Je ne crois pas. En fait, je n'en sais rien, parce que mon cœur a quitté ma poitrine depuis que je l'ai perdu devant chez Miles, le jour où je lui ai dit au revoir.

J'ai donc décidé de vivre les choses au jour le jour, mais c'est plus facile à dire qu'à faire. Surtout quand ces jours deviennent des nuits et que je me retrouve seule dans mon lit face au silence.

Un silence qui n'a jamais été aussi assourdissant.

Je redoute déjà d'ouvrir la porte de mon appartement, alors que je n'ai pas atteint le premier palier. Je sais déjà que cette nuit ne sera pas différente des autres, de toutes celles qui ont suivi Miles. J'arrive en haut de l'escalier, tourne à gauche, m'arrête net.

Les jambes paralysées.

Je sens de nouveau un cœur battre quelque part dans ma poitrine, pour la première fois depuis deux semaines.

– Miles ?

Il ne bouge pas. Il est assis par terre devant ma porte. Je m'approche doucement de lui, sans trop savoir ce qui l'amène. Il ne porte pas son uniforme. Il est en tenue de tous les jours et sa barbe naissante prouve qu'il n'a pas travaillé ces derniers temps. On dirait qu'il a aussi un léger bleu sous l'œil droit. J'appréhende de le réveiller, parce que s'il est aussi agressif que le soir où je l'ai rencontré, je n'ai aucune envie de recommencer à me battre contre lui. Mais, là encore, je n'ai aucun moyen de le contourner ni d'entrer chez moi sans le réveiller.

Je me redresse, respire un grand coup en me demandant quoi faire. Je n'ai pas confiance en moi ; je risque de m'effondrer. Je vais le faire entrer, lui donner ce qu'il vient chercher, certainement pas ce que je voudrais lui donner.

– Tate, marmonne-t-il.

Je m'aperçois qu'il a ouvert les yeux et tâche de se relever, l'air anxieux. Dès qu'il est debout, je recule d'un pas, parce que j'avais oublié combien il était grand. Combien il redevenait mon tout quand il se tenait ainsi devant moi.

– Ça fait longtemps que tu es là ? lui dis-je.

Il jette un coup d'œil au portable dans sa main.

– Six heures. Euh... il faut que tu m'indiques tout de suite où sont tes toilettes.

Je rirais bien, si je me rappelais comment on fait.

En attendant, je lui fais de signe de s'écarter et ouvre la porte d'une main tremblante, lui indique le couloir.

– Au fond à droite.

Je ne le suis pas des yeux. Je m'affale sur le canapé, me cache le visage dans les mains.

Je ne supporte pas sa présence ici. Je ne supporte pas de l'avoir laissé entrer sans lui poser la moindre question. Je le supporte si peu que, dès qu'il reviendra, je vais lui dire de partir. Je ne peux plus m'infliger ça.

J'en suis encore à essayer de reprendre mes esprits quand il refait son apparition. Et je n'arrive plus à détacher mes yeux de lui.

Quelque chose a changé.

Il a changé.

Ce sourire... cette expression paisible... cette façon de se tenir, comme s'il flottait.

En quinze jours à peine, il est complètement métamorphosé.

Il s'assied sur le canapé, tout près de moi. Trop près. Il se penche sur moi, alors je préfère fermer les yeux en attendant ce qu'il va dire, et qui va forcément me faire souffrir. Il est très doué pour ça.

– Tate, murmure-t-il. *Tu me manques.*

Ouah !

Je ne m'attendais pas du tout à ces trois mots, mais ils deviennent instantanément mes préférés.

Tu et *me* et *manques.*

– Redis-moi ça, Miles.

– Tu me manques, Tate. Beaucoup trop. Et ce n'est pas la première fois. Tu m'as manqué tous les jours où on ne se voyait pas, depuis qu'on se connaît.

Il me prend dans ses bras, m'attire vers lui.

Je le laisse faire.

Contre sa poitrine, j'agrippe sa chemise, serre les paupières lorsque je sens ses lèvres se poser sur mon front.

– Regarde-moi, souffle-t-il en m'attirant sur ses genoux.

Je fais comme il dit. Je le regarde. Cette fois, je le vois vraiment. Il a baissé sa garde et aucun rempart invisible ne m'empêche plus de lire en lui. Cette fois, il me laisse le voir, et ce que je vois est tellement beau !

Mille fois plus que ce qu'il m'avait montré jusqu'ici. J'ignore ce qui a provoqué ce changement en lui, mais c'est sidérant.

– Il faut que je te dise quelque chose, commence-t-il. C'est très difficile pour moi, car tu es la première personne à qui j'ai jamais eu envie de raconter ça.

J'ai peur de bouger. Ses paroles me terrifient. Pourtant, je hoche la tête.

– J'avais un fils.

Il y a une telle douleur dans sa voix... Miles ne me regarde plus, il a les yeux fixés sur nos mains entremêlées.

Je retiens mon souffle en voyant une larme couler le long de sa joue, mais je parviens à ne rien dire.

– Il est mort voilà six ans, poursuit-il sur un ton quasi mécanique.

On sent que c'est un aveu qui lui coûte terriblement. Alors j'ai envie de lui dire de s'arrêter. Que je n'ai pas besoin de l'entendre si c'est tellement atroce. J'ai envie de le serrer dans mes bras, d'arracher à mains nues toute cette tristesse de son âme. Mais, là encore, je le laisse terminer.

– Je ne suis pas encore prêt à tout te raconter sur lui, ajoute-t-il. Il faut que j'aille à mon rythme.

Je lui serre les mains pour le rassurer.

– Je te promets qu'un jour tu sauras tout. Il faudra aussi que je te parle de Rachel. Que tu connaisses mon passé.

Sans trop savoir s'il a terminé ou non, je me penche et pose mes lèvres sur les siennes. Il m'étreint alors avec une telle vigueur, absorbe si fort mon baiser qu'il a l'air de demander pardon sans en articuler les mots.

– Tate, finit-il par susurrer contre ma bouche. Je n'ai pas fini.

Et je le sens sourire.

Il me soulève un peu, m'installe près de lui sur le canapé. Ses pouces encerclent mes épaules tandis qu'il regarde ses genoux tout en prononçant encore d'autres mots.

– J'ai vécu dans une petite banlieue de San Francisco. Je suis fils unique. Je n'ai pas de plats préférés, parce que j'aime à peu près tout. J'ai toujours eu envie d'être pilote. Ma mère est morte d'un cancer quand j'avais dix-sept ans. Mon père s'est remarié il y a près d'un an avec une femme qui travaille pour lui. Elle est gentille, ils sont heureux ensemble. J'ai toujours eu envie d'un chien, mais je n'en ai jamais eu...

Et moi, je n'en reviens pas, fascinée par le bleu de ses yeux maintenant fixés sur moi, tandis qu'il me raconte son enfance, son passé, sa rencontre avec mon frère et sa relation avec Ian.

Sa main se pose sur la mienne comme s'il me protégeait, m'offrait un rempart.

– Le soir où on a fait connaissance, reprend-il, le soir où tu m'as trouvé devant ta porte... c'était l'anniversaire de mon fils. Il aurait eu six ans.

Il m'a demandé de l'écouter mais là, j'ai plutôt envie de le serrer dans mes bras. Il s'allonge et m'attire sur lui.

– J'ai essayé de toutes mes forces de me convaincre de ne pas tomber amoureux de toi, Tate. Chaque fois que je me trouvais près de toi, j'étais effrayé par ce que je ressentais. Je venais de passer six ans à me dire que je gardais le contrôle de ma vie et de mon cœur afin que rien ne me touche plus jamais. Mais quand on était ensemble, il y avait des moments où je me fichais de souffrir à nouveau parce qu'en ta présence je trouvais presque que ça en valait la peine. Dès que j'entrais dans cet état d'esprit, j'avais envie de t'écarter un peu davantage de ma peur, de ma culpabilité. Je me disais que je ne te méritais pas. Que je ne méritais pas le bonheur, car je l'avais arraché aux deux seules personnes que j'aie jamais aimées.

Ses bras se resserrent autour de mes épaules secouées de pleurs. Ses lèvres se posent sur mes cheveux qu'il embrasse dans un long soupir.

– Désolé que ça m'ait pris tant de temps, continue-t-il d'une voix pleine de remords. Mais je ne pourrai jamais assez te remercier de ne pas avoir renoncé à moi. Tu gardais espoir, tu n'as pas baissé les bras. Et c'est la chose la plus importante qu'on ait jamais faite pour moi.

Il me caresse les joues puis m'écarte de lui afin que nous puissions nous regarder dans les yeux.

– Ça ne te paraîtra peut-être pas beaucoup, pourtant mon passé est désormais entre tes mains. Tout mon passé. Tout ce que tu voudras savoir, je te le dirai. Mais seulement si tu me promets de me consacrer ton avenir.

Maintenant, j'ai le visage inondé de larmes, alors il l'essuie. Je me fiche de pleurer devant lui, parce que ce ne sont pas des larmes de tristesse. Pas le moins du monde.

Nous nous embrassons si longtemps que ma bouche me fait mal, autant que mon cœur. Sauf que mon cœur n'est pas douloureux, il est juste trop plein.

Je trace du bout des doigts la cicatrice qui marque la mâchoire de Miles ; un jour, il me dira ce qui lui est arrivé. Je touche aussi le bleu sous son œil, soulagée de pouvoir enfin lui poser des questions sans redouter de l'exaspérer.

– Qu'est-ce qui t'est arrivé, à l'œil ?

Il rit en laissant retomber sa tête sur le canapé.

– Je voulais demander ton adresse à Corbin. Il me l'a donnée, mais j'ai dû faire preuve d'arguments percutants.

Je me penche, lui embrasse la paupière inférieure.

– Ne me dis pas qu'il t'a frappé !

– Ce n'était pas la première fois. Mais je te jure que ce sera la dernière. Je crois qu'il a fini par accepter notre relation, après que j'ai accepté certains de ses principes.

Soudain je m'inquiète.

– Lesquels ?

– D'abord, je n'ai pas le droit de te briser le cœur. Ensuite je n'ai pas le droit de briser ton foutu cœur. Enfin, je n'ai pas le droit de briser ton putain de cœur.

J'éclate de rire, parce que je vois très bien Corbin lui parler ainsi. Miles rit aussi, et quelques instants s'écoulent, au cours desquels on se regarde, pour mieux s'accepter l'un l'autre. Je lis tout dans son regard, désormais. Chacune de ses émotions.

– Miles, on dirait que tu es tombé amoureux de moi.

– Je ne suis pas *tombé* amoureux, Tate, *je me suis envolé* vers ton amour.

Il me reprend contre lui et me donne la seule part de lui qu'il n'avait pu encore m'offrir.

Son cœur.

39

MILES

Sur le seuil de ma chambre, je la regarde dormir. Elle ne le sait pas, mais je le fais tous les matins quand elle est avec moi. C'est par elle que commence ma journée.

La première fois, c'était au matin de notre rencontre. Je ne gardais pas beaucoup de souvenirs de la nuit précédente. Tout ce dont je me souvenais, c'était elle. J'étais sur le canapé et elle me caressait les cheveux, me murmurant de m'endormir. Quand je me suis réveillé, au matin, dans l'appartement de Corbin, je ne pouvais plus la chasser de mon esprit. J'aurais plutôt cru à un rêve, jusqu'au moment où j'ai aperçu son sac dans le salon.

J'ai jeté un coup d'œil dans sa chambre pour vérifier s'il y avait quelqu'un avec moi dans cet appartement. Ce que j'ai ressenti à l'instant où j'ai posé les yeux sur elle ne m'était plus arrivé depuis ma rencontre avec Rachel.

Je me sentais flotter. Sa peau, ses cheveux, ses lèvres, son allure d'ange ravivaient des sentiments que je ne connaissais plus depuis six ans.

Voilà si longtemps que je m'interdisais d'éprouver quoi que ce soit pour quiconque...

Non pas que j'aurais pu soudain contrôler les sentiments que m'inspirait Tate, ce jour-là. Même si je l'avais voulu, je n'aurais pas pu.

Je le sais, parce que j'ai essayé.

De toutes mes forces.

Mais, à l'instant où elle a ouvert les yeux sur moi, j'ai su. Elle allait soit me mettre à mort... soit devenir celle qui finirait par me ramener à la vie.

Le seul ennui était que je ne voulais pas l'être. Je me sentais plus à l'aise en m'interdisant de revivre ce que j'avais déjà vécu. Pourtant, il m'arrivait parfois d'oublier cette règle de vie.

Quand j'ai fini par céder et l'embrasser, tout a changé pour moi. Je voulais tellement plus que ce seul baiser. Je voulais sa bouche et son corps et son esprit ; une seule chose m'arrêtait : je voulais aussi son cœur. Et j'arrivais fort bien à me mentir. À me convaincre que j'étais assez fort pour la posséder physiquement sans chercher autre chose. Je ne voulais plus souffrir, et encore moins la faire souffrir.

Pourtant, c'est bien ce que j'ai fini par faire. Plus d'une fois. Il me faudra désormais toute ma vie pour m'amender.

Je m'en vais m'asseoir au bord de mon lit. Elle sent le matelas s'abaisser et entrouvre les yeux. Une esquisse de sourire lui étire les lèvres avant qu'elle ne remonte les couvertures sur sa tête et roule sur le côté.

Nous avons officiellement commencé à sortir ensemble il y a six mois, au cours desquels j'ai eu largement le temps de me rendre compte qu'elle n'était pas vraiment du matin. Je me penche et embrasse le drap à l'endroit où celui-ci lui couvre l'oreille.

– Réveille-toi, belle endormie.

Elle bougonne, alors je soulève le drap pour me glisser et me blottir contre elle. Son bougonnement s'achève en gémissement.

– Tate, il faut te lever. On va rater l'avion.

Apparemment, le message passe.

Elle se retourne lentement vers moi, tire les draps sur nos têtes.

– Qu'est-ce que tu racontes ?

Je souris, en essayant de contenir mon impatience.

– Lève-toi, habille-toi. On s'en va.

Elle me dévisage d'un air soupçonneux, des plus justifiés quand on pense qu'il n'est pas cinq heures du matin.

– Tu sais que j'ai très peu de journées entières de liberté, marmonne-t-elle, alors tu as intérêt à ne pas dire n'importe quoi.

Je ris, l'embrasse brièvement.

– Tout dépend de notre ponctualité.

Je me lève, tapote plusieurs fois le matelas.

– Alors lève-toi, lève-toi, lève-toi.

Cette fois, elle envoie promener draps et couvertures, se pose au bord du lit, et je l'aide à se lever.

– Difficile de s'énerver devant quelqu'un d'aussi enthousiaste, Miles.

En arrivant dans le hall d'entrée, nous sommes accueillis par Cap'taine devant l'ascenseur, comme je le lui avais demandé. Il lui tend un jus d'orange à emporter et notre petit déjeuner. J'aime cette relation qu'ils entretiennent, tous les deux. Je redoutais quelque peu de révéler à Tate que je connaissais ce monsieur depuis ma plus tendre enfance. Quand j'ai fini par le lui dire, elle nous en a voulu à tous les deux. D'abord et avant tout parce qu'elle croyait que Cap'taine me rapportait tout ce qu'elle lui avait confié.

Je lui ai juré qu'il n'aurait jamais fait ça.

Je le savais, parce que Cap'taine est l'une des rares personnes au monde en qui j'ai confiance.

Il trouve toujours le mot juste et me prodigue ses conseils mine de rien. Il en a dit juste assez pour me faire réfléchir à mon attitude envers Tate. Il fait partie de ces gens qui grandissent aussi bien en âge qu'en sagesse. Il a toujours su comment réagir face à chacun de nous deux.

– Bonjour, Tate, lance-t-il avec un large sourire.

Il lui tend le bras et elle nous regarde, l'un après l'autre.

– Qu'est-ce qui se passe ? lui demande-t-elle alors qu'il l'accompagne vers la sortie du hall.

Il sourit.

– Le garçon va m'offrir mon baptême de l'air. Je voulais que tu nous accompagnes.

Elle ne le croit pas : ce n'est tout de même pas la première fois qu'il va prendre l'avion !

– Mais si ! affirme-t-il. Malgré mon surnom, je n'ai jamais volé.

Le regard qu'elle me jette par-dessus l'épaule suffit à faire de ce jour l'un des plus beaux de ma vie, alors que l'aube n'est pas encore levée.

– Ça va, Cap'taine ? dis-je dans le casque.

Assis derrière Tate, les yeux fixés sur son hublot, il lève le pouce sans quitter la vitre des yeux. Le soleil n'apparaît pas encore derrière les nuages et il n'y a pas grand-chose à voir pour le moment. Voilà seulement dix minutes que nous avons décollé, mais j'ai le plaisir de constater que ce vieux monsieur est aussi fasciné que je l'espérais.

Je reporte mon attention sur le tableau de bord et, en atteignant l'altitude maximale, j'éteins le casque de Cap'taine. Je jette un regard vers Tate qui me dévisage d'un air ravi.

– Tu voudrais savoir ce qu'on fait là ? lui dis-je.

Elle jette un coup d'œil vers Cap'taine avant de revenir vers moi.

– Tu te rappelles le jour où on est rentrés de la maison de tes parents après Thanksgiving ?

Elle fait oui de la tête, l'air intrigué.

– Tu demandais à quoi ressemblait un lever de soleil vu d'en haut. C'est le genre de chose qu'on ne peut pas décrire, Tate.

Je lui désigne son hublot.

– Tu vas pouvoir constater toi-même.

Elle se tourne aussitôt pour regarder, pose les paumes sur la vitre. Pendant cinq bonnes minutes, elle ne remue pas un muscle ; je ne sais pas comment c'est possible, mais je me sens tomber encore plus amoureux d'elle.

Quand le soleil éclate au-dessus des nuages, quand l'avion est empli de sa lumière, Tate finit par se tourner vers moi, les yeux pleins de larmes. Sans rien dire, elle me prend juste la main.

– Tate, attends-moi ici. Je vais aider Cap'taine à sortir d'abord. Un chauffeur va le ramener chez lui, parce que toi et moi, on va prendre notre petit déjeuner.

Elle dit au revoir à Cap'taine et attend patiemment dans l'avion tandis que j'aide le vieil homme à descendre les marches. Il sort de ses poches deux boîtes qu'il me tend dans un sourire. Je les range dans ma propre poche et retourne vers l'escalier.

– Hé, mon garçon ! crie-t-il avant d'entrer dans la voiture.

Je me retourne vers lui. Il désigne l'avion de la main.

– Merci, pour tout.

Sans me laisser le temps de le remercier à mon tour, il s'assied et claque la portière.

Je remonte dans l'avion. Tate a détaché sa ceinture, prête à sortir à son tour, mais je regagne ma place.

– Tu es incroyable, Miles Mikel Archer ! lance-t-elle en souriant. Et je dois dire que c'est très excitant de te voir piloter. On devrait faire ça plus souvent.

Elle m'embrasse vivement sur la bouche puis se lève.

Je la fais se rasseoir.

– On n'a pas fini, dis-je en me retournant vers elle.

Je lui prends les mains, les regarde en tâchant de modérer mon souffle, prêt à lui dire enfin ce qu'elle mérite d'entendre.

– Le jour où tu m'as demandé de voir le lever de soleil, je dois te remercier pour ça. C'était la première fois depuis plus de six ans que j'avais de nouveau envie d'aimer quelqu'un.

Elle pousse un bref soupir, se mord la lèvre comme pour le rattraper. Je me penche pour l'embrasser encore mais garde les yeux ouverts pour m'assurer que c'est bien la boîte noire que je sors d'abord. Une fois que je la tiens entre les doigts, je me redresse et la montre à Tate, qui écarquille les yeux, l'air de ne pas comprendre. Elle porte une main à sa bouche pour réprimer un autre soupir.

– Miles...

De plus en plus incrédule, elle continue de regarder alternativement la boîte puis mon visage.

Jusqu'à ce que je l'interrompe :

– Ce n'est pas ce que tu crois.

J'ouvre le couvercle, lui montre la clé, ajoute après une hésitation :

– Enfin, pas vraiment ce que tu crois.

Son regard reste émerveillé et cette réaction me soulage un peu. Elle a très bien compris et accepte.

Je sors la clé, la lui pose dans la main.

– Tate, veux-tu t'installer avec moi ?

Pour toute réponse, elle articule deux mots :

Oh et *oui.*

Je me penche pour l'embrasser. Nos membres et nos bouches ne forment plus que deux pièces de puzzle emboîtées l'une dans l'autre sans le moindre effort. Elle s'assied sur mes genoux. C'est bien la première fois que ça m'arrive dans un cockpit.

On est très à l'étroit.

Parfait.

– Je ne fais pas bien la cuisine, me prévient-elle. Et tu es meilleur en lessive que moi. Moi, je lave le blanc et les couleurs ensemble. Et tu sais que le matin, il ne faut pas m'en demander trop.

Elle me tient le visage pour mieux me faire accepter ces avertissements, comme si je ne savais pas à quoi m'en tenir.

– Écoute-moi, Tate. J'ai envie de voir ton désordre, tes vêtements traîner par terre, ta brosse à dents sécher sur le lavabo. Je veux voir tes chaussures dans mon placard et les restes de tes mauvais petits plats dans mon réfrigérateur.

Elle éclate de rire.

– Oh, j'allais oublier ! dis-je en sortant l'autre boîte de ma poche.

Je la place entre nous, l'ouvre pour lui montrer la bague.

– Je veux aussi que tu occupes mon avenir. À jamais.

Elle en reste bouche bée, paralysée. J'espère qu'elle n'a aucun doute, parce que moi, je n'en ai aucun en ce qui concerne notre vie à deux. Je sais que je ne la connais que depuis six mois, mais quand on sait, on sait.

Son silence m'inquiète, alors je sors en hâte la bague, lui prends la main.

– Veux-tu briser avec moi la règle numéro deux, Tate ? Parce que je désire vraiment t'épouser.

Elle n'a même pas besoin de dire oui. Ses larmes, son baiser, son rire le disent pour elle.

Elle recule, me jette un regard tellement plein d'amour que ma respiration se bloque.

Elle est d'une beauté renversante.

Son espoir est beau.

Son sourire est beau.

Les larmes qui lui coulent sur les joues sont belles.

Son

amour

est

beau.

Elle laisse échapper un doux soupir,
se penche doucement pour poser ses lèvres sur les miennes.
Son baiser est plein de tendresse et d'affection,
ainsi que de la promesse muette d'être à moi, désormais.
À jamais.
– Miles, murmure-t-elle contre ma bouche.
Je n'ai encore jamais fait l'amour dans un avion.
Je souris, j'ai l'impression qu'elle capte
chacune de mes idées. Et moi de lui répondre :
– Je n'ai encore jamais fait l'amour à ma *fiancée*.
Ses mains glissent le long de mon cou puis de ma chemise
pour aller se poser sur les boutons de mon jean.
– Il va falloir arranger ça, dit-elle en achevant
sa phrase sur un baiser.
Quand nos bouches se rencontrent à nouveau,
c'est comme si les derniers débris de ma cuirasse se
désintégraient et que les dernières plaques de glace qui
emprisonnaient mon cœur venaient de fondre et de s'évaporer.
Celui qui a inventé l'expression *je t'aimerai jusqu'à la mort*
n'a certainement pas connu le genre d'amour qui nous unit,
Tate et moi. Sinon, il aurait plutôt dit *je t'aimerai jusqu'à
la vie* Parce que c'est exactement ce que Tate a fait.
Son amour m'a ramené à la vie.

ÉPILOGUE

Je repense au jour de notre mariage.
Ce fut l'un des plus beaux jours de ma vie.
Je me trouvais à l'entrée de l'église, entre Ian et Corbin.
On l'attendait quand son frère s'est penché pour me murmurer :
– Il n'y a que toi qui pouvais satisfaire mes critères en ce qui la concernait, Miles. Je suis content que ce soit toi.
Moi aussi, j'étais content.
Ça remonte à deux bonnes années, et, depuis lors, je n'ai cessé de retomber un peu plus amoureux d'elle.
Ou plutôt de *m'envoler* vers son amour.
Au moins, je n'ai pas pleuré le jour de notre mariage.
Tandis que ses larmes
coulaient,
coulaient,
coulaient,
ce jour-là,
mais pas les miennes.
J'étais certain qu'elles ne couleraient jamais.
Pas de la façon que je voulais.
Et puis, il y a huit mois, nous avons appris
que nous attendions un bébé.
Nous ne l'avons pas fait exprès,
mais nous ne l'avons pas empêché de venir non plus.
– On verra ce qui se passera, disait Tate.
Et ça c'est passé.
En l'apprenant, nous étions tous les deux fous de joie.

Elle a pleuré.
Ses larmes
coulaient,
coulaient,
coulaient,
ce jour-là,
mais pas les miennes.
Malgré mon enthousiasme, j'avais peur.
Peur comme ça peut vous arriver
quand on aime tant quelqu'un.
Peur de toutes les horreurs qui pourraient se produire.
Peur que mes souvenirs ne reprennent le dessus
le jour où j'allais redevenir père.
Et voilà que nous y sommes.
Et je suis encore terrorisé.
Terrifié.
– C'est une fille, annonce le médecin.
Une fille.
Nous venons d'avoir une petite fille.
Je suis redevenu père.
Tate est devenue mère.
Ressens quelque chose, Miles.
Tate me regarde.
Je sais qu'elle lit la peur dans mes yeux.
Je sais aussi combien elle souffre en ce moment,
pourtant, elle parvient à me sourire.
– Sam, murmure-t-elle en articulant son nom
pour la première fois.
Elle a insisté pour que nous l'appelions Sam
en l'honneur de Cap'taine, qui s'appelle Samuel.
Je ne pouvais rêver mieux.
L'infirmière vient déposer Sam dans les bras de Tate.
Qui se met à pleurer.
J'ai les yeux encore secs.

J'ai encore trop peur pour me détourner de Tate
et regarder notre fille.
Pas peur de ce que je vais ressentir en la regardant.
Mais peur de ce que je ne vais pas ressentir.
Je suis terrifié à l'idée que mes expériences passées
n'aient anéanti mon aptitude à ressentir ce que n'importe
quel père doit ressentir à ce moment-là.
– Viens ici, dit Tate.
Je m'assieds près d'elles au bord du lit.
Tate me tend Sam et je la prends de mes mains tremblantes.
Je ferme les yeux, laisse échapper un soupir avant de trouver
le courage de les rouvrir.
Je sens la main de Tate sur mon bras.
– Elle est jolie, Tate. Regarde-la.
J'ouvre les yeux, respire un grand coup en la voyant.
Elle me rappelle aussitôt Clayton,
sauf qu'elle a les cheveux bruns de Tate.
Et des yeux bleus.
Les miens.
Je
le
sens.
Tout est revenu.
Tout ce que j'ai ressenti la première fois,
quand j'ai tenu mon fils, me revient exactement
de la même façon lorsque je regarde ma fille.
Moi qui redoutais d'avoir perdu la capacité d'aimer
quelqu'un à ce point, voilà qu'un seul regard
vers Sam m'a rassuré.
Elle n'a que deux minutes et voilà
qu'elle m'enseigne déjà quelque chose.
– Elle est magnifique, Tate.
Ma voix se brise.
J'ai le visage baigné de larmes.

Mes larmes
coulent,
coulent,
coulent.
Pour la première fois depuis que j'ai tenu Clayton
dans mes bras, je verse des larmes de joie.
Rachel avait raison. Le chagrin sera toujours là.
La peur aussi.
Mais chagrin et peur n'emplissent plus ma vie.
Ils ne surgiront que par moments.
Des moments qui disparaissent désormais
à chaque instant que je passe avec Tate.
À chaque instant que je passe avec Sam.
Moi et Tate et Sam.
Ma famille.
Je l'embrasse sur le front, puis me tourne vers Tate pour
l'embrasser, la remercier de m'avoir fait un don si précieux.
Tate pose la tête sur mon bras et nous regardons ensemble
notre petite fille.
Je t'aime tant, Sam.
Je considère la perfection de ce que nous avons créé.
C'est à nous.
Ce sont de pareils moments
qui viennent compenser l'amour atroce.

REMERCIEMENTS

J'ignore comment j'ai pu enfin aboutir à rédiger des remerciements pour mon huitième livre. C'est vraiment un moment surréaliste, que je n'aurais jamais pu vivre sans les personnes suivantes.

D'abord toute l'équipe Dystel & Goderich, merci pour votre soutien sans faille et vos encouragements.

Johanna Castillo, Judith Curr, et la famille des éditions Atria. Avec vous, on s'amuse sans cesse et je ne me réjouirai jamais assez de faire partie d'une des équipes d'édition les plus cool du monde.

À tous mes amis et lecteurs, vous savez de qui je parle. Vos commentaires et votre soutien n'en finissent plus de me stupéfier. Sachez que je vous aime et vous remercie. Sans vous, je ne serais rien.

À mon extraordinaire famille. Je ne sais pas en quoi j'ai mérité d'avoir la meilleure, mais je continue à m'extasier chaque jour de vous avoir. Surtout mes quatre mecs.

À vous, les filles de FP, vous savez toujours exactement quand lancer les paillettes et lâcher les licornes. Nous formons une grande équipe.

À mes chers Weblich. On ne sait peut-être pas très bien prononcer Weblich mais on porte ce nom avec fierté. Je ne sais même pas quoi dire d'autre que merci pour m'accorder un refuge lorsque j'ai besoin d'encouragements, d'un éclat de rire et d'un retour sur Terre.

Aux CoHorts pour votre soutien sans faille. Avec vous, on n'a jamais l'impression de travailler.

Et enfin, et avant tout, à mes NPTBF. Je vous serai toujours reconnaissante de votre désordre et de votre ignorance en matière d'emballage de bijoux. Sinon, j'aurais raté l'une des meilleures et des plus étranges, des plus contraires à l'éthique et des plus étranges relations de ma vie.

CHRISTINA LAUREN

NOUVELLE SÉRIE : WILD SEASONS

SWEET FILTHY BOY
SAISON 1 - AVRIL 2015

DIRTY ROWDY THING
SAISON 2 - JUIN 2015

À PARAÎTRE

DARK WILD NIGHT
SAISON 3 - OCTOBRE 2015

WICKED SEXY LIAR
SAISON 4
À PARAÎTRE EN 2016

Hugo Roman